modernista en la poesía, y luego se
parece a Unamuno (jóvenes intelectual).
Anticlericalismo. (en AMDG)

1ª época: Lit. basándose en su propias experiencias
2ª época: mas cuidado (A.M.D.G.) anticlericalismo
3ª época: mas dura menos obvio su
        anticlericalismo, pero sigue presente:
            - celibato
            - androgenismo

Padre Gordo → antisofista
Eliseo Guzmán → celibato
    · sobre en contra del celibato?
    · preocupación exagerada del humor?
Novelito:

Gran parte del 3 acción pasa en semana
        santa.

Don Guillén: cinsho?
        - hermano?
        - vida al principio y el halo?

Para ser buen sacerdote tiene el deber
de experimentar la vida

Novela - ensayo ? → de Don Guillén?
    - la religión cristiana debe volver a sus
        comienzos amorosos (la del Breviario)
            Poeme cristiano amorosa.
    Todos los matrimonios

¿Cuántos voces narrativas hay?

→ prólogo y epílogo narra otro. personaje

§3- casa de huéspedes = Vark

→

· en III → V, V

narrador omnisciente

VI y VII → otro galán

VIII narrador omnisciente

IX → estudiantón.

Belarmino y Apolonio

Letras Hispánicas

Ramón Pérez de Ayala

207 de E colección

introduzco

hay justicia Poetica (del usurero?.

Belarmino
y Apolonio

Edición de Andrés Amorós

DÉCIMA EDICIÓN

CATEDRA

LETRAS HISPANICAS

Ilustración de cubierta: Narcís Comadira

© Herederos de Ramón Pérez de Ayala
Ediciones Cátedra, S. A., 1999
Juan Ignacio Luca de Tena, 15. 28027 Madrid
Depósito legal: M. 40.561/1999
ISBN: 84-376-0074-X
Printed in Spain
Impreso en Fernández Ciudad, S. L.
Catalina Suárez, 19. 28007 Madrid

Índice

A José María Martínez Cachero,
en Oviedo.

Ramón Pérez de Ayala (1922)

Introducción

Prólogo

El filósofo de la casa de huéspedes.

Don Amancio de Fraile, a quien conocí hace
muchos años en una casa de huéspedes era
sin duda un hombre fuera de lo común, no
menos por la traza corporal cuanto por su
inteligencia, carácter y costumbres. Algún día
quizás se me ocurra referir por lo menudo lo
que ~~de su~~ nube de averiguar y sobre todo
recoger ~~mismos~~ y puntualmente sus doctrinas,
opiniones, aforismos y paradojas; de donde pudo
ya resultar un libro que si no emula las
Memorabilia
~~........~~ en que Jenofonte dejó ~~.....~~
~~.....~~ reverente y filial recuerdo
~~.....~~ de su maestro Sócra...

de moda,
por curiosidad

Manuscrito: primera página

Pérez de Ayala: vida y obra. Carácter

Ramón Pérez de Ayala es una de las figuras más importantes del renacimiento intelectual y literario que se produce en España en el primer tercio del siglo xx. Con sus triunfos y sinsabores, su vida refleja, además de la peripecia individual, algunos de los problemas básicos con que ha tenido que enfrentarse el intelectual en la España contemporánea.

No existe todavía una biografía completa de este escritor. No la hicieron Francisco Agustín ni José García Mercadal. Miguel Pérez Ferrero, que charló mucho con el escritor y tomó notas, ha publicado un primer tomo de interés anecdótico evidente. De todos modos, subsisten amplias lagunas. Sabemos poco de sus comienzos literarios y no demasiado de su época final, desde que es nombrado embajador de España en Londres hasta su vida de exiliado en Hispanoamérica y la vuelta a España. No voy a acumular aquí los datos que poseemos (lo he hecho ya en la introducción a mi edición crítica de *Tinieblas en las cumbres*). Quisiera ahora, simplemente, anotar algunos hechos fundamentales de su biografía y comentar el posible sentido que puedan tener, la influencia sobre la formación de su pensamiento y la creación de su obra.

Ramón Pérez de Ayala nace en Oviedo en 1880. Sus primeras obras importantes se producirán hacia 1910. Es decir, que es algo posterior a la generación del 98. Sin embargo, hombres del 98 son algunos de sus mejores amigos, como Azorín o Valle-Inclán, que aparecen retratados en *Troteras y danzaderas*.

Se ha discutido mucho si pertenece o no a dicha generación. En una entrevista que concedió a José Antonio Flaquer (*El Noticiero Universal*, 3 de enero de 1962), dijo: «Yo no formé parte de ella, aunque los traté a todos, especialmente a Unamuno, Valle y Azorín... Mi opinión es que la generación del 98 dio grandes hombres.»

Del espíritu noventayochista heredó Ayala la preocupación crítica por los problemas de España. Recordemos el amargo final de *Troteras y danzaderas:* eso (troteras y danzaderas) es lo que ha producido España... Sin embargo, la actitud de Ayala coincide más con la de los componentes del llamado grupo novecentista: Ortega y Gasset y el doctor Marañón, por ejemplo, serán sus dos compañeros de actividad política.

Este grupo novecentista se caracteriza por la seria formación intelectual, la decidida actitud de apertura a Europa y una progresiva toma de conciencia social y política, a partir de la Primera Guerra Mundial (por eso propone Gonzalo Sobejano hablar de una generación de 1914) que desembocará en la actuación pública a favor de la Segunda República Española.

Pérez de Ayala es hijo de un comerciante castellano establecido en Asturias. Pertenece, pues, como tantos intelectuales españoles, a la clase media relativamente acomodada. A los ocho años, sus padres le envían al colegio de jesuitas de San Zoilo, en Carrión de los Condes, provincia de Palencia. Después completará el Bachillerato en el Colegio de la Inmaculada de Gijón. Tuvo como profesor al bondadoso y apasionado Julio Cejador, antes de que abandonara la Compañía.

El niño Ramón Pérez de Ayala lo pasó muy mal en el internado de los jesuitas. Años después escribirá una novela autobiográfica, *A.M.D.G.*, relatando sus experiencias, que también comenta en varios artículos. Recordemos sólo unas frases en que pinta con muy vivos colores esta experiencia infantil: «El desfallecimiento más angustioso me acometía cuando, concluida la jornada, siempre uniforme, como de etapas a través de un páramo, nos recluían a cada cual en nuestra camarilla, pequeño sepulcro, todo blanco de cal y lino. Era el instante del vacío de la noche, y la noche era el vacío del mundo.» (De un trabajo incluido en el libro *Amistades y recuerdos*.)

No hace falta ser muy psicólogo para comprender la huella que estos sufrimientos infantiles dejarán en el alma del futuro escritor. En efecto, la educación jesuítica marcó para siempre su espíritu, para lo bueno y para lo malo. Por una parte, los jesuitas le proporcionarán una sólida base humanística, con lo que se singulariza respecto de lo que es habitual en el novelista español de todas las épocas. (Valera y Unamuno son ejemplos relativamente semejantes). Pérez de Ayala poseía una seria formación clásica: la lectura de los clásicos griegos y latinos, en su lengua original, constituía uno de sus mayores placeres hasta el final de sus días. No cabe duda de que esta formación clásica repercutirá sobre todos sus escritos y, en concreto, dará a sus novelas una complejidad intelectual que las hace no muy aptas para la gran masa.

Por otra parte, la educación jesuítica coincide con (o provoca) una seria crisis religiosa. A un periodista que le pregunta si tiene fe contesta el escritor con un laconismo implacable: «No. He estudiado con los jesuitas.»

Esto nos puede llevar a intentar precisar un poco la actitud religiosa de Pérez de Ayala: como otros muchos intelectuales españoles (Galdós, Clarín, Ortega, etcétera) es anticlerical pero no antirreligioso. La distinción es muy clara y conviene subrayarla bien para no falsear los términos del problema. El anticlericalismo de estos escritores no es más que la lógica respuesta a la gran (excesiva, para ellos) influencia del clero sobre la sociedad española y al tradicionalismo y falta de cultura de muchos eclesiásticos.

En su juventud, Pérez de Ayala adoptó posturas de un anticlericalismo polémico muy agudo: es éste, quizá, uno de los elementos de su fama popular. Su actitud ante la religión católica será siempre fuertemente crítica y podría emparentarse algo, salvadas las distancias lógicas, con la del movimiento erasmista en el siglo XVI: crítica de las ceremonias externas y defensa de un «cristianismo interior» unido a la práctica de las virtudes esenciales, fe, esperanza y caridad. Con el tiempo, la actitud de Pérez de Ayala ante la religión fue dulcificándose mucho y puedo atestiguar que, en los últimos años de su vida, la Biblia era una de sus lecturas favoritas.

Resulta curioso recordar aquí una anécdota: en los años de la República se estrena en Madrid una adaptación escénica de su novela anticlerical, *A.M.D.G.* A una de las representaciones acude el Gobierno con su presidente, don Manuel Azaña. La obra da lugar a escándalos y manifestaciones populares: en una de ellas son detenidos, por oponerse ruidosamente a la obra, un sacerdote y José Antonio Primo de Rivera, el futuro fundador de la Falange.

Pérez de Ayala inicia estudios de Derecho en Oviedo. Esta Universidad, en aquellos años, posee un cuadro de profesores de gran categoría y talante liberal, influidos por la corriente krausista que marcó tan poderosamente la vida intelectual española desde la segunda mitad del siglo XIX: Altamira, Álvarez Buylla, Sela, Aramburu, Adolfo Posada... Y, sobre todos, Leopoldo Alas, «Clarín», el gran novelista.

Pérez de Ayala siente auténtica «adoración» (ésa es la palabra que emplea en uno de sus artículos juveniles) por Clarín, que va a ser su verdadero maestro espiritual. En efecto, las novelas de Pérez de Ayala no seguirán la línea realista de Galdós, a quien tanto admiraba, por otra parte, sino la de Clarín: novela intelectual, rica de ideas y de preocupaciones, centrada en la visión muy crítica —amarga, irónica— de la realidad social en una capital de provincia española. Oviedo será retratada implacablemente tanto por Clarín (con el nombre de Vetusta) como por Pérez de Ayala (como Pilares).

Clarín y Pérez de Ayala son, a la vez y antes que novelistas, pensadores y espíritus críticos de gran inteligencia; también, grandes pesimistas. Pero su pesimis-

16

mo se suaviza por la presencia de dos elementos típicos, según parece, del espíritu asturiano: el lirismo ante la naturaleza y un sentido del humor muy suave, alejado de la crudeza castellana, por ejemplo, de un Quevedo.

El joven Pérez de Ayala marcha luego a Inglaterra. Apenas poseemos datos concretos de su estancia (la primera; a lo largo de su vida se irán sucediendo otras varias), pero sí sabemos que se trata de un viaje formativo, en un sentido amplio y bastante vago: lengua inglesa, literatura, arte, filosofía... Señalemos que Pérez de Ayala fue toda su vida un gran enamorado de Inglaterra. En esto se separa también de lo habitual en el escritor español de la época, que solía recibir las novedades literarias a través de Francia y reverenciar míticamente a la cultura alemana. Coincide Pérez de Ayala con el espíritu inglés en su sentido del humor, ya mencionado, y en el profundo liberalismo, que en el caso del escritor español no sólo es opción política concreta, sino creencia básica, actitud general ante la vida, casi una religión que posee raíces muy hondas en su personalidad y encuentra manifestación en los más diversos sectores del espíritu humano. Para Pérez de Ayala, en resumen, la virtud fundamental es la tolerancia, el respeto a la manera de ser y pensar de los demás.

La plácida vida de hijo de familia acomodada se quiebra por una brusca tragedia: al quebrar la banca donde guarda su dinero, su padre se suicida. No es preciso subrayar la carga de pesimismo que este hecho debe de provocar en su mente juvenil. Además, se ve obligado ahora a tomar ya la literatura como fuente de vida y no como mera distracción de «amateur». (Nadie sabe hasta qué punto lo hubiera hecho también de no mediar esta circunstancia.)

Al aparecer en la vida literaria madrileña, Pérez de Ayala lo hace con actitud aristocrática un poco desdeñosa y teñida de esnobismo. Antonio Machado lo retrata entonces

«.................................. resoluto
el ademán, y el gesto petulante

—un si es no es— de mayorazgo en corte,
de bachelor en Oxford o estudiante
en Salamanca, señoril el porte».

Después... comienza una vida literaria muy intensa: libros de poesía, novelas, ensayos. La fama popular la consigue sobre todo gracias al escándalo de *A.M.D.G.* Se producen reacciones apasionadas a favor y en contra. Ortega y Gasset, en un célebre artículo, sólo reprocha a Ayala el no haber sido más duro en su crítica. (Desde la guerra civil, la novela está prohibida en España). En realidad, como suele suceder, el éxito ha sonreído al tema escandaloso más que a la excelsitud artística. Esta popularidad, alcanzada por razones no exclusivamente literarias, se consolida después con una serie de importantes novelas.

Al estallar la Primera Guerra Mundial, Ayala milita decididamente a favor de los aliados, como la mayor parte de los intelectuales liberales españoles. Visita el frente de guerra, escribe un libro *(Hermann encadenado)* contra el régimen alemán y publica una antología de los discursos del Kaiser con un prólogo fuertemente crítico. A la vez, se produce un cambio de orientación en su carrera novelesca. Concluye el primer ciclo de sus novelas, de fuerte base autobiográfica, y escribe tres narraciones cortas en las que la perfección del estilo se une a la fuerte crítica de realidades sociales españolas para dar lugar a unas auténticas obras maestras: son las *Tres novelas poemáticas de la vida española: Prometeo. Luz de domingo. La caída de los limones.* La segunda, *Luz de domingo,* una de sus obras más perfectas, está dedicada a Araquistáin, conocido escritor y político izquierdista, y supone una crítica feroz del sistema de caciquismo que imperaba en muchos pueblos españoles.

Pérez de Ayala, del mismo modo que otros escritores, adopta una actitud decidida frente a la Dictadura del general Primo de Rivera. Sus artículos de esta época, que demuestran, una vez más, su gran capacidad crítica y su agudo análisis de las realidades españolas, están recogidos en el volumen *Política y toros*. (La edición reciente, en libro de bolsillo, lleva el título *Escritos políticos*).

Pérez de Ayala forma parte de varias empresas políticas de signo intelectual. Todas ellas poseen una tendencia liberal, republicana y laicista. La más importante es la Agrupación al Servicio de la República, que funda junto con Ortega y Gasset y Marañón. El advenimiento de la República supone el triunfo de esta empresa. La República nace con un signo intelectual muy marcado: la prueba de ello es que envía como embajadores a figuras de reconocido prestigio; entre otros, a Pérez de Ayala, que es nombrado embajador en su amada Inglaterra.

Está todavía por hacer la historia del escritor en su Embajada, pero, por lo que sabemos, podemos afirmar que tuvo allí buenos amigos y se encontró a gusto en un país y en medio de unos ciudadanos a los que conocía bien y estimaba. Sin embargo, su actitud de liberal moderado (como las de sus compañeros Ortega y Marañón) fue siendo rebasada por los elementos más extremistas de la República española, de modo que cesó como embajador en 1936.

Su dedicación a la política, por otra parte, ha sido funesta para su labor de novelista. Su última novela lleva la fecha de 1926. Entonces el escritor tiene cuarenta y seis años y está plenamente reconocido por la crítica internacional más exigente. (A título anecdótico se puede recordar que ganó el Premio Nacional de Literatura y que se habló de él alguna vez como posible candidato para el Premio Nobel). Todavía vivirá treinta y seis años más, hasta los ochenta y dos, pues muere en Madrid en 1962. En este largo período escribió muchos artículos de periódicos, luego recogidos en libros, pero ninguna novela.

El caso resulta especialmente pintoresco si recordamos que Pérez de Ayala insistió varias veces en su teoría de que la novela es el género propio de la madurez, el fruto de una experiencia vital acumulada durante años. (Véase, por ejemplo, su libro *Principios y finales de la novela*). Teoría, como se ve, desmentida por su propio ejemplo.

¿A qué se debe este silencio narrativo, tan difícil de explicar? Nadie lo sabe con exactitud. Yo mismo, en mi libro *La novela intelectual de Ramón Pérez de Ayala* he mencionado varios proyectos narrativos y tratado con cierta extensión de las posibles causas. Resumo aquí las principales:

1) La pereza y apatía del escritor.
2) Su vida ajetreada, desde la guerra, con la necesidad de escribir frecuentes colaboraciones periodísticas.
3) Su pesimismo creciente, aumentado por la guerra civil española y por la muerte de uno de sus hijos.
4) El agotamiento de una cierta línea novelesca.

Para los intelectuales que colaboraron en la venida de la República, la guerra civil debió de suponer un golpe verdaderamente fuerte. Para comprenderlo, en el caso de Ayala, he recordado yo unas palabras que forman parte de un discurso que pronunció en Londres, siendo embajador, en mayo de 1934. Conmemorando el tercer aniversario de la República, se alegra de que esos tres años hayan demostrado que «puede haber una colectividad de españoles perfecta, irreprochablemente unidos y concordes, cualesquiera que puedan ser sus discrepancias, inevitables y aún convenientes (...), que los españoles son tan aptos para la fecunda solidaridad social como lo pueda ser el que más; que no es cierto que el español, por una especie de fatalismo temperamental, lleve dentro de sí la tendencia inevitable a la contradicción, a la imposición, a la indisciplina, a la disgregación, en suma; que se vea arrastrado a pesar suyo, como única manifestación de su personalidad, a adoptar posiciones extremas de guerra civil, potencial o actual, como si todos los españoles, por una especie de maldición bíblica, no pudiéramos ser sino cainitas y abelianos, verdugos y víctimas de nosotros mismos. Aquí está la prueba contraria: la colonia española en Londres (...) Por el contrario, si fracasáramos (no digo los republicanos sino los españoles) será menester que con las lágrimas de Boabdil en los ojos nos dispongamos a abandonar por el foro el escenario del mundo y a llorar como mujeres lo que no supimos conservar como hombres».

Así sucedió, por desgracia; se quebró el ideal de pacífica convivencia y los españoles se vieron lanzados, una vez más, a la lucha fratricida. No hace falta subrayar lo que debió de suponer para un hombre de la sensibilidad de Ramón Pérez de Ayala tal fracaso de sus ideales cívicos. En estas palabras me parece ver el germen y la explicación de la actitud futura del escritor, de muchos de sus pesimismos y escepticismos radicales.

Con la guerra civil comienzan para Ayala, como para muchos otros españoles, intelectuales o no, los amargos años del exilio. En su correspondencia de estos tiempos se encuentra la preocupación por la suerte de su patria, la separación de seres queridos, las dificultades económicas, la incertidumbre en cuanto al futuro, la creciente nostalgia. Después de una temporada en Francia, marcha a Hispanoamérica, visita varios países y se centra en la Argentina hacia 1943. Le angustia el porvenir de su familia. Se gana la vida como puede, dando conferencias o escribiendo artículos sobre los más variados temas. Un alivio en su situación se lo proporcionan la edición argentina de sus principales novelas y la adscripción a la Embajada de España, como ex embajador.

Poco a poco se reanudan los lazos con su patria, pasados los difíciles años de la posguerra. En junio de 1948 vuelve a publicar en el diario *A B C*, de Madrid, al que él había atacado, de joven. Realiza un corto viaje por España en 1949 y regresa definitivamente a su patria, junto a sus parientes y amigos, el 20 de diciembre de 1954. Para la opinión oficial española, Pérez de Ayala es uno de los «malvados» intelectuales que contribuyeron a traer a España la República; pero existe también un deseo muy generalizado de olvidar viejas historias y reincorporar a la vida española a figuras de una categoría tan indiscutible. Lo mismo sucederá con sus compañeros Ortega y Marañón.

La vuelta a España de Pérez de Ayala tiene un carácter puramente privado, no significa ninguna toma de posición pública ante los problemas de su patria. Colabora regularmente en el diario *A B C,* en su mayor parte con artículos que repiten o prolongan ensayos ya publicados hace años. Recibe el premio de la Fundación Juan March. Sale poco de casa; se limita a la vida familiar y a los amigos. Todos los síntomas nos hablan de un pesimismo y escepticismo serenos, de vuelta ya de tantas cosas. Muere en Madrid el 5 de agosto de 1962. Para los jóvenes, era ya una figura de significación desconocida: conocían sólo sus académicos comentarios a los fabulistas o poetas líricos griegos y latinos, no sabían nada de los muy polémicos artículos o novelas de su juventud. Por razones de censura, *A.M.D.G.* no ha sido incluida en la edición de sus *Obras Completas.* Su primera novela, *Tinieblas en las cumbres,* de ambiente lupanario, se ha reeditado sólo en 1971.

A pesar de su tópica vagancia, Pérez de Ayala escribió mucho. Sobre todo, artículos de periódico (luego recogidos en libros) que suponen comentarios a temas culturales.

Su obra puede clasificarse en tres apartados: poesía, ensayo y novela. La poesía comprende principalmente cuatro libros:

— *La paz del sendero* (1904).
— *El sendero innumerable* (1916).
— *El sendero andante* (1921, pero escrito a la vez que el anterior).
— *El sendero ardiente* (publicado póstumo, en la edición de *Obras Completas*).

Como se ve, no se trata de colecciones de poemas sueltos, sino de un vasto plan regido por la metáfora básica de la vida como sendero y la alusión a elementos naturales: la tierra, el mar, el río y el fuego.

La poesía de Pérez de Ayala es profundamente intelectual y hasta conceptuosa. Últimamente, Víctor de la Concha nos ha ofrecido el estudio que esta poesía merece. Recordemos que la poesía constituyó, en cierto modo, la gran vocación del escritor, que empezó su carrera como poeta modernista y que hasta los últimos días de su vida siguió componiendo o traduciendo poemas.

La mayor parte de la producción literaria de Pérez de Ayala pertenece al género ensayístico. (Y se ha dicho que lo ensayístico empapa toda su obra). Esto se debe a su talante discursivo, razonador, interesado por todo tema cultural (así puede verse en sus libretas de trabajo, que he manejado) y también a las necesidades económicas, pues la colaboración en los periódicos fue, durante años, su principal fuente de ingresos.

Me he referido ya antes a *Política y toros* (1918). No quiero dejar de recordar *Las máscaras* (1917-19), que reúne sus críticas teatrales. Es de destacar la defensa incondicional del teatro de Galdós, los ataques violentos y agudísimos a Benavente y el teatro poético modernista (tema recogido también en *Troteras y danzaderas*) y la interesante reivindicación de Arniches.

Las novelas me parecen el género en el que Pérez de Ayala alcanza sus logros artísticos más importantes. La mayor parte de la crítica distingue dos etapas, separadas por una de transición, según el siguiente esquema:

PRIMERA ETAPA: AUTOBIOGRAFÍA

— *Tinieblas en las cumbres* (1907).
— *A.M.D.G. (La vida en un colegio de jesuitas)* (1910).
— *La pata de la raposa* (1912).
— *Troteras y danzaderas* (1913).

TRANSICIÓN

— *Prometeo. Luz de domingo. La caída de los limones. (Tres novelas poemáticas de la vida española)* (1916).

23

— *Belarmino y Apolonio* (1921).
— el amor y la educación erótica: *Luna de miel, luna de hiel* y *Los trabajos de Urbano y Simona* (1923). (Edición conjunta: *Las novelas de Urbano y Simona*).
— el honor: *Tigre Juan* y *El curandero de su honra* (1926).

Como he apuntado antes, la novela de Pérez de Ayala pertenece al género que suele conocerse como «novela intelectual» o «novela ensayo»: algo semejante a lo que han hecho, en nuestro siglo, el inglés Aldous Huxley, el alemán Thomas Mann o los argentinos Ernesto Sábato y Julio Cortázar. En España, un antecedente lejano es Valera; el maestro inmediato, Clarín; coincide en parte con el concepto de «nivola» de Unamuno y se prolonga, después de la guerra, en las obras de Francisco Ayala, Gonzalo Torrente Ballester o Luis Martín Santos.

En sus novelas, Pérez de Ayala intercala digresiones sobre temas muy variados. Sus personajes, además, plantean problemas permanentes del hombre, en todas las épocas y en todos los países; pero eso no quiere decir que desatienda el aquí y ahora, la concreta realidad hispana de su tiempo.

El peligro que acecha a este tipo de novela es la frialdad y deshumanización. No creemos que eso ocurra, en general, en las obras narrativas de Ramón Pérez de Ayala. Su profundo vitalismo (paralelo al de Unamuno y Ortega), su sentido del humor (a veces cercano al esperpento de Valle-Inclán) y su capacidad crítica (indudable herencia de Clarín) dan a sus obras una gran densidad humana y vital.

Pérez de Ayala es un escritor profundamente singular, al margen de las modas literarias. Quizá nunca sea un autor plenamente popular: su estilo clasicista y la complejidad intelectual de sus narraciones parecen oponerse a ello. Su categoría, sin embargo, es absolutamente indiscutible. Es posible, como he apuntado alguna vez, que la evolución de la novela española actual hacia formas de relato más intelectuales y complejas permita apreciarlo mejor. Quizá es más fácil comprender a Pérez de Ayala desde *Rayuela* que desde *Fortunata y Jacinta* o *La busca*. En todo caso, siempre habrá lectores que encuentren distracción y consuelo en su inteligente pesimismo, en su ironía crítica, en su caritativa comprensión de las debilidades humanas.

Belarmino y Apolonio

En el año 1921 aparece *Belarmino y Apolonio*. Tiene entonces el escritor cuarenta años: «nel mezzo del camin...» No es arbitrario atribuir a este libro el carácter de una obra de sazonada madurez. Se advierte eso en la unión de lo ensayístico con lo novelesco, en la riqueza de procedimientos narrativos y, sobre todo, en la visión con que contempla el mundo: serena, comprensiva, tolerante, liberal. Las aristas hirientes de la juventud se han suavizado, en gran medida, sin que disminuya el pesimismo ni la inteligencia crítica.

Habían pasado cinco años desde su última obra narrativa, las «tres novelas poemáticas de la vida española»: *Prometeo. Luz de domingo. La caída de los limones.* Y tres más desde *Troteras y danzaderas,* la novela de clave con la que se cierra el ciclo autobiográfico y desencantado de la juventud. En estos años, Pérez de Ayala ha publicado sus principales libros de ensayos: el teatral, *Las máscaras,* y el político, *Política y toros.* Ha realizado un segundo viaje a los Estados Unidos, que se refleja en el volumen *El país del futuro.* Da la impresión de que su atención preferente se ha ido desplazando de lo individual y estético a lo social y comunitario. La guerra mundial, evidentemente, no ha sido ajena a su progresiva toma de conciencia política.

Con *Belarmino y Apolonio* se inicia la segunda época de sus relatos, la que unánimemente considera la crítica como etapa de plenitud madura. Abandona ahora en gran medida lo autobiográfico y plantea en sus relatos temas humanos de alcance universal. Comienza un período de gran fecundidad narrativa: en solo cinco años, de 1921 a 1926, publicará tres grandes novelas, dos de ellas en dos tomos. Después, cuando ha alcanzado ya la consagración internacional, el silencio: un silencio —en lo narrativo sólo— que constituye un enigma difícil de aclarar.

Algún crítico ha afirmado que Pérez de Ayala había concebido ya el personaje de Belarmino por lo menos desde 1912, fecha de la aparición de *La pata de la raposa*. Al comienzo de esta novela se alude a un criado retórico, Manolo, que mandaba a los periódicos artículos con frases como ésta: «La contumelia de las circunstancias es la base más firme de la metempsícosis (esta frase se la había plagiado a un tal Belarmino, zapatero y filósofo de la localidad).»

En realidad, se trata de una confusión, aclarada del todo por J. F. Gatti. Si hubieran manejado mi edición crítica de *La pata de la raposa* (ed. Labor, 1970, página 44) hubieran comprobado que la frase entre paréntesis no se encuentra en la primera edición de la novela, ni en la segunda, ni en el manuscrito. Aparece por primera vez en la tercera edición, que es posterior a la publicación de *Belarmino*. Así, pues, el paréntesis es un añadido «a posteriori» y no tenemos datos para suponer que Ayala llevaba ya años con la idea del zapatero filósofo.

Ésta es la novela de Pérez de Ayala que ha suscitado críticas más elogiosas. Jean Cassou afirmó nada menos que «después del *Quijote, Belarmino y Apolonio* es uno de los más grandes libros españoles. Lo bufonesco en esta historia llega a una grandeza desesperada. Nos hallamos ante una especie de *Bouvard et Pécuchet* español, pero complicado con juegos intelectuales y con todo un conceptismo hilarante, rico, vigoroso, de una inagotable fuerza tragicómica. ¿No es éste el libro que Flaubert había soñado en escribir?»

Su biógrafo, Francisco Agustín, proclamó que es «la novela más artísticamente consciente de cuantas ha creado el genio español (...), la más humana obra de nuestro autor (…), la obra contemporánea de nuestra literatura capaz de ejercer un mayor influjo intelectual y artístico en sus deleitados lectores» (págs. 175-191).

La comparación con el *Quijote* vuelve a emplearla un crítico muy inteligente, César Barja: «Es *Belarmino y Apolonio* ese valor superior, el más alto a que creemos haya llegado la novela de Ayala. Es el *Don Quijote* de este escritor y acaso de la novela española contemporánea» (pág. 465).

Y Guillermo de Torre afirma que «aquí, indudablemente, nos encontramos ante su obra de plenitud, la más rica de humanidad y más saturada de intención intelectual: aquella en que uno y otro factor se ensamblan armoniosamente» (pág. 191).

Más recientemente, a Julio Matas le parece «una obra maestra no igualada por ninguna otra novela suya, anterior o posterior» (pág. 81). Para Frances Wyers Weber, «his best novel, *Belarmino y Apolonio,* is a comic review and illustration of the novelist's problems and aspirations» (pág. 105). Por último, Sara Suárez Solís, autora del libro más completo sobre esta novela (al que tanto debe mi edición) concluye lo siguiente: «Creo que *Belarmino y Apolonio* es la *almendra* ayalina, la *simiente esencial* de este escritor, donde se concitan sus más hondos y obsesivos temas, donde ha vertido sus más entrañables preocupaciones, y donde nos ha entregado, en una narración exquisita, el núcleo de su rica personalidad» (pág. 246).

He hablado antes de universalidad. Conviene precisar que, en el caso de Ayala, esto no supone de ninguna manera cosmopolitismo. Al revés, su dimensión universal se sustenta en el enraizamiento en la tierra asturiana y en la cercanía cordial a sus hombres. La acción tiene lugar, una vez más, en Pilares; esto es, Oviedo, la Vetusta de Clarín. Y en Madrid, naturalmente.

Un detalle curioso, que, me parece, nunca ha sido comentado: don Guillén es lectoral en la catedral de Castroforte. (Más adelante, en la misma novela, se hablará de Castrofuerte). Cincuenta años después, otra gran novela española, *La saga/fuga de J. B.*, de Gonzalo Torrente Ballester, se sitúa en Castroforte del Baralla.

Belarmino y Apolonio, novela-ensayo, es un relato que plantea no pocos temas intelectuales. Pero es también —conviene no olvidarlo— una novela de personajes vivos. Ante todo, de los protagonistas, opuestos dialécticamente conforme a esa ley del dualismo o contraste que Baquero Goyanes señaló certeramente. Los dos viven en la misma ciudad (Pilares), en la misma calle (la Rúa Ruera) y se dedican a lo mismo, pero el zapatero filósofo se opone al zapatero dramaturgo. Como ha resumido Eugenio de Nora, «el tema central, leit-motif repetido bajo muy diversos aspectos a lo largo de *Belarmino y Apolonio,* es de orden ideológico, dialéctico: la contraposición, comprensión y, finalmente, equivalencia o integración (el hallazgo de su sentido último como partes de un mismo todo) de, por una parte, y a través de Belarmino «el filósofo», la meditación, la especulación abstracta de sustancias, la apetencia y capacidad de *comprender* en un plano absoluto; de otra parte, y a través de Apolonio, «el dramaturgo», la exteriorización, la representación, la vida en escena, la necesidad de *expresarse* y desbordar» (pág. 497).

Quizá no sea ocioso insistir en que el dualismo o contraste no supone contraposición absoluta. Como señala atinadamente Martínez Cachero, «Belarmino y Apolonio, lo mismo que Tigre Juan y Vespasiano Cebón, me parecen, por encima de concretas anécdotas y de otras significaciones, paradigmas de lo incompleto del ser humano, penosamente reducido a una parte de sus presuntas virtualidades y buscando completarse por la adquisición de las que efectivamente no posee» (pág. 407).

La fábula de los dos zapateros se desarrolla en un ambiente, en medio de un conjunto de personajes o personajillos. Como dice la gran conocedora de la novela, Sara Suárez, todos ellos son significativos en el conjunto de la novela (pág. 214).

Recordemos, de pasada, un rasgo esencial en la obra de Ayala, expuesto teóricamente en *Troteras y danzaderas:* no hay aquí —en la buena literatura, en general—

personajes totalmente buenos que se oponen a personajes radicalmente malos. Eso sería propio —según el escritor asturiano— del melodrama. Belarmino y Apolonio combinan cualidades buenas con otras lamentables, en mezcla vital imposible de separar. Quizá la condesa sea, a estos efectos, un personaje especialmente significativo. Algunos críticos piensan que Ayala la presenta como personaje totalmente negativo. Me temo que no han logrado entenderla adecuadamente. A pesar de algunos rasgos notoriamente antipáticos (sobre todo, el orgullo aristocrático y el mal que causa a la pareja de enamorados), me parece claro que Ayala no la condena de modo tajante. Al revés, ve en ella cualidades muy positivas y, por medio de la condesa, se asoma a uno de sus temas preferidos como novelista, como observador de la vida: nada menos que el misterio de la personalidad individual. ¿Qué ha hecho de la condesa ese ser único, intransferible, ese pequeño universo? Y lo mismo sucede con Belarmino, con Felicita, con Novillo; a otro nivel, con el novelista y el lector.

Me interesa mucho subrayar que la novela intelectual de Ayala no supone alejamiento de la realidad. Sus figurillas están hechas de barro humano, muy humano, y no de abstracciones puramente teóricas. La novela-ensayo contiene no pocos elementos de crítica social: sobre el caciquismo, el poder social de los curas, la vida en los seminarios... Especialmente, como buen hijo del noventayocho, sobre la sensibilidad nacional: el ascetismo español, la concepción española del amor y del honor.

No son, por supuesto, temas aislados en la obra de Pérez de Ayala, pero no se trata ahora de acumular fatigosa erudición. Recordemos sólo, a vuela pluma, que el largo y absurdo idilio de Felicita y Novillo anticipa temas centrales de *Las novelas de Urbano y Simona,* como la crítica irónica que hace Monsieur Colignon de la concepción calderoniana del honor encontrará pleno desarrollo narrativo en *Tigre Juan* y *El curandero de su honra.* No faltan los sarcasmos de tono chocante, provocativo, que tanto le gustan a Ayala. Si una vez nos dijo que España ha producido *Troteras y danzaderas,* aquí afirma que instituciones típicamente españolas son las casas de huéspedes, la lidia de reses bravas, el cocido y «el cultivo de las verrugas pilosas con fines estéticos». Y, más adelante, da una pintoresca lista de los inventos españoles: «el pote gallego, la fabada, el bacalao a la vizcaína, la paella valenciana, la sobreasada mallorquina, el chorizo y la Compañía de Jesús».

Detrás de estas afirmaciones escandalosas, pensadas para «épater le bourgeois», hay algo serio. Ayala piensa, como toda la corriente ideológica más o menos afín a la Institución Libre de Enseñanza, que el problema de España es, ante todo, un problema de educación. Pero, además, como artista está convencido de que la gran cuestión nacional radica en la reforma de nuestra sensibilidad: no nos salvaremos como nación —piensa Ayala— mientras no abandonemos el ascetismo y abramos los ojos a la realidad exterior, mientras las normas socialmente vigentes sobre el amor no respondan de modo más adecuado a la naturaleza de las cosas...

Belarmino y Apolonio posee una base histórica, está enraizada en Oviedo, en unos lugares, unas personas y una época concreta. Pérez Ferrero, que recibió las confidencias del escritor, en su vejez, nos ofrece numerosos datos autobiográficos que, literariamente transfigurados, aparecen en la novela: el padre emigrante, las peleas de gallos, el comercio textil. Incluso algunos personajes concretos, como el obispo (pág. 71) y Anselmo Novillo (página 81) parecen haber tenido un cierto soporte real.

Las hipótesis principales se han centrado en la pareja de protagonistas. Por una parte, buscándoles antecedentes literarios (así, Sara Suárez: los filósofos estoicos). Por otra, señalando posibles antecedentes en la vida ovetense. El propio novelista lo confirmó en varias ocasiones. Por ejemplo, en una entrevista con Juan Antonio Cabezas: «Los que tuvieron una pequeña parte de realidad son el zapatero de portal Belarmino que con otro nombre y otras palabras, naturalmente, hablaba de un 'Círculo en cuadrado' y llamaba 'Cosmos' al diccionario porque 'en él están todas las cosas'. Y también su contrincante Apolonio, zapatero con tienda en la calle de la

Magdalena, donde confeccionaba botas finas para las gentes pudientes de Oviedo» *(España Semanal,* Tánger, 17 de julio de 1960).

Y lo confirmó a Jorge Mañach: «Sí; los dos tipos son completamente históricos. Vivieron en Oviedo» (página 155).

En una nota de Carlos Clavería *(Hispanic Review,* XVI, 1948) se menciona el testimonio acorde de Luis Santullano, y una carta de Ayala a una estudiante norteamericana precisa que Belarmino es el zapatero Severino Camporro (Julio Matas, pág. 224).

El novelista asturiano dejó muchos papeles, desordenados. He tenido la fortuna, me parece, de ser la primera persona que les ha prestado atención minuciosa. Ayala apuntaba notas en muchos cuadernos; la mayoría de las veces, el trabajo quedaba incompleto. En un cuadernito de notas he encontrado, escrita de su propia mano, esta equivalencia:

> «Severino Camporro = Belarmino.
> Rubiera = Apolonio.»

El dato es importante, me parece, sobre todo porque coincide totalmente con lo que he anotado más arriba. Pero no conviene exagerar su trascendencia. Ante todo, no sé si se trata de una clave «a posteriori». Es decir, no sabemos si los seres reales sirvieron de germen a la novela o si, una vez escrita ésta, advirtió la semejanza. (Como es bien sabido, la naturaleza imita al arte).

En todo caso, el interés de las claves no consiste en adjudicar mecánicamente un nombre detrás del ficticio, en explicar lo conocido por lo desconocido, sino en tratar de señalar la transformación literaria a que el autor ha sometido al presunto modelo real. (Así lo he tratado de hacer yo mismo en el caso de *Troteras y danzaderas).* Mientras no poseamos algún dato histórico sobre los zapateros reales, de poco nos sirve saber su nombre. Salvo para comprobar, una vez más, que la imaginación de Ayala, incluso en sus momentos más filosóficos y universalistas, hunde sus raíces en el terruño asturiano.

Se impone tratar brevemente otro punto, al ocuparse de los personajes. ¿Cómo enjuiciar a los dos protagonistas? Alguna opinión crítica ha sido tajantemente negativa: desde ahora, «los protagonistas no son sino abstracciones provistas de un mínimo de materialidad humana, portavoces de las meditaciones filosóficas de Ayala» (Reinink, pág. 41).

El crítico apunta a un problema real, desde luego, pero me parece que su formulación no es muy acertada. Un gran maestro del hispanismo, Marcel Bataillon, hizo una crítica de la novela cuando ésta apareció y él era joven. Su juicio me parece digno de recuerdo: «Belarmino no es 'el filósofo' ni Apolonio 'el dramaturgo'. Debemos renunciar a buscar un conflicto de abstracciones cuando se nos ofrece un drama individual, semipatético, semiburlesco (...). Se hace injusticia a este libro si se quisiera encerrarlo en una fórmula abstracta» (páginas 189-191).

Sara Suárez ha descrito así el proceso creativo: «Las facetas humanas con que Pérez de Ayala ha revestido a sus dos protagonistas sirvieron en principio sólo de envoltura a dos abstracciones personificadas en dos arquetipos que, sin embargo, lograron humanizarse, encarnarse en verdaderas individualidades» (pág. 107).

Quizá no sea ocioso recordar ahora algo que el propio Pérez de Ayala escribió, a propósito del teatro de Benavente: «cuando una cosa se nos da con realidad acusada enérgicamente, adquiere un valor de símbolo para todas las cosas de la misma especie. Éste es el procedimiento más eficaz del simbolismo artístico. El procedimiento inverso, de extremar un concepto y luego infundirlo a una individualidad de ficción, me parece, además de falso, peligroso» (*Obras Completas,* III, pág. 84).

El testimonio auténtico nos aclara suficientemente lo que Ayala *pretende.* (Cada lector opinará, luego, hasta qué punto lo logra). Es preciso reconocer, me parece, que Belarmino y Apolonio poseen una doble entidad: valen, a la vez, como ejemplificaciones de teorías y como figuras humanas vivas. No conviene olvidar ninguno de los dos aspectos complementarios. Alguna vez he escrito que el lector que, detrás de estas dos figuras, sólo haya visto abstracciones es que, sencillamente, no ha sabido leer la novela. Los dos zapateros poseen rasgos verdaderamente entrañables, vitalmente conmovedores; los dos coinciden, en gran medida, con la concepción ayalina del héroe tragicómico. Apolonio camina, orgullosamente, con la falsa botella de agua de Vichy en las manos: pocos momentos como éste —me parece— condensan tan perfectamente el arte narrativo de Pérez de Ayala.

La crítica suele ocuparse poco de la actitud de los novelistas ante sus personajes. (Muchas veces, no se advierte fácilmente). Sin embargo, Galdós, no observa a sus criaturas con la misma mirada que lo hacen Valle-Inclán o Cela, por ejemplo. En el caso que nos ocupa, es preciso recordar una frase del final del libro: «Belarmino y Apolonio han existido, y yo los he amado. No digo que hayan existido en carne mortal sobre el haz de la tierra; han existido por mí y para mí. Eso es todo.» El recuerdo cervantino no es simple recurso retórico, me parece, sino semejanza de actitud vital y literaria, proyección de lo mejor de la personalidad creadora en una criatura de ficción que parece adquirir rasgos autónomos, vida propia.

Algunos críticos han tratado de precisar el tema central de esta novela. Para Frances Wyers Weber, se trata de la relatividad del conocimiento humano, del relativismo perspectivista (págs. 50-51). Junto a esto, que parece tan abstracto, no hay que olvidar el cuento de amor subrayado por Madariaga.

Julio Matas estudia el libro dentro de una perspectiva global de lo que llama las «novelas normativas» de Pérez de Ayala. Según eso, la idea central de esta novela «no es otra que la de la armonía como principio ordenador del universo, de modo que los contrarios forzosamente se concilian bajo el imperio del uno que lo trasciende todo» (pág. 75).

Sara Suárez, en fin, alude a la imposibilidad de fusionar en un solo personaje todos los valores humanos (página 110). Muy certeramente, a mi modo de ver, considera a esta obra como ejemplo de la teoría ayalina de la novela como «breve universo», que no puede reducirse a un solo tema, aunque confluyan en ella la mayoría de las claves de su pensamiento sobre la religión, la filosofía, la sociedad española y la expresión (págs. 240-241).

Muchas páginas se han dedicado a los aspectos estructurales que, en esta novela, son verdaderamente llamativos. Sin pretensiones de agotar el tema ni ánimo, siquiera, de gran originalidad conviene mencionar algunos puntos indispensables.

Como en otras obras de Pérez de Ayala, la acción se inicia en una casa de huéspedes, escenario de tipo costumbrista. Pero, en seguida, el escritor se lanza (por boca de un personaje, don Amaranto de Fraile) a una serie de digresiones encadenadas que poseen una densidad ensayística poco frecuente en el género narrativo. No sería de extrañar que este comienzo desoriente y hasta aleje a algún posible lector. Como hemos mostrado Sara Suárez y yo mismo, la apariencia gratuita es totalmente falsa, pues se introducen ya aquí tres temas —por lo menos— que serán básicos en la novela:

1) el drama y la filosofía como únicas formas de conocimiento;
2) la visión de un objeto cualquiera desde múltiples perspectivas;
3) la filosofía como visión «sub specie aeterni» (ése será el título del último capítulo).

El capítulo II, «La Rúa Ruera vista desde dos lados», pertenece al género de los prescindibles. El narrador advierte, entre paréntesis: «El lector impaciente de acontecimientos recorra con mirada ligera este capítulo que no es sino el escenario donde se va a desarrollar la acción.» Todos los críticos de Pérez de Ayala hemos señalado otros ejemplos paralelos en *Tinieblas en las cumbres*, en *La pata de la raposa*, en *El ombligo del mundo*... Me parece importante subrayar que, desde su perspectiva intelectual, coincide Pérez de Ayala con muchas tendencias renovadoras de la novela contemporánea. En sus narraciones no es lo esencial, desde luego, el desenlace del argumento. El interés de estos relatos no radica en saber qué va a pasar al final. Y, por supuesto, estos capítulos que se autocalifican de «superfluos» no lo son, en modo alguno. Todo lo contrario: en ellos se manifiesta con suficiente claridad la almendra del relato. Son, paradójicamente, los únicos verdaderamente imprescindibles.

El relato propiamente dicho sólo comienza en el capítulo III. Y comienza con una escena que parece propia de un sainete popular: Belarmino está perorando, con su lenguaje peculiar, en el Círculo Republicano de Pilares cuando aparece su mujer, que le insulta y se lo lleva a rastras.

Con escenas cercanas al sainete comenzaban también *La pata de la raposa* y *Troteras y danzaderas*. Recordemos que, en *Las máscaras,* Ayala ha hecho un gran elogio de las obras de Arniches y que es característica permanente suya el salto brusco de lo muy intelectual a lo popular y desgarrado. En su primera novela, por ejemplo, Alberto acaba de recordar las reflexivas palabras de Yiddy sobre la condición humana cuando es interrumpido por los destemplados gritos de una prostituta, la Luqui, a los lejos: « ¡No me jorobes, leche! »

Los seis capítulos centrales de la novela llevan títulos que se oponen por parejas. Por un lado, el III y el IV: «Belarmino y su hija» - «Apolonio y su hijo». Por otro, el V y el VI: «El filósofo y el dramaturgo» - «El drama y la filosofía»; es decir, *Belarmino y Apolonio.* De forma menos patente, el VII, «Pedrito y Angustias», es paralelo del I, «Don Guillén y la Pinta» (Pedrito ha llegado a ser don Guillén, como Angustias, la Pinta). Y, todavía, éstos son el hijo de Apolonio y la hija de Belarmino... La coherencia de la novela está trabada por fuertes lazos paralelísticos.

Como su maestro, Pérez Galdós, Ayala utiliza habitualmente nombres significativos. En este caso, por ejemplo, Felicita Quemada, «la Consumida». Su galanteador es un Novillo a quien, por su edad, llaman de mote Buey. Esta técnica se presta a juegos irónicos: el prestamista usurero responde al nombre, «tan propio como impropio», de Ángel Bellido. La mujer de Belarmino se llama Xuana la Tipa; abreviadamente, Xuantipa, para reforzar el talante socrático de su marido. En cuanto a éste, ha tomado su nombre del famoso cardenal: el zapatero es padre putativo o adoptivo de Angustias, como el cardenal lo era del Breviario.

Para el lector que sepa apreciar este tipo de recursos artísticos, uno de los mayores atractivos de esta novela es la sabia y compleja presentación de los sucesos narrados. No se trata, de ningún modo, de un relato lineal. Sucesos idénticos, o complementarios, son evocados por distintos narradores, desde diferentes puntos de vista, sin respetar el orden cronológico. Con frecuencia, volvemos a leer algo que ya conocíamos, pero contemplado ahora desde otra perspectiva.

Resumiendo al máximo, he escrito en otra ocasión que tres narradores se reparten el relato: uno en primera persona, que asiste a la acción de la casa de huéspedes en los días que van de un Martes Santo a un Domingo de Resurrección. Un narrador omnisciente que nos relata, en pasado, lo acaecido en Pilares a lo largo de varios años. Y un personaje, don Guillén, que monologa en dos capítulos.

Sara Suárez ha logrado formular un esquema tan completo y ordenado que parece forzoso reproducirlo íntegramente. Es éste (pág. 29):

CAPÍTULOS	TIEMPOS	LUGARES	PUNTO DE VISTA
Prólogo	Pre-pasado remoto («hace muchos años»)	Madrid	Narrador
I	Pasado próximo (de mediodía Martes Santo a mediodía Miércoles Santo)	Madrid	Narrador
II	Presente	?	Narrador
	Pasado remoto (antes de llegar Apolonio a Pilares)	Pilares	
III	Pasado próximo (llegada de Apolonio a Pilares)	Pilares	Narrador
IV	Pasado próximo (noche Jueves Santo)	Madrid	Narrador
	Pasado remoto (comprende 3 años desde llegada de Apolonio)	Galicia-Pilares	Don Guillén
V	Pasado remoto (unos 8 años más)	Pilares	Narrador
VI	Pasado remoto (1 semana: Pedro tiene 20 años)	Pilares-Inhiesta	Narrador
VII	Pasado próximo (noche Viernes Santo)	Madrid	Narrador
	Pasado remoto (desde que Pedro tiene 15 años hasta el pasado próximo)	Pilares-Inhiesta-Madrigal-astrofuerte	Don Guillén
VIII	Pasado próximo (mediodía del Domingo de Pascua)	Pilares	Narrador
Epílogo	Post-pasado próximo?	Pilares	Narrador

37

No será ocioso añadir que oímos al narrador, comentando su relato: «Prosigo»... «Pero todo esto no conviene ahora a mi propósito»... Y, para el lector que la conoce, no cabe duda de que la voz del narrador, inteligente e irónica, es la voz del propio Ayala.

Una de las características más llamativas de esta novela es la abundancia de digresiones ensayísticas sobre temas variadísimos: las pensiones en varios países, la conveniencia de que todos los hombres vean un parto, la sufrida profesión de opositor a cátedra, el mito de la caverna, la clase media como protagonista de la Historia en el siglo XIX, etc. Quizá lo más indigesto, para un lector medio, sean los comentarios sobre la poesía del Breviario. Sin embargo, Sara Suárez también los defiende, por el paralelismo que puede establecerse entre la historia de los himnos del Breviario, la de la Iglesia y la de don Guillén y Angustias.

Junto a estas digresiones ensayísticas, no cabe olvidar, en la novela, los momentos de lirismo; más aún, de auténtica pasión humana, que estalla de improviso, rompiendo los cauces habituales del lenguaje convencional. He llamado la atención, por ejemplo, sobre la carta de Angustias a su padre, con la repetición emocionada e infantil de esta última palabra, en todas y cada una de las frases: «No te dejé porque no te quisiese, padre. Escapamos sólo para estar seguros de casarnos, padre. Queríamos que usted viniese luego a vivir con nosotros, padre. Pedro le quiere a usted tanto como yo le quiero, padre. Padre, me lo robaron. No sé lo que me pasa, padre. Quiero volver con usted, padre.»

Al mismo estilo pertenece el «planto» de Felicita, cuando muere su eterno cortejador. Se resquebrajan los ridículos convencionalismos sociales y estalla la voz profunda de lo natural: «Me apetecía y yo le apetecía...» Ante el hecho definitivo de la muerte, Felicita se ha «convertido» a los auténticos valores vitales.

Ya he mencionado el capítulo II, «Rúa Ruera, vista desde dos lados». Se trata de una discusión teórica y un ejemplo práctico de perspectivismo. En pocas novelas de Pérez de Ayala se insiste tanto en esta técnica, que han estudiado, entre otros, Mariano Baquero Goyanes y Frances Wyers Weber. Recordemos el ejemplo, también famoso, de *Troteras y danzaderas:* una misma escena es contemplada, irónicamente, desde cuatro perspectivas distintas, y el novelista se pregunta, incluso, cuál sería el punto de vista del galápago Sesostris.

En *Belarmino y Apolonio,* casi todos los personajes son enfocados desde un doble objetivo. Así, Angustias: «Era una mujer dulce, triste y reconcentrada, o, según el tecnicismo de la Piernavieja, una simple que no servía pal caso.»

Algunas veces, se trata de un simple efecto óptico: «Vista por la espalda, [Felicita] era una figurilla breve, fina y graciosa. El anverso de la medalla no se correspondía con el dorso: pecho alisado con rasero; rostro acecinado y de ojos conspicuos; una faz del todo masculina.»

Los personajes no son lo que parecen. Por ejemplo, Anselmo Novillo: «Parece mentira que este hombre temible en las elecciones, que a todos sacaba ventaja en maquinar un chanchullo y sacarlo adelante por redaños, fuese, en el fondo, la criatura más simple, candorosa, sentimental y asustadiza. Cosas de la vida...» Como ha estudiado Baquero Goyanes, el perspectivismo suele ir unido a la técnica de contrastes.

La pluralidad de perspectivas se refleja en los nombres del cura: «Me llamo Pedro, Lope, Francisco, Guillén, Eurípides; a elegir.»

Podrían multiplicarse los ejemplos. Más interesante es señalar que Pérez de Ayala eleva el perspectivismo a ley esencial del género narrativo. De esta manera, puede superarse la técnica descriptiva superficial, en busca de una mayor profundidad. Se trata, pues, de un recurso técnico. Lo importante es que esta técnica es la consecuencia natural de una visión del mundo. Al final de la novela, aprendemos que «el error es de aquellos que piden que una opinión humana posea verdad absoluta. Basta que sea verdad en parte, que encierre un polvillo o una pepita de verdad». Pérez de Ayala proclama tajantemente: «Hay tantas verdades irreductibles como puntos de vista.» Al fondo está, una vez más, la visión del mundo tolerante, liberal, que intenta comprender —y disculpar— la peculiaridad de cada drama humano individual.

Belarmino y Apolonio es, por supuesto, en gran medida, una novela sobre el lenguaje. No es ésta una preocupación nueva en el novelista. Ya en *Tinieblas en las cumbres* se planteaba el tema de la artificialidad del lenguaje humano, y en varias novelas presenta el caso de un personaje que comete equivocaciones lingüísticas de modo sistemático. Aquí, Belarmino construye su propio lenguaje, que ha sido analizado por muchos críticos, poniéndolo en relación con las teorías de la lingüística moderna. Guillermo de Torre, entre otros, ha señalado la conexión de esto con las experiencias artísticas de Cummings, Michaux y Joyce.

No olvidemos tampoco el caso del confitero Colignon, que habla en un francés traducido al castellano. Varios personajes de las novelas de Ayala se caracterizan por prevaricaciones lingüísticas de este tipo. Me parece obligado recordar que la esposa del escritor, Mabel Rick, también habló así, hasta el fin de sus días; según testimonios familiares, a su marido le hacían gracia estas equivocaciones y no quería corregirlas.

El escritor asturiano parte, aquí, de la arbitrariedad del signo lingüístico, base de toda la ciencia del lenguaje desde Saussure: «La mesa, decía, se llama mesa porque nos da la gana; lo mismo podía llamarse silla...» A partir de ahí, Belarmino se inventa su propio vocabulario, subrayando lo que hay en el lenguaje de creación y atendiendo menos a su finalidad comunicativa. Varios lingüistas, a partir de Carlos Clavería, lo han estudiado con detenimiento. Baste ahora con mencionar que encontramos en él paradojas, juegos fónicos, falsas etimologías, derivaciones, onomatopeyas, errores de pronunciación, metáforas irónicas, etc.

En el fondo de este léxico hay algo que me parece mucho más importante: el lenguaje como expresión de la singularidad del individuo. «Cada hombre que es una cosa de veras habla un idioma distinto, que no entiende el que no es esa cosa, porque tienen alma distinta.» Una vez más, el lenguaje de Belarmino nos ha llevado a hablar del perspectivismo, en sentido profundo: del liberalismo de Pérez de Ayala.

El estilo de la novela puede desorientar a los que no sean lectores habituales de Ayala. Se trata, por supuesto, de un estilo culto y aún clasicista. Abundan la digresión bimembre, los adjetivos caracterizadores al modo clásico, las diseminaciones y recolecciones, los paralelismos y contraposiciones. Atiende de modo especial a los colores y a los sonidos (no olvidemos que fue pintor y músico aceptable). Utiliza metáforas pesimistas sobre la ciencia, sobre el sentido del esfuerzo humano. Se divierte con los juegos eitmológicos: «superstición», «mundo». Usa términos sagrados para situaciones absolutamente profanas.

Emplea un lenguaje científico, poco frecuente en los relatos realistas (no olvidemos que es compañero de generación y amigo de Ortega). Por ejemplo, «estereoscópicamente», «diafenomenal». Pero estos términos van al lado de otros, vulgares («chatunga», «tontorontaina») y hasta de asturianismos («Babayo», «neñina»).

Observemos esta frase: «un Sócrates de tres pesetas, con principio». El mito se ha despeñado por el camino del realismo irónico, pero no ha perdido completamente su valor. Algo semejante sucede con gran número de comparaciones clásicas. A Pérez de Ayala le divierte usar un lenguaje muy culto para lo prostibulario. De modo semejante, le gusta señalar la presencia del Destino detrás de las escenas más prosaicamente costumbristas. Por eso, menciona a los Penates de doña Trina, el íncubo nocharniego, la Némesis de Felicita, comer pote gallego con Ovidio o Sófocles, un Eurípides de Palencia, la Laguna Estigia de Belarmino, el tenedor de peltre que es como el tridente de Caronte, etc. Se trata, diría yo, de elevar algo para rebajarlo, en seguida; de hinchar el globo mítico para complacerse luego en deshincharlo. Algunas palabras (Xuantipa, el inteleto, chisgaravís) pueden simbolizar esta mezcla de elementos raramente unidos.

Dice, de pasada, la novela: «Yo, naturalmente, juzgué

espontánea, sincera, y, por tanto, lícita en la ocasión, la pequeña expansión retórica de don Guillén.» Por tanto, la retórica es válida si es espontánea y no adorno postizo. Así es el estilo de Pérez de Ayala. Creo haber sido el primer crítico que ha estudiado sistemáticamente los manuscritos de sus novelas. Eso me permite afirmar rotundamente que su retórica es espontánea; es decir, que corregía, como buen artista, pero buscando mayor precisión o belleza, no en busca del cultismo. Precisamente los párrafos más cultos son los que surgen con más facilidad, luego, bajo su pluma.

Alude el narrador a la «irónica pedantería» de don Amaranto. Retengamos bien esta expresión y apliquémosla al propio Ayala. Lo que salva siempre a su estilo del acartonamiento es la ironía, que se vuelve en primer lugar contra sí mismo. Como debe ser.

Hace años señaló Madariaga, como precedente de esta novela, el poema «Filosofía». Merece la pena recordar los versos finales:

«Todo es necesario y preciso;
pero todo a su tiempo debido
y cada cosa en su sitio,
desnudo el pecho, las sienes en Sirio,
las plantas acaso en el limo.
¿Totalidad? Sueño imposible. *Harmonía*. Apuntad a ese hito.
¡Lo justo y lo harmonioso, uno y lo mismo!»

(*Obras Completas,* II, pág. 208.)

Recientemente, Víctor de la Concha ha insistido en la importancia de este poema, que cierra *El sendero andante.* Con él —resume atinadamente— «parece que Ayala recorta definitivamente las alas de su entusiasta vuelo nietzscheano y, constatando la imposibilidad de su titánico anhelo integracionista, señala una meta metafísica y ética mucho más moderada: la armonía universal. En resumen, podemos cifrar la reacción de Ayala ante la avivada conciencia de la propia fragilidad en una dialéctica estoico-nietzscheana con intermedios de reposo horaciano, para desembocar, apoyado en las dos primeras fuerzas morales, en un intento de integracionismo panteísta, que se modera en la meta final de una harmonía conciliadora».

Harmonía con hache, para subrayar más su aspiración clásica. Ese es el anhelo vital del Pérez de Ayala maduro, desengañado de muchas ilusiones juveniles —él, que ya de joven era un prematuro pesimista—, que vuelve ahora a algunos valores vitales básicos, como afirma la novela: «Eso es todo. Existir, multiplicarse y amar.»

Como subraya con acierto Sara Suárez, nada es arbitrario en *Belarmino y Apolonio*. El que relea varias veces la novela se asombrará, cada vez, de su riqueza, la complejidad de sus elementos y su profunda coherencia.

El relato posee —no cabe negarlo— una base intelectual muy notable. Como de costumbre, a Pérez de Ayala le gusta novelar a partir de unos modelos. Sara Suárez señala el *Quijote,* los estoicos, Platón, los místicos, Sócrates, Plotino, Dante, la Biblia, el Breviario... No se trata, desde luego, de recuerdos eruditos, sino de elementos orgánicamente actuantes en la estructura de la novela. Mucha importancia posee también, como esquema básico, la paradoja del comediante, bien estudiada por León Livingstone. Junto a esto, el intelectual Ayala habla de pecados naturales, de religión natural, propugna la vuelta a la naturaleza. Se trata también —cito de nuevo a Sara Suárez— de una novela testimonio de una época, de una sociedad española concreta. Une lo casi mitológico con lo realista y social.

En la novela vemos la dualidad de la filosofía (visión «sub specie aeterni») y el drama (penetrar en un conflicto individual). Y lo vemos hecho vida concreta en dos seres humanos, no en abstracto. Pienso que, de alguna manera, esta dualidad refleja la del propio Ayala, pensador y escritor de creación.

Un texto básico de Pérez de Ayala, nunca suficientemente recordado, es la conferencia sobre «El liberalismo y *La loca de la casa*», que pronunció en Bilbao en 1916 (recogida luego en *Las máscaras,* libro I). Allí afirma rotundamente algo a lo que he aludido insistentemente y que me parece esencial para comprender sus novelas, *Belarmino* incluido: «Toda novela o drama que con dignidad ostente tal denominación debe ser reflejo fidelísimo del espíritu liberal, en cuanto a sus elementos componentes (...), y en cuanto a su desarrollo, debe ser conflicto de conciencia» (*Obras Completas,* III, pág. 58). Para Ayala, así es la vida y a eso debe acomodarse la creación narrativa.

La novela de Pérez de Ayala tiene

> «... tuétano de pensamiento
> y nervio de sentimiento».

> (*Obras Completas,* II, pág. 224.)

Lo primero es evidente, desde luego, en obras como *Belarmino y Apolonio,* pero no basta para explicarlas. Muchas veces las he calificado de novelas intelectuales. ¿Qué quiere decir esto? Recordemos lo que es casi obvio: la novela intelectual, portadora de toda clase de ideas, responde a un deseo cognoscitivo: queremos saber cuáles son las verdaderas razones, motivos y orígenes, o cuál es la verdad sobre la vida misma. Son novelas en las que buscamos una respuesta a esto: ¿qué significan nuestras vidas? Por supuesto que no nos interesarán si no nos preocupa ese tema o lo que el novelista pueda decirnos sobre él.

Dos peligros principales acechan a este tipo de novelas. Uno, evidente, el aburrimiento del lector. Otro, más profundo, la deshumanización abstracta. Este riesgo existe, pero no es tan inevitable como vulgarmente se suele suponer. Intelectualismo no supone necesariamente aburrimiento. Las ideas no se oponen a la vida. Pérez de Ayala, como Aldous Huxley, Lawrence Durrell o Julio Cortázar, son novelistas hondamente intelectuales que nos dan también una vida candente, en creaciones artísticas muy logradas.

No tengamos un concepto demasiado estrecho de lo intelectual. Como he escrito en otra ocasión, para que una novela lo sea no es esencial que discuta problemas muy elevados. Lo fundamental es que la visión del mundo que nos dé sea amplia, inteligente, sabia, compleja; y, como consecuencia casi inevitable de todo ello, irónica ante muchas pequeñeces de nuestra vida.

44

Así es *Belarmino y Apolonio:* una novela profundamente humorística, cuyo elemento esencial —quizá— es la ironía. Humor irónico y compasivo, juzgó R. Romeu. Risa «entre buena y mala», diagnosticó, en verso, Valle-Inclán.

Humor crítico, por supuesto. Pero también autocrítico. Para el auténtico humorista, nadie se libra de ser contemplado con esa lente, y él menos que nadie. Por eso, siendo un ensayista, llama «postema» al «sistema, teoría; tumor muerto que se forma dentro de un cuerpo vivo». Siendo republicano, presenta a don Celedonio de Obeso como «un pedazo de pan, un zoquete». Por eso aplica su ironía al Sócrates-Belarmino, al que tanto quiere. Ya lo dijo Julio Cortázar: «El humor, señora, *is all pervading.*»

Los personajes son complejos, contradictorios. La condesa no es una encarnación del feudalismo aristocrático, como muchos han querido ver, ni don Guillén un simple sacerdote hipócrita. La mirada de Pérez de Ayala es inteligente y es irónica. Como buen intelectual, es profundamente vitalista, porque la muerte da su sabor agridulce a la vida.

En el fondo de la actitud que encuentra expresión en esta novela encontramos —una vez más— el liberalismo. Todo es necesario, en esta vida. Lo proclamó en el poema preliminar de *Bajo el signo de Artemisa:*

> «En el día del Juicio Final
> y de la Última Nada,
> todo será a salvo.
> Todo fue necesario.»
>
> (*Obras Completas,* II, pág. 867.)

La novela nos enseña, liberalmente, a admitir el misterio de la personalidad, a aceptar que «era una santa a su manera, porque hay muchas maneras de ser santo». Esa es la visión desde la eternidad, «sub specie aeterni».

En la cima de su madurez, el narrador de *Belarmino* siente que «esta simpatía cordial con cuanto existe es espíritu liberal (...) esta creencia en la justicia que a cada cual asiste de ser como es, y el respeto a todas las maneras de ser, esto es espíritu liberal. Todo es bueno en cuanto obedece a su naturaleza y cumple el fin a que está destinado» (*Obras Completas,* III, pág. 53). De ahí el final feliz de las novelas de esta etapa: Pérez de Ayala ha alcanzado ya el período de «las normas», según explica en el prólogo a la edición argentina de *Troteras y danzaderas.*

¿Supone esto panfilismo, visión ingenuamente sonrosada de la realidad? De ningún modo. La mirada de Pérez de Ayala conserva siempre su agudeza crítica, su pesimismo profundo. En el diálogo teatral del final nos muestra cómo el secreto impulso de cada uno es una conmovedora insensatez. Hasta el umbral de la muerte, los viejos, como niños, siguen afanándose por conseguir dulces, sidrina, pitillos, solomillo, dinero, una corbata «azul prusia, que es el color de moda». La lucidez del novelista sabe ver las debilidades humanas; su compasión, «depurativo del alma», sabe disculparla.

Desde *Troteras y danzaderas,* por lo menos, las narraciones de Pérez de Ayala son tragicómicas. También lo es, desde luego, *Belarmino y Apolonio.* Él mismo llama a esta novela «un drama semipatético, semiburlesco». La historia de amor de Felicita y Anselmo «encerraba, bajo el aspecto ridículo, emoción patética». La naturaleza teatral de Apolonio: «Que sea para reír, no lo niego; pero también para llorar.» Etcétera.

El amor de caridad reconcilia los opuestos del hombre y trae a este mundo la paz (*Obras Completas,* III, página 41). Este es el ideal que expresa *Belarmino y Apolonio.* La existencia absurda de Felicita se hace trizas ante la muerte de su galán, pero conserva su naturaleza y, para hacerse monja, elegirá un hábito que le siente bien. El abdomen rotundo del señor Colignon significará siempre, para ella, la felicidad que no pudo alcanzar con su amado. También es un objeto-símbolo la botella de agua de Vichy. Del pesimismo de Pérez de Ayala ha brotado esta flor singularísima de la compasión. «El tetraedro (el todo) es un sueño. Sólo es verdad el amor, el bien, la amistad.»

Belarmino y Apolonio, en fin. Para la crítica, un «breve universo», un relato de gran densidad intelectual, una estructura artística muy compleja, una «novela summa» que plantea con suficiente amplitud el sentido de la existencia humana, una investigación sobre el lenguaje, un ejemplo magistral de perspectivismo narrativo.

El simple lector recordará, quizá, la carta de Angustias: «No te dejé porque no te quisiese, padre...» El planto de Felicita: «Me apetecía y yo le apetecía...» Y, sobre todo, a Apolonio, que empuña orgullosamente el agua mineral apócrifa. En esa agua —agua de la fuente, simple agua— ha depositado la idea que tiene de sí mismo, la autoestimación que le da ánimos para seguir viviendo. El lector de Pérez de Ayala sabe que, de un modo u otro, todos caminamos por la vida con una botella de agua en las manos.

Léxico belarminiano

Acariciar. Sentir respetuoso recelo, como se hace para propiciar y halagar ciertos animales.

Analfabético. Indiferente, imparcial, sin prejuicios intelectuales.

Beligerancia. Oposición, contraste. Adversidad, después

Beligerante. Contrario, opuesto.

Besar. Envidiar. Proviene del beso de Judas.

Camello. Secundario Ministro del reino.

Clase. Conducta. Los hombres se clasifican según su conducta.

Escolasticismo. Opinión prestada y fluctuante.

Escolástico. El que sigue opiniones ajenas, como la cola sigue al cuerpo del animal.

Sicorbítico. Pesimista. Viene de cuervos.

Espasmódico. Placer, contento.

Manuscrito: primera y segunda página del *Léxico belarminiano*

Ediciones de la novela

1. Madrid, Saturnino Calleja, Colección de Novelas Nuevas, 1921.
2. Madrid, Renacimiento, 1924. *Obras Completas* de Ramón Pérez de Ayala, vol. XIII.
3. Buenos Aires, Losada, 1939.
4. Buenos Aires, Losada, Biblioteca Contemporánea, 1944. Reimpresiones: 1948, 1956, 1967.
5. En *Obras Completas,* recogidas y ordenadas por José García Mercadal, tomo IV, Madrid, Aguilar, col. Biblioteca de Autores Modernos, 1963.

Traducciones

1. *Apollonius et Bellarmin,* traducción de Jean y Marcel Carayon, París, Librairie Plon, Collection d'auteurs étrangers, publiée sous la direction de Charles du Bos, 1923.
2. *Bellarmino e Apollonio,* traducción de Angiolo Marcori, Turín, ed. Slavia, 1931.
3. «*Don Guillén and La Pinta.* The First Chapter of *Belarmino y Apolonio*», en *The European Caravan,* Nueva York, Warren and Putnam, 1931.
4. *Belarmino y Apolonio. Extraits,* ed. M. Maraval, París, F. Nathan, sin fecha.
5. *Belarmino und Apolonio,* traducción de Wilhelm Muster, Frankfort del Main, Suhrkampf Verlag, 1958.
6. *Bellarmino e Apollonio,* traducción de Angiolo Marcori, Milán, Lerici Editori, 1959.
7. *Belarmino and Apolonio,* Translated from the Spanish and with an Introduction by Murray Baumgarten and Gabriel Berns, University of California Press, Berkeley, Los Ángeles, Londres, 1971.

Esta edición

He tomado como base para esta edición la primera, una vez corregidas las erratas evidentes.

El mayor interés científico de esta edición creo que consiste en el hecho de haber manejado (por primera vez, según creo) el manuscrito de la novela. Para las variantes, anoto como M lo que está en el manuscrito, sin tachar, y difiere del texto de la primera edición. Deben de ser correcciones de Pérez de Ayala, en pruebas. Anoto como T las tachaduras del manuscrito.

He tenido en cuenta también las ediciones segunda y tercera. (Es en éstas, habitualmente, en las que Pérez de Ayala realiza correcciones.)

Al ver las tachaduras del manuscrito se comprueba que Pérez de Ayala corregía poco, en general, y no las frases que parecen más rebuscadamente cultas, que le solían salir con toda sencillez. Es su conciencia de escritor (y no el deseo de aumentar el cultismo, como se ha dicho) lo que le lleva a precisar y corregir.

El manuscrito añade varios párrafos (alguno, bastante largo) que no están tachados, pero no pasaron a la letra impresa. Parece claro que se quiso suavizar la crítica eclesiástica o literaria, en algunos casos, ya sea por propia convicción o por sugerencia ajena. Otras veces, se trata de ocurrencias que Ayala desechó por redundantes o poco felices.

Señalo, alguna vez, cuándo se trata de una interpolación posterior, añadida, en el manuscrito, a la vuelta de la cuartilla. (Sólo lo hago, naturalmente, cuando se trata de algo importante, que posee un sentido.)

La mayoría de las notas a pie de página son, pues, de variantes o tachaduras del manuscrito. He añadido algunas más, que muestran la conexión con otras obras de Ayala. En general, no aclaro las palabras que pueden hallarse en cualquier diccionario. Si las notas son demasiado impertinentes, bastará con que el lector no las mire. Me ha parecido útil, en todo caso, ofrecer una edición ampliamente anotada de una novela tan compleja como *Belarmino y Apolonio*.

Cuando me remito a un autor (en la introducción o en las notas a pie de página), se trata, si no hay indicación especial, de su trabajo citado en la bibliografía.

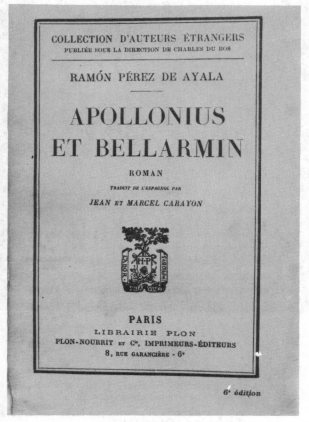

Cubierta de la traducción al francés por Jean y Marcel Carayón
(París, 1923)

ラモン・ペレス・デ・アヤーラ作

中山惣太譯

ベラルミーノと
アポローニオ

Cubierta de la traducción al japonés por Nakayama Sôto
(Tokio, 1941)

Bibliografía

1. LIBROS DEDICADOS A PÉREZ DE AYALA

AGUSTÍN, FRANCISCO: *Ramón Pérez de Ayala. Su vida y obras*, Madrid, Imprenta de G. Hernández y Galo Sáez, 1927.
AMORÓS, ANDRÉS: *La novela intelectual de Ramón Pérez de Ayala*, Madrid, Gredos, Biblioteca Románica Hispánica, 1972.
— *Vida y literatura en «Troteras y danzaderas»*, Madrid, Castalia, Literatura y sociedad, 1973.
CONCHA, VÍCTOR G. DE LA: *Los senderos poéticos de Ramón Pérez de Ayala*, Universidad de Oviedo, *Archivum*, XX, 1970.
DERNDARSKY, ROSWITHA: *Ramón Pérez de Ayala*, Frankfort, ed. Vittorio Klostermann, 1970.
FERNÁNDEZ, PELAYO H.: *Ramón Pérez de Ayala: Tres novelas analizadas*, Gijón, 1972.
FERNÁNDEZ AVELLO, MANUEL: *Pérez de Ayala y la niebla*, Oviedo, Instituto de Estudios Asturianos, 1970.
— *El anticlericalismo de Pérez de Ayala*, Oviedo, Gráficas Summa, 1975.
GIL MARISCAL, FERNANDO: *Los jesuitas y su labor pedagógica: comentario a la novela 'A.M.D.G.', original de D. Ramón Pérez de Ayala*, Madrid, 1911.
MATAS, JULIO: *Contra el honor. Las novelas normativas de Ramón Pérez de Ayala*, Madrid, Seminarios y Ediciones (Hora H), 1974.
PÉREZ FERRERO, MIGUEL: *Ramón Pérez de Ayala*, Madrid, Publicaciones de la Fundación Juan March (Monografías), 1973.
RAND, MARGUERITE C.: *Ramón Pérez de Ayala*, Twayne Publishers Inc., Nueva York, 1971.
REININK, K. W.: *Algunos aspectos literarios y lingüísticos de la obra de don Ramón Pérez de Ayala*, La Haya, Publicaciones del Instituto de Estudios Hispánicos, Portugueses e Iberoamericanos de la Universidad estatal de Utrecht, 1959.
SALGUES DE CARGILL, MARUXA: *Los mitos clásicos y modernos*

en la novela de Pérez de Ayala, Jaén, Instituto de Estudios Giennenses, 1972.

URRUTIA, NORMA: De 'Troteras' a 'Tigre Juan'. Dos grandes temas de Ramón Pérez de Ayala, Madrid, Ínsula, 1960.

WYERS WEBER, FRANCES: The Literary Perspectivism of Ramón Pérez de Ayala, Chapel Hill, University of North Carolina Press, 1966.

2. ESTUDIOS SOBRE PÉREZ DE AYALA EN LIBROS DE CONJUNTO

AMORÓS, ANDRÉS: «Pérez de Ayala, la novela total», en Introducción a la novela contemporánea, 3.ª ed., Madrid, Cátedra, 1974.

— «Prólogo» a Pérez de Ayala: Las novelas de Urbano y Simona, Madrid, Alianza Editorial, El Libro de Bolsillo, 1969.

— «Prólogo» a edición crítica de La pata de la raposa de Pérez de Ayala, Barcelona, Labor, Textos Hispánicos Modernos, 1970.

— «Prólogo» a edición crítica de Tinieblas en las cumbres de Pérez de Ayala, Madrid, Castalia, Clásicos Castalia, 1971.

— «Prólogo» a edición crítica de Troteras y danzaderas de Pérez de Ayala, Madrid, Castalia, Clásicos Castalia, 1973.

«Andrenio»: Novelas y novelistas, Madrid, 1918.

— El renacimiento de la novela en España, Madrid, 1924.

AUB, MAX: Discurso de la novela española contemporánea, México, El Colegio de México, 1945.

AZORÍN: Escritores, Madrid, 1956.

BALSEIRO, JOSÉ A.: El vigía, Madrid, 1928.

BAQUERO GOYANES, MARIANO: Perspectivismo y contraste. (De Cadalso a Pérez de Ayala), Madrid, Gredos, Campo Abierto, 1963.

BARJA, CÉSAR: Libros y autores contemporáneos, Madrid, 1935.

«El Caballero Audaz»: Galería, t. II, Madrid, ECA, 1944.

CANSINOS ASSÉNS, RAFAEL: La nueva literatura: I: Los hermes, 2.ª ed., Madrid, Páez, 1925.

— La nueva literatura: IV: La evolución de la novela (1917-1927), Madrid, Páez, 1927.

CASARES, JULIO: Crítica efímera, vol. II, Madrid, 1944.

CURTIUS, E. R.: Ensayos críticos acerca de literatura europea, volumen II, Barcelona, Seix y Barral, Biblioteca Breve, 1959.

CHABÁS, JUAN: Literatura española contemporánea (1898-1950), La Habana, 1952.

DÍEZ ECHARRI, E., y ROCA FRANQUESA, J. M.: Historia general de la literatura española e hispanoamericana, Madrid, Aguilar, 1960.

DOMINGO, JOSÉ: La novela española del siglo XX, Barcelona, Labor, Nueva colección Labor, 1973.

ENTRAMBASAGUAS, JOAQUÍN: Las mejores novelas contemporáneas, volumen VII, 2.ª ed., Barcelona, Planeta, 1965.

García Calderón, Francisco: *La herencia de Lenin y otros artículos*, París, 1929.

García Mercadal, José: «Prólogo» a *Obras Completas* de Ramón Pérez de Ayala, vol. I, Madrid, Aguilar, Biblioteca de Autores Modernos, 1964.

— «Una amistad y varias cartas», prólogo a *Ante Azorín* de Pérez de Ayala, Madrid, Biblioteca Nueva, 1964.

— «Prólogo» a *Troteras y danzaderas* de Pérez de Ayala, Madrid-Buenos Aires, EDAF, 1966.

González Blanco, Andrés: *Los contemporáneos*, 1.ª serie, París, 1907.

— *Historia de la novela española desde el Romanticismo a nuestros días*, Madrid, 1912.

González Ruiz, Nicolás: *En esta hora: ojeada a los valores literarios*, Madrid, 1925.

— *La literatura española. Siglo XX*, Madrid, 1943.

Luján, Néstor: «Prólogo» a *Obras selectas* de Pérez de Ayala, AHR, 1957.

Madariaga, Salvador: *De Galdós a Lorca*, Buenos Aires, Editorial Sudamericana, 1960.

Mañach, Jorge: *Visitas españolas. (Lugares, personas)*, Madrid, Revista de Occidente, 1960.

Martínez Cachero, José María: «Prosistas y poetas novecentistas. La aventura del ultraísmo. Jarnés y los 'nova novorum'», en *Historia general de las literaturas hispánicas*, volumen VI, Barcelona, Vergara, 1968.

Meregalli, Franco: *Parole nel tempo. Studi su scritori spagnoli del novecento*, Milán, Mursia, 1969.

Nora, Eugenio de: *La novela española contemporánea*, volumen I, 2.ª ed., Madrid, Gredos, Biblioteca Románica Hispánica, 1963.

Ortega y Gasset, José: «Al margen del libro *A.M.D.G.*», en *Obras Completas*, t. I, 2.ª ed., Madrid, Revista de Occidente, 1950.

Pérez Ferrero, Miguel: *Unos y otros*, Madrid, 1947.

Pérez Minik, Domingo: *Novelistas españoles de los siglos XIX y XX*, Madrid, Guadarrama, 1957.

Río, Ángel del: *Historia de la literatura española*, edición revisada, t. II, Nueva York, Holt, Rinehart and Winston, 1963.

Sobejano, Gonzalo: *Nietzsche en España*, Madrid, Gredos, Biblioteca Románica Hispánica, 1967.

Suárez, Constantino: *Escritores y artistas asturianos*, edición y adiciones de José María Martínez Cachero, vol. VI, Oviedo, Instituto de Estudios Asturianos, 1957.

Torre, Guillermo de: *La difícil universalidad española*, Madrid, Gredos (Campo Abierto), 1965.

Torrente Ballester, Gonzalo: *Panorama de la literatura española contemporánea*, 3.ª ed., Madrid, Guadarrama, 1965.

Trend, J. B.: *Alfonso the Sage and other Spanish Essays*, Londres, 1926.

VALBUENA PRAT, ÁNGEL: *Historia de la literatura española, 5.*ª edición, t. III, Barcelona, Gustavo Gili, 1957.

3. ARTÍCULOS

BACARISSE, MAURICIO: «Dos críticos: Casares y Pérez de Ayala», en *Revista de Libros*, Madrid, 1928.

BECK, MARY ANN: «La realidad artística en las tragedias grotescas de Pérez de Ayala», en *Hispania*, XLVI, 3 de septiembre de 1963.

CABEZAS, J. A.: «Entrevista con Pérez de Ayala», en *España semanal*, Tánger, 17 de julio de 1960.

CAMPBELL, BRENTON: «The Esthetic Theories of Ramón Pérez de Ayala», en *Hispania*, L, 3 de septiembre de 1967.

CÓRDOBA, SANTIAGO: «Entrevista», en *ABC*, Madrid, 6 de febrero de 1958.

CORREA CALDERÓN, E.: «El costumbrismo en la literatura española actual», en *Cuadernos de Literatura*, Madrid, IV, 1948.

DÍAZ FERNÁNDEZ, J.: «Entrevista», en *El Sol*, Madrid, 12 de diciembre de 1928.

FABIÁN, DONALD L.: «Action and idea in *Amor y pedagogía* and *Prometeo*», en *Hispania*, XLI, 1 de marzo de 1958.

— «The Progress of the Artist: a major theme in the early novels of Pérez de Ayala», en *Hispanic Review*, XXVI, 2 de abril de 1958.

— «Pérez de Ayala and the Generation of 1898», en *Hispania*, XLI, 2 de mayo de 1958.

— «Bases de la novelística de Ramón Pérez de Ayala», en *Hispania*, XLVI, 1 de marzo de 1963.

FERNÁNDEZ AVELLO, MANUEL: «Ramón Pérez de Ayala y el periodismo», en *Gaceta de la Prensa Española*, Madrid, 3.ª época, año XIV, núm. 132, enero-febrero de 1961.

FONT, MARÍA TERESA: «La sociedad del futuro en Pérez de Ayala, Huxley y Orwell», en *Revista de Estudios Hispánicos*, IV, Alabama, 1970.

GARCÍA BLANCO, MANUEL: «Unas cartas de Unamuno y Pérez de Ayala», en *Papeles de Son Armadans*, XXXVIII, 1965.

GARCÍA DOMÍNGUEZ, ELÍAS: «Epistolario de Pérez de Ayala», en *Boletín del Instituto de Estudios Asturianos*, Oviedo, 1969, números 64-65.

GILLESPIE, RUTH C.: «Pérez de Ayala, precursor de la revolución», en *Hispania*, XV, 1932.

GONZÁLEZ RUANO, CÉSAR: «Entrevista», en *Arriba*, Madrid, 8 de mayo de 1955.

GONZÁLEZ RUIZ, NICOLÁS: «La obra literaria de don Ramón Pérez de Ayala», en *Bulletin of Hispanic Studies*, Liverpool, 1932.

JOHNSON, ERNEST A.: «The Humanities and the *Prometeo* of

Ramón Pérez de Ayala», en *Hispania,* XXVII, 3 de septiembre de 1955.

— «Sobre *Prometeo* de Pérez de Ayala», en *Insula,* Madrid, números 100-101.

KING ARJONA, DORIS: «*La voluntad* and *abulia* in contemporary Spanish ideology», en *Revue Hispanique,* 1928, vol. 74.

LIVINGSTONE, LEÓN: «The Theme of the 'Paradoxe sur le comédien' in the novels of Pérez de Ayala», en *Hispanic Review,* XII, 3 de julio de 1954.

— «Interior Duplication and the Problem of Form in the Spanish Novel», en *PMLA,* LXIII, 1958.

MARTÍNEZ CACHERO, JOSÉ MARÍA: «Ramón Pérez de Ayala en dos entrevistas de hacia 1920», en *Boletín del Instituto de Estudios Asturianos,* IX-XII, 1975.

NOBLE, BETH: «The Descriptive Genius of Pérez de Ayala in *La caída de los limones*», en *Hispania,* XL, 2 de mayo de 1957.

POSADA, PAULINO: «Pérez de Ayala, un humanista del siglo XX», en *Punta Europa,* núm. 127, noviembre de 1967.

RODRÍGUEZ MONESCILLO, ESPERANZA: «El mundo helénico de Pérez de Ayala», en *Actas del Segundo Congreso Español de Estudios Clásicos,* Madrid, Sociedad Española de Estudios Clásicos, 1961.

ROMEU, R.: «Les divers aspects de l'humour dans le roman espagnol moderne: III: L'humour trascendental d'un intellectuel», en *Bulletin Hispanique,* IX, 1947.

SALLENAVE, PIERRE: «La estética y el esencial ensayismo de Ramón Pérez de Ayala», en *Cuadernos Hispanoamericanos,* Madrid, núm. 234, 1969.

— «Ramón Pérez de Ayala, teórico de la literatura», en *Cuadernos Hispanoamericanos,* Madrid, núm. 244, 1970.

SÁNCHEZ OCAÑA, VICENTE: «Una novela de clave: *Troteras y danzaderas*», en *La Nación,* Buenos Aires, 24 de julio de 1949.

SCHRAIBMAN, JOSÉ: «Cartas inéditas de Pérez de Ayala a Galdós», en *Hispanófila,* 17, 1963.

SERRANO PONCELA, SEGUNDO: «La novela española contemporánea», en *La Torre,* Puerto Rico, I, núm. 2, abril-junio de 1953.

SOLDEVILA DURANTE, IGNACIO: «Ramón Pérez de Ayala. De *Sentimental Club* a *La revolución sentimental*», en *Cuadernos Hispanoamericanos,* Madrid, núm. 181, 1965.

SOPEÑA, FEDERICO: «La 'pietas' de los últimos días», en *ABC,* Madrid, 7 de agosto de 1962.

STURKEN, H. TRACY: «Nota sobre *La pata de la raposa*», en *Nueva Revista de Filología Hispánica,* XI, núm. 2, abril-junio de 1957.

TENREIRO, R. M.: «*Tinieblas en las cumbres*», en *La lectura,* Madrid, 1908.

— «*A.M.D.G.*», en *La lectura,* Madrid, 1911.

— «*La pata de la raposa*», en *La lectura,* Madrid, 1912.

— «*Troteras y danzaderas*», en *La lectura,* Madrid, 1913.

4. Sobre «Belarmino y Apolonio»

Azaña, Manuel: «*Belarmino y Apolonio*», en *Obras Completas,* edición de Juan Marichal, vol. I, México, Oasis, 1966.

Bataillon, Marcel: «*Belarmino y Apolonio*», en *Bulletin Hispanique,* XXIV, núm. 2, 1922.

Bobes, María del Carmen: «Notas a *Belarmino y Apolonio* de Pérez de Ayala», en *Boletín del Instituto de Estudios Asturianos,* XXXIV, 1958.

Carayon, Marcel: «Le roman *Apollonius et Bellarmin,* par Ramón Pérez de Ayala», en *Intentions,* París, 1923.

Cassou, Jean: «*Bellarmino y Apolonio*», en *Révue Européenne,* II, 1923.

Clavería, Carlos: «Apostillas al lenguaje de *Belarmino y Apolonio*», en *Cinco estudios de literatura española moderna,* Salamanca, 1945.

— «Apostillas adicionales a *Belarmino y Apolonio*», en *Hispanic Review,* XVI, 1948.

Cordua de Torreti, Carla: «Belarmino: hablar y pensar», en *La Torre,* 32, Puerto Rico, 1960.

Gatti, J. F.: *En Filología,* XV, Buenos Aires, 1971.

Genoud, Mariana J.: *La relación, fondo y forma en «Belarmino y Apolonio»,* Universidad de Cuyo, Mendoza, 1969.

Lamb, Norman: «The Art of *Belarmino y Apolonio*», en *Bulletin of Spanish Studies,* Liverpool, XVII, 1940.

Leighton, Charles: «La parodia en *Belarmino y Apolonio*», en *Hispanófila,* 6, 1959.

— «The Structure of *Belarmino y Apolonio*», en *Bulletin of Hispanic Studies,* XXXVII, 1960.

Levy, Bernard: «Pérez de Ayala's *Belarmino y Apolonio*», en *Spanish Review,* Nueva York, III, 1936.

Poggioli, Renato: «*Bellarmino e Apollonio*», en *Pietri di Paragone,* Florencia, 1939.

Salgués Cargill, Maruxa: «El mito de Don Quijote-Sancho en *Belarmino y Apolonio*», en *Ínsula,* Madrid, núm. 274, septiembre de 1969.

Suárez Solís, Sara: *Análisis de «Belarmino y Apolonio»,* Oviedo, Instituto de Estudios Asturianos, 1974.

Ybarra, R. T.: «An Ayala Novel, *Belarmino y Apolonio*», en *New York Times,* 6 de marzo de 1921.

Belarmino y Apolonio

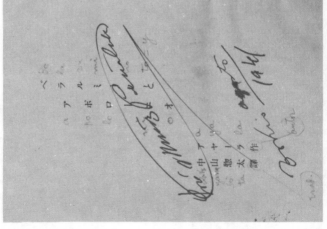

Portada y frontis de la traducción al japonés (Tokio, 1941)
(la transcripción hecha por el autor)

El filósofo de las casas de huéspedes [1]

Don Amaranto de Fraile [2], a quien conocí [3] hace muchos años en una casa de huéspedes [4] era, sin duda, un hombre fuera de lo común, no menos por la traza corporal cuanto por su inteligencia, carácter y costumbres. Algún día quizá se me ocurra referir por lo menudo [5] lo que hube de averiguar de su vida, y, sobre todo, recoger por curiosidad [6] sus doctrinas, opiniones, aforismos y paradojas; de donde pudiera resultar un libro que si no emula las *Memorabilia* [7] en que Xenofonte dejó reverente y filial recuerdo de su maestro Sócrates [8], será de seguro porque ando yo tan lejos de Xenofonte como don Amaranto se aproximaba, tal cual vez, a Sócrates:

---

[1] De querer darle estructura binaria, como el de los demás capítulos, pudo haberle llamado Ayala «Don Amaranto y el narrador» (Sara Suárez, pág. 31).

[2] Sara Suárez recuerda a otro personaje ayalino del mismo apellido, en la narración *Pilares,* pág. 31.

[3] Nótese la introducción de un narrador, en primera persona.

[4] También comienzan en una casa de huéspedes otras novelas de Ayala: *Tinieblas en las cumbres, La pata de la raposa, Luz de domingo* y *La caída de los limones.*

[5] M: por lo conciso.

[6] T: puntualmente.

[7] T: las obras filosóficas.

[8] Pérez de Ayala fue gran aficionado a la literatura clásica. Hasta el final de sus días siguió estudiando griego. He podido examinar sus cuadernos de trabajo, con listas de palabras griegas.

61

un Sócrates de tres pesetas, con principio. Pero todo esto no conviene ahora a mi propósito[9].

Cuando yo le conocí pasaba ya de los sesenta este varón extraordinario. Había vivido veinte años en la misma casa de huéspedes, aquella en donde yo di[10] con él, y otros veinticinco en otras muchas casas de huéspedes. Es decir, que se había pasado la vida en casas de huéspedes. La tal casa[11] en donde al Destino[12] plugo juntarnos pasajeramente, era repugnante de todo punto. Pasé allí dos meses, y eso porque la simpatía y deleitoso magisterio de don Amaranto me persuadieron a dilatar mi estada. Su irónica pedantería y pintoresca erudición me encantaban[13], pero lo que más me movía a venerar a don Amaranto era el hecho de que hubiera permanecido tantos años en semejante[14] alojamiento, soportando como si tal cosa, sin perder de romana en lo físico ni la ecuanimidad interior[15], privaciones, entrometimientos, escándalos, desaliños, ponzoñas; en suma, un trato miserable y homicida. Y es que había profesado pertenecer a las casas de huéspedes, como a una orden religiosa, y hecho voto de pupilaje perpetuo. Él mismo me lo declaró un día, de sobremesa. Digo de sobremesa, que no de sobre-comida. Un detalle de las sobremesas de aquella casa, es que no había palillos de dientes; no por razones de eco-

---

[9] En el primer párrafo de la novela, Pérez de Ayala se ha dejado ya arrastrar por la digresión cultista que caracterizará a toda la obra.

[10] T: topé.

[11] M: casa de huéspedes.

[12] A Pérez de Ayala le gusta mostrar el contraste entre un ambiente costumbrista y la intervención inexorable del Destino, propia de una tragedia. Así lo hace también en la primera frase de *Luna de miel, luna de hiel:* «Aquella sobremesa del 8 de junio fue, como todos los grandes hechos históricos, un suceso al parecer cotidiano, sino que el Destino, que se hallaba presente e invisible, volcó el cubilete de los dados fatales...» (en mi edición de *Las novelas de Urbano y Simona,* Madrid, Alianza Editorial, colección El Libro de Bolsillo, 1969, pág. 21).

[13] Esta frase no está en el manuscrito: la debió de añadir al corregir pruebas.

[14] M: en aquel.

[15] T: del carácter.

nomía, ni menos por escrúpulos de aseo [16] y urbanidad, como es uso entre anglosajones [17], los cuales consideran el acto de mondar las rendijas de la dentadura como una necesidad [18] de orden vergonzoso y clandestino, sino porque no había ocasión, y por ende los palillos holgaban. Condumios y viandas eran los primeros harto flúidos y las otras de estructura demasiado coherente y compacta para la herramienta dental humana, de manera que no permanecía residuo alguno entre los dientes [19].

—En el Ática —me dijo aquel día de sobremesa don Amaranto, ostentando didácticamente un tenedor de peltre [20], al modo de férula— se iba a buscar la sabiduría al mercado o bajo el pórtico de Júpiter Liberador, donde Sócrates, con palabra ligera y gesto sonriente, parteaba, como avezada comadrona, el alumbramiento de las ideas [21] al huerto umbrátil de Academo, donde Platón, de hombros anchos y labios melifluos [22], empollaba en las almas jóvenes los alados anhelos con que volasen de lo sensible a lo absoluto; en el Liceo, donde el seco Estagirita desmontaba en piezas la máquina del mundo, y mostraba sus relaciones, ensambladuras y modo de funcionar. En la Edad Media, los silos del saber de entonces y de lo poco que de la antigüedad aún quedaba fueron los monasterios. Luego, la ciencia se acogió a las universidades. En nuestros días, la mejor universidad, el verda-

---

[16] T: pulcritud.

[17] Pérez de Ayala vivió largas temporadas en Inglaterra y fue. nombrado por la República Embajador de España en Londres. En *La pata de la raposa* describe la vida en una pensión inglesa (véase mi edición, Barcelona, Labor, col. Textos Hispánicos Modernos, 1970, págs. 199 y ss.).

[18] M: como una de las varias necesidades.

[19] Puede haber aquí un recuerdo de la primera comida del Buscón en casa del dómine Cabra: «Repartió a cada uno tan poco carnero que en lo que se les pegó a las uñas y se les quedó entre los dientes pienso que se consumió todo, dejando descomulgadas las tripas de participantes» (Quevedo, *Obras Completas. Prosa,* Madrid, Aguilar, 4.ª ed., 1958, pág. 293).

[20] T: latón.

[21] Eso es la mayéutica: facilitar el alumbramiento de la verdad en la mente, así como su madre ayudaba a dar a luz a los cuerpos.

[22] T: dulcificados labios.

dero convento, el más cumplido liceo, el más poblado huerto de Academo, y el más genuino trasunto del pórtico de Júpiter Liberador y del clásico mercado, todo esto es, amigo mío, la casa de huéspedes española, señaladamente madrileña [23]. La Naturaleza es un libro, ciertamente; pero es un libro hermético. La casa de huéspedes es un libro abierto. No se necesita sino saber leer, que es bien poca cosa. Ahora, que para morar de por vida en casas de huéspedes, como para profesar en una orden religiosa, necesítase asimismo una cualidad rara, aunque no tan rara entre españoles: vocación ascética [24]. En las casas de huéspedes no cabe dar pábulo ni satisfacción a ningún linaje de voluptuosidad o apetencia de la carne mortal. El español tiene la piel tan recia, las entrañas tan enjutas y los sentidos tan mansuetos, que es ya [25] asceta innato y por predestinación; ninguna [26] aspereza le mortifica y apenas si hay placer sensual que apetezca, como no sea el genésico, y ése en su forma más simple y plena [27], el cual así considerado, aunque el vulgo ibérico lo denomine amor, y hasta el gran Lope de Vega escribió que no hay otro amor que éste que por voluntad de natura se sacia con el ayuntamiento de los que se desean, no es sino instinto y servidumbre, común a hombres y bestias, con que cumplimos en la propagación de la especie; en tanto el hombre, en sus placeres exclusivos [28], selecciona por discernimiento, que no por instinto, el

---

[23] Nótese la andadura clásica de la frase, con una recolección de todos los elementos mencionados antes.

[24] Pérez de Ayala, como Gabriel Miró, considera un mal la falta de sensualidad del hombre español. Y de la literatura española: «El mal de la literatura castellana radica claramente en esto, en que la mayor parte de los escritores creyeron que para serlo les bastaba la destreza del oficio. Fueron casi siempre escritores cortesanos para quienes no existió el mundo exterior ni el dulce y fecundo ministerio de los sentidos, y de aquí que cayesen en la afectación, en la garrulería y la aridez» (*Obras Completas*, II, Madrid, Aguilar, 1963, págs. 561-562).

[25] T: que es un.

[26] T: no hay.

[27] En su libro *Política y toros,* Ayala se ha referido repetidamente a esta manera española de concebir el amor.

[28] T: el placer propio del hombre.

objeto o propósito hacia donde se encamina, y perfecciona por educación los medios de alcanzarlo y el arte [29] de gustarlo. Un placer humano, aunque de la más baja jerarquía, es el de la mesa. Los animales comen el alimento en crudo. El hombre hace pasar el alimento por la cocina; lo condimenta, lo sazona, le infunde sabores varios y sutiles. El buey come hierba ahora como en la edad de piedra, y la rumia como entonces, sin haberle añadido complicaciones ni gustos nuevos. En cambio, la ciencia y el arte culinarios son evolutivos y perfectibles; en Maxim [30], de París, no se come como se comía en las cavernas. Sí, amigo mío; el español es asceta *a nativitate.* Por eso en España hay incontable número de conventos y casas de huéspedes, en los cuales se perpetúan bodrios y condumios cavernarios, cuando no se apenca con el alimento en crudo. Cierta vez me propuse acometer una investigación científica de sociología comparada, y aun de etnografía, tomando como tema y punto de arranque las casas de huéspedes en España y en las naciones extranjeras. Después de prolijas experiencias y estudios, llegué a este resultado inconcluso: la casa de huéspedes es una institución típicamente [31] española, algo así como la lidia de reses bravas en coso, el cocido y el cultivo de verrugas pilosas con fines estéticos [32]. Entre el *boarding-house* inglés, la *pension de famille,* francesa o suiza, la *pensione* italiana, la *pensionshaus* alemana y la casa de huéspedes madrileña, hay tanta semejanza como entre el Támesis, el Sena o el Tíber, de una parte, y de otra el Manzanares; y en este parangón le corresponde el papel de Tíber, Sena o Támesis a la casa de huéspedes, claro está. El *boarding-house* inglés es un pequeño museo de

---

[29] T: procedimiento.
[30] Ediciones posteriores corrigen: Maxim's. El restaurante se hizo famoso sobre todo a partir de la opereta *La viuda alegre.*
[31] M: exclusivamente.
[32] Al enumerar lo típico español, asoma siempre la ironía crítica de Pérez de Ayala. Recuérdese el final sarcástico de una de sus novelas: «¿Qué es lo que ha producido España? Sepámoslo. Troteras y danzaderas, amigo mío; Troteras y Danzaderas» (en mi edición de *Troteras y danzaderas,* Madrid, col. Clásicos Castalia, 1973, pág. 423).

figuras de cera, un número del *Punch* [33], un breve repertorio de caricaturas, ya que los britanos, casi sin excepción, condúcense socialmente con fría y cómica simplicidad y rehuyen efusiones e intimidades [34]. La pensión suiza, una cantina de estación; todos están de paso y ausentes entre sí. La *pensione* italiana, alhóndiga de interjecciones y de lugares comunes artísticos («¿han visto ustedes ya *La Primavera,* de Sandro Boticelli? [35] ¡Ah!», exclama una pintora sueca, de volumen ciclópeo, en tanto ingurgita, con remilgo y primor, cucharadas de *minestrone.* «¡Ah!», repite un yanqui de pecho abultado, como palomo buchón, que tiene voz de barítono y está adoctrinándose en el *bel canto,* con miras económicas, por ver de ganar tanto como Caruso [36]. «Pues, ¿y los frescos del Giotto? [37] ¡Oh!», interpone una provecta dama rusa, que tiene ante sí un libro de Ruskin [38] abierto y apoyado sobre una panzuda botella de *Chianti);* vivero de filisteos estetas, de fementidos émulos de Apeles y Fidias y de presuntas estrellas operáticas, que con aullidos y fermatas [39] martirizan al huésped sosegado e inofensivo. La *pensionshaus* alemana, reducido *pandemonium,* o sea, lugar [40] consagrado al culto de la democrática Afrodita tudesca, de cadera copiosa y relevado seno [41]. Algunas pensiones familiares francesas justifican, en efecto, su

---

[33] Famosa revista inglesa de humor.
[34] En *La pata de la raposa* ha reflejado esta manera de ser inglesa.
[35] El famoso cuadro está en la Galería de los Uffizi, en Florencia.
[36] Famoso cantante de ópera. Sobre su vida se hizo la película americana «El Gran Caruso», protagonizada por Mario Lanza.
[37] Los más importantes son los que están en la Capilla degli Scrovegni, en Padua.
[38] John Ruskin (1819-1900): escritor inglés del período victoriano, autor de libros de estética que revalorizan la pintura italiana primitiva. Sus obras más famosas son *Las siete lámparas de la arquitectura* y *Las piedras de Venecia.*
[39] Italianismo musical: parada.
[40] T: templo.
[41] Con una beca de la Junta de Ampliación de Estudios, Pérez de Ayala viajó, en su juventud, a Alemania e Italia para estudiar estética: conocía, pues, estos ambientes.

título, mediante ciertas [42] virtudes y todos los defectos de la vida familiar, y conservan la mesa única, la mesa redonda, que en la casa de huéspedes española es de rigor. En todos aquellos hospedajes y albergues forasteros no niego que se aprende algo; pero ese algo es anecdótico, superficial, inconexo, al modo de las monografías de la ciencia experimental. Mas la casa de huéspedes es enciclopedia de las ciencias, es *summa,* es biblia. Hace ya no pocos lustros, durante mi noviciado como pupilo de casa de huéspedes, entablé pronta amistad con otro pensionista, estudiante de medicina, quien primero suscitó mi curiosidad hacia los misterios hipocráticos y luego me inició en ellos. Con él asistí a un parto, en San Carlos. Hay dos espectáculos que el hombre debe presenciar alguna vez: uno es la salida del sol; otro es un parto. El primero nos enseña a respetar la idea de Dios; el segundo, a respetar a la mujer. Creo que la razón de que en los matrimonios españoles no se acate lo debido a la mujer estriba en que se uso entre comadrones y comadronas impeler y aun constreñir al padre a que permanezca fuera del recinto en donde se verifica el doloroso misterio. De esta suerte, el marido ignora por qué la maternidad es sacramento, martirio y santificación. La mujer, advierte San Agustín, *nisi mater, instrumentum voluptatis;* o vemos en ella la madre, o nos rebajamos a tomarla como mero instrumento de voluptuosidad [43]. Cuando sucede esto último y [44] del misterio de la maternidad el hombre no hace cuenta [45] sino de los fugitivos instantes de epilepsia que acompañan a la cópula, al acto de engendrar y concebir, entonces el esposo envilece a la esposa, y ¿cómo ha de respetar aquello que envilece? Prosigo [46]. Estudié bastante tiempo la medicina, libremente y conforme mi arbitrio. Desde aquel punto, siempre he estado suscrito

---

[42] T: con algunas de las.

[43] Para Pérez de Ayala, el amor auténtico se traduce en fecundidad. Recuérdese, por ejemplo, el final de *El curandero de su honra.* El donjuanismo, en cambio, es estéril.

[44] T: y el marido.

[45] M: no toma en cuenta.

[46] La larga digresión obliga a la presencia de esta palabra de enlace.

a alguna revista médica. Lo primero es el conocimiento del hombre físico, de la máquina deleznable y complejísima con que sentimos y pensamos [47]. Las ideas, aun las más puras, son evaporaciones biológicas, vahos de la carne efímera; son como las nubes, que parecen nacidas del firmamento y exentas de la grave jurisdicción terrena, no obstante que de la tierra se desprenden y a la tierra tornan, y al volver la fecundan. Merced a otros muchos pensionistas y accidentales compañeros de hospedaje, fui interesándome y adoctrinándome en las varias disciplinas y actividades del saber. En una ocasión cayó por mi misma casa de huéspedes un teutón, aprovechado [48] como todos ellos [49] que buscaba aprender en vivo y por obra de [50] práctica asidua el castellano. «Tate, pensé; tú aprenderás mi habla, pero yo aprendo la tuya», como así fue. El griego me lo enseñó un opositor a cátedras, y muy rápidamente, con gran sorpresa mía. Abundante [51] copia de opositores a cátedras conocí, que me sirvieron de maestros. Existe en España una rara profesión: la de opositor [52] a cátedras. Hay individuos, talludos ya, y aun valetudinarios, que no son ni han sido otra cosa que opositores a cátedras. Esto se explica porque en España se conceden las cátedras por amistad, parentesco o bandería, antes que por mérito; de donde se aprende más y mejor de los opositores que de los mismos catedráticos. No le fatigaré a usted con la relación meticulosa de lo que he aprendido y me figuro saber. Porque, al cabo, el saber poco o mucho, ¿de qué sirve? [53]. Cada ciencia, de por sí, es una abdicación al conocer íntegro, gesto de cansan-

[47] T: con que ˏsientes y piensas.
[48] T: diligente.
[49] Otro teutón aprovechado aparece en *Troteras y danzaderas* (en mi edición citada, págs. 325 y ss.). Para sus sentimientos con respecto a Alemania, véase su libro *Hermann encadenado* y el prólogo al tomo de discursos del Kaiser que comento en mi libro *La novela intelectual de Ramón Pérez de Ayala* (Madrid, Gredos, Biblioteca Románica Hispánica, 1972).
[50] M: de la
[51] T: Gran.
[52] M: opositores.
[53] La escéptica reflexión le sirva al narrador para pasar a otro tema muy distinto y más importante en el conjunto de la nove-

cio, tácita admisión de pequeñez e ignorancia, actitud de obligada humildad. El sabio se ha dejado colocar [54] como caballo que va de jornada, orejeras a entrambas sienes [55], por no ver sino lo que tiene delante de las narices. El universo es coordinación de infinitos fenómenos heterogéneos. Cada ciencia, en cambio, se conforma con añascar enteco troje de fenomenillos homogéneos, y obstínase en no admitir que de fuera, aparte, por debajo y por encima de ellos, exista realidad alguna. La edad científica sigue a la edad teológica. Es decir: cuando la humanidad, tras de haber imaginado penetrar el sentido de la vida y la muerte y tener asido el orbe entre las manos, como un niño una pelota, volvió sobre sí y, con maravilla y espanto, descubrió que todo había sido ensueño e ilusión, que la vida no tiene sentido ni el orbe consiente que se le abarque; en aquel trance lastimoso, que fue algo así como una almoneda en donde se desbarató el hogar y menaje de los dioses, algunos individuos remataron a bajo precio tales y cuáles trastos de la almoneda, que, aunque apolillados y claudicantes, todavía duran y se utilizan, y otros individuos, muy contados, más propensos a la desesperanza y al tedio, volviéronse de espaldas al cielo, ya vacío y desalquilado, humillaron los ojos hacia el suelo, y aplicáronse a reunir por semejas hechos minúsculos, no de otra suerte que un desocupado, por pasatiempo o ansia de olvido, se emplea en coleccionar objetos inservibles [56]; y así se fue formando cada una de las ciencias particulares: que no es otra cosa una ciencia sino colección, jamás completa, de sellos usados o cencerros de vaca. Antes, en la edad teológica, el hombre se había [57] acostumbrado a la presencia de lo absoluto en cada realidad relativa; el mundo estaba poblado de mitos; la esencia de los seres flotaba en la superficie, como la

---

la: la limitación de las ciencias particulares y la necesidad de armonizar las distintas perspectivas.
    [54] T: se pone.
    [55] T: en entrambos lados.
    [56] La visión, tan escéptica, de la ciencia me recuerda a los eruditos absurdos que suele presentar Jorge Luis Borges.
    [57] T: estaba.

niebla matinal sobre los ríos; y el conocimiento íntegro se ofrecía al alcance de la mano, como la frambuesa de los setos. En un árbol, si era laurel, un antiguo veía a Dafne, sentía el contacto invisible de Apolo, y empleaba las hojas para guisar y para coronar los púgiles y los poetas. ¿Qué más necesitaba saber? En la edad científica un solo árbol se multiplica en tantos árboles como ciencias, y ninguno es el árbol verdadero [58]. El botánico le pone un mote; el matemático le da ciertas dimensiones, en relación con la circunferencia del ecuador, ¡atiza!; el arquitecto lo considera como una viga maestra; el ingeniero naval, como una cuaderna o un mástil; el telegrafista, como un poste de telégrafos; el economista, como un valor cotizable; el ingeniero agrónomo, como un orden de cultivo; el médico, como una especie terapéutica; el químico, como una retorta en cuyo seno se efectúan ciertas reacciones; el biólogo, poco menos que como una persona; y así sucesivamente. La mosca tiene la retina tallada en millares de facetas, con que ve lo externo reproducido en millares de imágenes. Leí en un ensayista francés: «¡Quién poseyera la retina de la mosca! ¡Qué formidable panorama de la creación le ha sido otorgado a la mosca y negado al que llamamos rey de la tierra! [59] ...» Pues con penetrar un poco en todas las ciencias, así puras como aplicadas, se descompone al punto una imagen en millares de imágenes, como ya he esbozado en el paradigma del árbol. Y la familiaridad con las ciencias y subsecuente visión por miriadas de imágenes se obtiene profesando, por vocación y con fe, en una casa de huéspedes. «La verdadera universidad de nuestros días —asentó Carlyle— es una biblioteca.» Si Carlyle hubiera sido español, habría dicho casa de huéspedes, que no biblioteca [60]. Pero, ya que uno es docto en toda ciencia y mira

---

[58] El árbol sirve de ejemplo de perspectivismo.

[59] T: de lo creado.

[60] Recuérdese la escéptica declaración de Ayala en su poema «Madurez»:

Escudriñé las grandes verdades de los hombres
en ámbitos adustos de doctas bibliotecas.

el objeto en todos sus visos y desde todos los sesgos, ¿es esto saber más, ni siquiera saber algo? Eso es dar vueltas en un tío-vivo, alrededor de un objeto. Frontera a mí, en la mesa redonda, come una linda muchacha. Yo cabalgo un paquidermo del tío-vivo imaginario [61] y científico, y me lanzó a observar la hermosa criatura, girando en torno de ella. Comienzo a observarla en un soslayo o escorzo, el fisiológico. Penetro la arcana alquimia que se está operando en su estómago a tiempo que deglute; sé cómo las proteínas, grasas y carbohidratos, almidones y azúcares de los alimentos que delicadamente va introduciendo en el precioso estuche de su boca se truecan al final en tejido orgánico [62] y no quiero profundizar más en estas observaciones entrañables, porque llegaría a términos lastimosos [63]. Hago un cuarto de rotación sobre el giratorio paquidermo, y ahora observo a la niña desde otra perspectiva: la filológica. Por ciertas voces y matices ortológicos, sé, con certidumbre, que esta muchacha es galaica, y precisamente de Mondoñedo. Como por encantamiento, la niña acaba de decir que es de Mondoñedo y nacida en agosto. Mi paquidermo da un bote hacia adelante, y ya estoy en otra línea de observación: la de los horóscopos y astrologías, que es ciencia no por olvidada menos respetable [64]. Esta joven, como nacida en agosto (Napoleón Bonaparte nació en agosto), es apasionada, ardiente, muy proclive a gratificar la Venus, dicharachera, y debe cuidar de los dolores de cabeza (Napoleón no consumó la batalla de Borodino porque aquel día le aquejaba una fluxión nasal). Si yo fuera joven, no seguiría adelante, porque ¿qué vale toda la ciencia ante estos dos

---

Nihil, nihil. Cuatro nombres,
cuatro cifras, cuatro palabras huecas.

(*Obras Completas,* II, pág. 22.)

[61] T: ideal.
[62] Todo este párrafo científico fue añadido con posterioridad; en el manuscrito, al dorso de la página.
[63] Típica de Pérez de Ayala es esta forma de aludir a lo material con palabras cultas.
[64] En *Troteras y danzaderas,* la prostituta Lolita consulta el famoso oráculo de Napoleón (edición citada, págs. 313 y ss.).

hechos tan sencillos: que esta joven es bonita y que se rinde a ciertas proclividades? Pero, puesto que si no senil soy senescente, me sobrepongo a las flaquezas de la carne, completo el giro y examino a la muchacha desde los cuatro puntos cardinales. A la postre, estoy donde estaba. ¿Qué he conseguido saber sobre esta muchacha? Nada. Nada. Nada. En cambio, si es vecina de mi aposento y a través del frágil tabique la oigo suspirar, reír, llorar, sé que está triste, que goza, que sufre. Otro día cojo al vuelo una frase; otro, percibo todo un diálogo; otro, hablo con ella y la guío con sutileza a que me confíe algún secretillo; otro, completo lo que ella me haya dicho con lo que otros me comuniquen acerca de ella misma; y así, poco a poco, he llegado a conocerla en puridad, porque he entrado en su drama. Cada vida es un drama de más o menos intensidad. Cada vida es, asimismo, una sombra inconstante y huidera [65]. ¿Recuerda usted la alegoría de la caverna, de Platón?[66] Pues es preciso ir todavía un poco más allá; los que Platón pone aherrojados en la caverna no son cuerpos materiales, sino sombras, pero sombras dramáticas y atormentadas; y lo que sobre el muro ven, sombras de sombras. Eso es una casa de huéspedes: la caverna de las sombras [67]. Por estas penumbrosas estancias circulan sin cesar nuevas sombras y más sombras, vidas y más vidas, dramas y más dramas. Se me dirá que lo mismo sucede en los hoteles, en las calles, en los ferrocarriles, dondequiera que se congregan

---

[65] Recuérdese lo que escribe en el poema «Jardines»:

Este es el hombre, sombra caediza,
ciega, vehemente y errabunda,
que en la interior morada solemniza
su significación profunda.

(*Obras Completas*, II, pág. 161.)

El adjetivo «huidera» es típico de Pérez de Ayala. Se halla, por ejemplo, en ese mismo poema, unos versos más abajo.

[66] Es muy grande la influencia de Platón en Ayala. Como he escrito en otra ocasión, éste «ve en todo emblemas, ecos, signos, una imagen, un platónico arquetipo» (*La novela intelectual de Ramón Pérez de Ayala*, pág. 68).

[67] De la digresión cultista volvemos al tema inicial.

las gentes. Y es verdad. Sólo que en aquellas p
sombra y el drama pasan sordamente, aisladame
simuladamente, sin comunicarse, en tanto en la
huéspedes, la obligada familiaridad, que comienz___ ___ __
mesa redonda, solidariza a esas [68] sombras efímeras y
quebranta los sigilos del drama individual. Le digo a usted
que, a veces, extendiendo la mirada sobre [69] mis vecinos
de mesa, cuyos dramas privativos se me presentan al
pronto con escénica plasticidad, y elevándome a seguida,
y como que a pesar mío, a contemplarlos filosóficamente,
sub specie aeterni [70], como sombras inconscientes y efímeras, me acomete un escalofrío patético, me dan ganas
de llorar y soy capaz de tragarme, sin parar atención y
como si fuese un plato de natillas, la empedernida chuleta
que me han servido. Para elevarse al concepto y la emoción del bosque, o alongarse de él y tomarlo [71] en conjunto, o sumirse [72] dentro de él; en las lindes y a corto
trecho, los árboles estorban ver el bosque. Para ascender
al concepto y la emoción de la vida, o situarse en el punto
de vista de Sirio, como hace el filósofo, o zambullirse,
con todas las potencias, en los dramas individuales. El
drama y la filosofía son las únicas maneras de conocimiento [73]. Y aquí, en estos cavernosos senos de la casa
de huéspedes, están las fuentes del conocimiento. La
cuestión es alumbrar el manadero. A través de las casas
de huéspedes ha pasado toda la historia de España del
siglo xix. Sí, señor, sí; la historia de España del siglo xix
es una historia de casa de huéspedes. ¿Qué le vamos a
hacer? No crea usted que la historia de las demás naciones cultas en el siglo xix es muy superior a la nuestra.
Aquí y acullá, y en todas partes, la historia del siglo xix
es la historia de la clase media —clase media más rica
y culta allá, más miseranda y cerril acá—; la historia de

---

[68] T: a las.
[69] T: por sobre.
[70] La filosofía como visión «sub specie aeterni»: éste será el
título del último capítulo.
[71] T: abarcarlo.
[72] T: penetrar.
[73] Se anuncia aquí uno de los temas centrales de la novela.

..la época de libertad anárquica, la libertad de explotación; torbellino de átomos insensatos e incoherentes; época egoísta y brutal, que pensó suprimir el dolor fingiendo ignorar que lo hubiese, y alardeó de *apreciar* las ideas y la belleza porque las avillanó y sometió *a precio* cotizable en el mercado, como cualquiera otro artículo de comercio; época, en fin, en que el negociante venció y aniquiló [74] al filósofo y al poeta [75].

Jamás olvidé aquella sesuda y graciosa [76] disertación de don Amaranto sobre las casas de huéspedes. Después de separarme del señor de Fraile, recorrí algunos de estos heteróclitos albergues, hasta que posé definitivamente [77] bajos los hospitalarios Penates de doña Trina [78], cobijo llevadero por la abundancia, ya que no por la delicadeza de bastimentos, y, sobre todo, lugar ameno, si los había [79], a causa de la afluencia de gentes de todo estado, edad y condición: sacerdotes, toreros, políticos, tahúres, comerciantes, covachuelistas, militares, estudiantes, labriegos, inventores, pretendientes, petardistas [80], ingredientes y rebabas del revoltiño social, que allí se mezclaban [81] desde todos los rincones de Iberia. Por sugestión del excelente don Amaranto, me había acostumbrado a tomar las diversas casas de huéspedes, por donde transité, al modo de tiendas, con sus existencias, tal cual abastecidas de dramas individuales, metido cada cual en su paquete y cuidadosamente atados con bramante. No había sino desatar el bramante y desenrollar [82] el paquete. Si aquellas casas eran tiendas de menguado [83] surtido, la de doña

---

[74] T: humilló.
[75] En la novela, el comerciante Martínez vencerá al filósofo Belarmino y al poeta dramático Apolonio.
[76] T: pintoresca.
[77] T: al fin.
[78] En el manuscrito, el autor deja espacio después del nombre para poner después el apellido, pero no lo llegó a hacer.
[79] T: hay.
[80] En la elección de estos personajes se advierte ya la ironía crítica de Ayala.
[81] T: acudían.
[82] T: desenvolver.
[83] T: escaso.

Trina destacaba al modo de vasto [84] y rico almacén, con géneros únicos de fabricación única [85]. Verdad que no se podía sacar sino el género; luego se exigía cierta diligencia para darle hechura. En aquel almacén de dramas empaquetados se desenvolvió ante mí, y hube de palparlo, el drama de Arias Limón y sus hermanas, que luego di a la estampa, para entretenimiento de distraídos y ociosos *. Me rozaron, asimismo, otros muchos dramas, que se han perdido en el río de sombras y es probable que nunca aborden a una orilla. Pero hoy me siento en humor de salvar del olvido un drama semipatético, semiburlesco [86], de cuyos interesantes elementos una parte me la ofreció el acaso, otra la fui acopiando en años de investigación y perseverante rebusca. Por eso, lo considero casi como obra original mía.

---

[84] T: era un.
[85] T: exclusiva.
* *Prometeo. Luz de domingo. La caída de los Limones.* Tres novelas poemáticas de la vida española.
[86] Una tragicomedia, como es habitual en Pérez de Ayala.

Capítulo primero

Don Guillén y la Pinta

Un Martes Santo [87], a la comida del mediodía, apareció en la mesa un huésped inédito: un sacerdote prebendado. Si me cruzo en la calle con él, o le hallo frente a frente en un tranvía, o come vecino a mí [88] en una fonda de estación, apenas si me hubiera molestado en resbalar sobre él la mirada. Pero estábamos en la mesa redonda de una casa de huéspedes. Tenía razón el excelente don Amaranto. No sólo yo, todos los demás comensales nos aplicamos a escudriñar, descarados, en nuestro flamante sacerdote, como cumpliendo una obligación. Él resistía con indiferencia [89] la curiosidad ambiente. A los toreros, a los cómicos y a los curas no les desazona [90] la curiosidad ni les desconcierta la mirada fija, como habituados a ser foco de la atención [91] en el ruedo, la escena y el púlpito [92].

He dicho más arriba nuestro flamante sacerdote, y no hay adjetivo que mejor le cuadrase [93]. Parecía un santo de

---

[87] Comienza el relato de los hechos, que se extenderán a lo largo de la Semana Santa.

[88] T: en mi vecindad.

[89] T: con perfecta naturalidad.

[90] T: enoja.

[91] T: de una y otra.

[92] La comparación de los sacerdotes con los toreros y los cómicos implica una clara actitud crítica. Al final del capítulo anterior mencionaba, juntos, a sacerdotes y toreros como típicos de nuestra patria.

[93] T: conviniese.

cartón piedra, recién salido de los moldes y acabadito de pintar. La sotana de merino lustroso, como barnizado; el vivo del alzacuello, una pinceladita [94] de morado ardiente, casi carmín; el afeitado de bigote y barba, color violeta y azulenco pálidos; el resto del rostro, rojo vehemente y bruñido; los ojos, profundos y negros. No tendría arriba de los cuarenta años, si llegaba. Superada [95] esta primera e insulsa impresión de santito alfeñicado [96], de la fisonomía del sacerdote emanaba [97] un no sé qué de personal y sugestivo. El rojo de sus mejillas era patológico; debía de padecer del corazón. Como era guapito y harto joven para la dignidad eclesiástica que ostentaba, quizá algún malicioso presumiese que la había alcanzado mediante el favor de las omnipotentes faldas. Pero, de otro lado, nada se insinuaba en él [98] que trascendiese a *homme aux femmes* ni a Periquito entre ellas. No delataba el [99] aplomo del cura conquistador ni el hipócrita y meloso encogimiento del curilla faldero. Si acaso [100] el favor de las damas le había encumbrado, sería, probablemente, sin él haberlo buscado [101] con singular empeño. Así cavilaba yo, entre la sopa y el cocido.

Doña Emerenciana, una viuda vejancona que, a falta de galanes más lucidos, se pasaba la vida persiguiendo a Fidel, el mozo de comedor, veíase que se despepitaba con la proximidad [102] del canónigo, y fue la primera en dirigirle la palabra:

—¿Verdad que en este Madrid hace demasiado calor, y eso que estamos todavía en abril? Usted vendrá de sitio más fresco, don... ¿cómo se llama usted?

—Me llamo Pedro, Lope, Francisco [103], Guillén, Eurí-

---

[94] T: fina pincelada.
[95] T: pasada.
[96] En *Tinieblas en las cumbres* aparece una crítica feroz de un cromo del Sagrado Corazón. (Véase mi edición, Madrid, Clásicos Castalia, 1971, pág. 296, nota 391.)
[97] T: encerraba.
[98] T: ni siquiera se insinuaba en él nada.
[99] T: no tenía nada del.
[100] M: sin duda.
[101] T: buscarlo.
[102] T: presencia.
[103] M: Agustín.

pides; a elegir [104] —dijo con voz robusta, de timbre grato [105]; llana, atrayente sonrisa.

Todos hicimos eco a su sonrisa, menos la vieja, que no acertaba a decidir si la respuesta era en serio o en chanza.

—¡Qué chistosísimo! —exclamó, optando por la chanza.

—No, señora; no es chiste [106] —replicó el sacerdote.

—Pero, ¿Eurípides es nombre cristiano? Si lo es, vendrá de la provincia de Palencia, que es donde ponen los nombres más estrambóticos.

—No, señora; no es nombre cristiano. Pero se conoce que el cura que me bautizó no se había enterado. Si a mí me canonizan, entonces habrá un San Eurípides: el primero.

—¡Qué chistosísimo! Pues ya tiene usted bastantes nombres, gracias a Dios.

—Caprichos de mi padre, que era autor dramático y zapatero, o zapatero y autor dramático, según el orden de prelación que usted prefiera [107]. Todos mis nombres lo son también de famosos dramaturgos de otros tiempos: Pedro Calderón de la Barca, Lope de Vega, Francisco de Rojas Zorrilla... [108].

—De ese Zorrilla, autor del *Tenorio* [109], algo oí hablar cuando era niña —interrumpió doña Emerenciana.

—Guillén de Castro —prosiguió el canónigo, sonriendo siempre—, Eurípides...

Y como sobrevino una pausa, doña Emerenciana saltó:

—¿Eurípides qué?

—Eurípides López y Rodríguez —respondió el canónigo, con espetada sorna esta vez.

---

[104] La pluralidad de perspectivas se refleja en los nombres del cura.

[105] Pérez de Ayala presta gran atención a la calidad de la voz, como elemento caracterizador de sus personajes. Así sucede repetidas veces en esta novela.

[106] T: chanza.

[107] Primera alusión a Apolonio.

[108] M: «Agustín de Rojas Zorrilla.» En pruebas, le debieron de advertir del error.

[109] M: y del Tenorio.

78

—Se ve que era de familia humilde —comentó doña Emerenciana—. Y bien, ¿con cuál de los nombres hemos de llamarle?

—Unos me llaman por uno, otros por otro. Use usted el que prefiera.

—Pues prefiero don Guillén.

—Es el que suelen preferir las señoras —dijo don Guillén, con dejo satírico.

—Por mi parte, si usted me lo permite, le designaré como señor Eurípides; me sabe a república —entró a decir don Celedonio de Obeso, ateo declarado y republicano agresivo [110]; en el fondo, un pedazo de pan, un zoquete [111].

En la mesa de casa de doña Trina no podía faltar un republicano acreditado. Este don Celedonio era sucesor de aquel jefe del partido republicano de Tarazona, ciudadano de gran desparpajo y barba bipartita, como ubre de cabra [112].

—Como usted guste —respondió don Guillén espontáneamente.

Antes de concluir la comida, don Guillén se había granjeado la confianza y la simpatía de todos; y a tal extremo llegó la confianza que don Celedonio se atrevió a dispararle a boca de jarro esta pregunta:

—¿Cree usted en Dios?

—¿Cree usted en la república? —interrogó a su vez don Guillén, sin inmutarse.

—Como republicano que soy.

—Yo, como sacerdote que soy, soy creyente.

—Ninguna persona inteligente cree en Dios.

—Yo he conocido personas inteligentes que me decían: «Ninguna persona inteligente cree en la república.»

—Pues los cristianos primitivos —dijo el señor De

---

[110] Baquero Goyanes señala la cercanía de don Celedonio de Obeso a un personaje de *La Regenta*.

[111] M: «en el fondo, un infelizote». Tema típico del perspectivismo de Ayala: la apariencia de don Celedonio de Obeso no corresponde a la realidad.

[112] Todo este párrafo fue añadido posteriormente.

Obeso, rebajando el tono y batiéndose en retirada— eran republicanos.

—Eran más; eran anarqustas. Pero, en fin, así como aquellos cristianos, partiendo de la idea de Dios, llegaron a la de república, bien puede usted tomar el viaje de vuelta, y, partiendo de la idea de república, llegar a la de Dios.

—Para ese viaje no necesito [113] alforjas —concluyó don Celedonio; y don Guillén le rió cordialmente la gracia.

Es de advertir que durante el diálogo anterior don Guillén no había puesto en sus réplicas acritud, ni fuego polémico, ni aire de desdén. Con esto, nuestra simpatía hacia él se robusteció [114]. Al salir del comedor, don Celedonio murmuró a mi oído:

—Es un tío juncal. Así me gustan a mí los presbíteros.

Después de la comida, supe que don Guillén era lectoral en la catedral de Castroforte, y que venía a predicar los sermones de Semana Santa en la capilla del Palacio Real. De seguro era un pico de oro.

El hospedaje de doña Trina lo patrocinaban tantos pupilos y huéspedes flotantes, que no bastando para contenerlos el amplio y profundo piso de la calle de Hortaleza, como si dijéramos la metrópoli hospederil, la señora había alquilado otros cuartos, al modo de colonias, en los aledaños y calles [115] contiguas, uno de ellos en la calle de la Reina, que es donde yo tenía mis aposentos. Apunto este pormenor para dar a entender que quienes se alojaban en las colonias gozaban consiguientemente de mayor libertad, especialmente de noche, que los de la metrópoli. En las horas nocturnas, tales [116] calles y callejuelas eran por aquellos tiempos lonja de contratación pública de mercenarios deleites y lugar asiduo de feas prostitutas y chulos marchosos [117]. Antes de llegar a mi

---

[113] T: no se necesitan.
[114] T: afianzó y robusteció.
[115] M: bocacalles.
[116] T: aquellas.
[117] Es típica de las novelas de Pérez de Ayala la unión de meditaciones trascendentales y ambiente prostibulario. Esto se da, especialmente, en *Tinieblas en las cumbres* y *Troteras y danzaderas*.

vivienda era fuerza que atravesase por entre el multitu-
dinoso [118] ejército de ocupación, recibiendo [119] continuos
dardos meretricios y padeciendo asechanzas y requeri-
mientos, así orales como de hecho, puesto [120] que alguna
se asía de mi brazo; de manera que, por zafarme de
estorbos y reponerme de la fatiga, solía yo algunas veces
acogerme a un cafetín, que era donde las individuas [121]
vivaqueaban, y allí convidaba a las que más me atosiga-
ban, con que las dejaba mansas, nutridas y satisfechas.
Como me inspiraban dolor y lástima, las trataba siempre
con benignidad. Convengo en que la prostitución es una
grande y hedionda úlcera. Pero, ¿qué culpa tiene la úlcera
por pertenecer a un cuerpo corrompido, cuyo [122] es manifestación franca y fatal resultado? Donde todo está
prostituido, la prostitución femenina casi es loable, porque es un síntoma claro [123]. Con frecuencia, y ya que estaban apaciguadas, dilatábame largo rato en el cafetín de-
partiendo con las desdichadas [124], y del coloquio extraía
provecho espiritual, puesto que la compasión, a que me
movían, es un depurativo del alma [125] y también observaba
los tipos, casi todos estrafalarios, que concurrían en el
antro. Atrajo desde el principio mi curiosidad una mujer
agraciada, paciente, trigueña, sin adobos ni rosicleres
como las otras, que estaba siempre sola e inmóvil en un
ángulo, ante sí un vaso de recuelo [126], que jamás se llevaba
a la boca. Se parecía a una virgen de Rafael, algo ajada [127].
Como una noche la mirase largamente, la Piernavieja, la
unidad más alharaquienta y ofensiva del ejército de ocu-

---

[118] T: nutrido.
[119] T: padeciendo.
[120] T: que consistía en.
[121] T: las tales.
[122] Nótese el uso cultista, anticuado, de «cuyo» por «del cual».
[123] T: la prostitución femenina es la menos reprobable.
[124] T: con las feas prostitutas.
[125] Este es un tema importante en las novelas del pesimista
Ayala; en *Belarmino y Apolonio,* concretamente, se manifiesta
al final.
[126] T: café.
[127] Las comparaciones con obras pictóricas y escultóricas son
típicas de esta novela y de la primera época de Pérez de Ayala
(Lamb, pág. 133). No lo señalaremos en todas las ocasiones.

pación, conocida por aquel remote a causa de renquear un poco, me dijo:

—¿Qué miras; aquella panoli? Es Angustias, la Pinta[128]. Está con el Tirabeque, un golfo y fullero, que la tiene aquí hasta que pasa[129] a recogerla de madrugada.

—Convídala a que venga y tome algo —dije a la Piernavieja.

—¡Eh! —gritó la Renca—. Tú, la Pinta[130], que este señorito te convida.

La Pinta, ruborizada, se excusó. La Piernavieja insistió en balde.

—Y eso de la Pinta, ¿es mote? —pregunté.

—Quia; es su verdadero nombre. Se llama así, Angustias Pinto. También es capricho[131] conservar la filiación natural en este negocio[132]. Es una simple que no sirve *pal* caso.

Poco a poco y noche tras noche fui entablando amistad con la Pinta. Era una mujer dulce, triste y reconcentrada, o, según el tecnicismo de la Piernavieja, una simple que no servía *pal* caso[133]. Apenas se comunicaba. Una noche me dijo que tenía poco más de treinta[134] años; aparentaba menos de treinta[135]. Otra me declaró el lugar de su nacimiento: la ciudad de Pilares[136]. La noche —bien lo recuerdo— de aquel Martes Santo en que el canónigo encendido[137] y campechano surgió en la casa de huéspedes, la Pinta se mostró sobremanera comunicativa.

—Mi padre era zapatero y otra cosa, que él decía filósofo bilateral[138]. Como he oído, siendo niña, estas

---

[128] T: Angustias Chamorro.
[129] T: viene.
[130] T: «La Chamorra». La misma tachadura se repite, más abajo, todas las veces que se refiere a ella.
[131] T: gusto.
[132] T: en esta vida.
[133] Angustias es contemplada desde dos perspectivas distintas.
[134] M: que tenía treinta y cinco.
[135] T: menos de veinticinco.
[136] Pilares es Oviedo, el escenario de la mayoría de los relatos de Pérez de Ayala.
[137] T: rubicundo.
[138] T: «fisiócrata». Es curioso que lo de «bilateral», término

palabrejas tantas veces, no se me han borrado de la memoria. Los profesores de la Universidad venían a oírle al cuchitril en donde vivíamos. Mi madre, que tenía mal carácter, decía que mi padre era un zángano, y que los que venían a oírle le tomaban el pelo. Pero mi padre es un santo [139].

Involuntariamente pensé en don Pedro, Guillén, Eurípides, hijo de un zapatero y autor dramático. Prosiguió la Pinta:

—A mí me perdió un cura —estaba con la cabeza baja y el pensamiento en lejanía.

—¡Pillo! —murmuré, a pesar mío.

—No, no era un pillo —corrigió la Pinta, volviéndose a mirarme con gesto dolido—. No era cura todavía; seminarista nada más. Quería casarse conmigo. Nos escapamos. El padre de él le cogió. Mi madre no quiso admitirme en casa. Después, claro está... Estoy segura que mi novio sigue queriéndome. La cosa fue, ¿sabe usted?, que su padre no podía ver a mi familia. ¿Qué habrá sido de Perico?

—¿Se llamaba Perico?

—Sí, Perico Caramanzana. ¡Y qué bien le iba el nombre! [140]. Tenía la cara fresca, coloradina y alegre, como una manzana.

—¿Por eso le decían Caramanzana?

—Es su verdadero apellido. El padre se llamaba Apolonio Caramanzana. Le habrá oído usted mentar [141]. ¡Ah!, era el mejor zapatero de España. Iban a hacerse el calzado con él hasta los señores de Bilbao y de Barcelona. Además, componía dramas.

Aquella noche salí bastante preocupado del cafetín. Me acosté y tardé en dormirme. Oí en la habitación de al lado un carraspeo seguido de un poderoso suspiro. Era la voz de don Guillén. Se me ocurrió una idea diabólica:

---

básico de la novela según Sara Suárez, es una corrección, no se le ocurrió de primeras al escritor.

[139] Otra vez el contraste de perspectivas sobre un personaje.

[140] Como su maestro Galdós, Pérez de Ayala suele escoger para sus personajes nombres significativos.

[141] M: ¿No ha oído usted mentarlo?

«Si yo mañana por la noche trajese a la Pinta y la hiciese entrar en la habitación de don Guillén.» Me dormí dando vueltas a aquella idea.

Al día siguiente, día de vigilia, don Guillén no se sentó a la mesa.

—¿Qué le sucede al señor Caramanzana? —inquirió la viuda vejancona, que ya se había enterado del apellido del canónigo.

—No come hoy, porque está algo delicado del estómago —respondió Fidel—. ¿No vio usted el color arrebatado que tiene?

—Será pirosis —entró a decir don Celedonio—. Todo el clero y las órdenes regulares padecen de pirosis, a causa del abuso de las comidas suculentas y de las bebidas alcohólicas.

—Calle usted, herejote —amonestó doña Emerenciana, amenazando con el abanico.

—Y a propósito, Fidel; no habrás olvidado mi encarguito. Le habrás dicho a la señora que yo no me someto a esa asquerosa farsa de la vigilia, y en estos santos días de Semana Santa quiero comer carne y pescado. Yo promiscuo, o promiscúo, que no sé a ciencia cierta cómo se pronuncia —dijo don Celedonio.

—¡Jesús, María y José! ¡Qué Judas Iscariote! Más vale que don Guillén no haya acudido a la mesa, porque le abochornaría [142] esa abominación.

A todo esto, Fidel, el mozo, se reía cazurramente.

Terminada la comida, salí de la metrópoli y me encaminé a mi colonia. Como cosa de veinte pasos delante de mí iba Fidel, conduciendo una gran bandeja, cubierta con un mantelillo. Nos juntamos en el pasillo adonde daba mi habitación.

—Psss... —bisbiseó Fidel, requiriéndome con cabezadas a que me acercarse más—. Levante usted el mantelillo.

Levanté una punta. Descubrí abundancia de guisos y viandas, entre otras, un opulento trozo de *roastbeef* [143].

---

[142] T: mataría.

[143] M: «una enorme rodaja de merluza frita y un opulento trozo de roastbeef».

—Es la comida de don Guillén —indicó el camarero—. Si no [144] promiscua, o promiscúa, que yo tampoco sé cómo se pronuncia, al menos come de carne.

En esto, se abrió la puerta de don Guillén, y él mismo, en persona, destacó por obscuro sobre el cuadro de grisácea luz, sorprendiéndome en vergonzosa y vergonzante fisgonería. Estaba vestido de paisano, revuelta la pelambre, que, embebiendo el claror, le hacía halo en torno a la cabeza. Llevaba zapatillas de marroquín rojo. Estos dos pormenores me hirieron [145] como notas agudas en los segundos de suspensión y silencio a que nos indujo la sorpresa: la aureola radiante y los pies sangrientos [146].

—Pasen ustedes; pase usted —particularizó, dirigiéndose a mí. Obedecí, no recobrado aún de la sensación humillante—. Siéntese usted —me instó. Quise disculparme y salir. El canónigo añadió, con tono que yo interpreté como implorante: —¿No me concederá usted el favor, si se lo ruego, de hacerme un poco de compañía?

La súplica y el acento me repusieron en mi equilibrio habitual. Me senté junto a una mesa con unos libros, unos papeles, unas cachimbas, unos lentes, y presidiendo todos aquellos utensilios y accesorios de la faena intelectual, encerrado en un marquito de plata repujada, como relicario, una fotografía de mujer [147], que me incliné a mirar discretamente. Parecía una virgen niña de Rafael, de las de su época umbriana [148].

—Pon aquí la comida, Fidel. ¿Has traído vino? Llévatelo. Tengo yo vino algo mejor. —Y torciendo la cabeza hacia mi lado: —¿Qué mira usted, el marco? Es un relicario del siglo xv, una joya.

---

[144] M: También.

[145] T: se me destacaron.

[146] Matas ve «en sus extremidades signos que representan su destino —destino en definitiva unitario—, el logro de la virtud suprema a lo largo de un camino doloroso de recorrer» (páginas 64-65).

[147] La unión de erotismo y misticismo es muy típica de Pérez de Ayala.

[148] Esta última frase es añadido posterior, para enlazar con lo dicho unas páginas antes, al describir a Angustias.

—No; miraba el retrato.

—Es una hermana mía que desapareció.

—¿Que desapareció?

—Que se perdió en la sombra.

—¡Ah! Se murió... —indiqué de manera dubitativa, empujándole a que se clarease.

—Hace algunos años. —Y después de una pausa: —Tomará usted una copita de coñac.

Sacó una botella de coñac viejo [149] y otra de bon vino [150], de un maletín de piel de cerdo [151], elegante prenda de mundano antes que de clérigo. Se sentó a comer. Cuanto más le miraba, menos me parecía un cura y más un hombre de mundo.

—Por obra del acaso —dijo, a tiempo que comía despacio—, me ha sorprendido usted en mi intimidad de hombre. Si hace unos momentos, al hallarle a usted...

—Fisgando —interrumpí—; pero a instancias del mozo, y sin presumir de qué se trataba.

—¿Qué importa? Digo que si entonces me hubiera retirado [152], creería usted que yo era un cura sinvergüenza y falsario. Yo no podía dejarle ir sin ofrecerle alguna explicación.

—Yo era el que debía...

—Usted, ¿por qué? Usted, a lo sumo, incurría en un exceso de curiosidad. Yo, en opinión de las personas timoratas, estoy cometiendo un grave pecado.

—Yo no soy timorato.

—Pero debo darle una explicación. Así como en el Estado hay delitos artificiales, en la Iglesia hay pecados artificiales [153]. Son delitos y pecados artificiales los actos que no lastiman ni menoscaban la justicia o el dogma (ejes, respectivamente, del Estado y de la Iglesia), pero

---

[149] M: de coñac Hennesy.

[150] M: «y otra de Riscal». En pruebas, suprimió las marcas. La expresión «bon vino» recuerda a Gonzalo de Berceo, que influye en la poesía juvenil de Ayala.

[151] T: cocodrilo.

[152] T: enojado.

[153] Pérez de Ayala es partidario de un cristianismo esencial, evangélico, intelectual, sin ceremonias, que puede compararse en algunos aspectos con el erasmismo.

que contravienen y desobedecen ciertas disposiciones disciplinarias, accidentales, pasajeras. Una de esas disposiciones pasajeras es la obligación de comer de vigilia cuatro días de la Semana Santa. Quizá el Papa actual, o al que le suceda, se le ocurrirá amenguar, tal vez suprimir, esta obligación. El Estado es una comunidad material que se mantiene por la mutua conveniencia, y la Iglesia una comunidad espiritual que se sustenta por el mutuo amor [154]. Por tanto, el espíritu de disciplina de la Iglesia es de naturaleza distinta del espíritu de disciplina del Estado. En el Estado, el espíritu de disciplina pertenece al orden de los sentimientos interesados, pues sin disciplina no cabe conveniencia mutua. En la Iglesia, el espíritu de disciplina se engendra en el ámbito de los afectos generosos; es la voluntad de sacrificio. No de otra suerte que los amantes, por certificarse del amor recíproco, ponen el amor del otro a prueba, por medio de ordenamientos y exigencias caprichosas, por aquello de que obedecer es amor, así la Iglesia impone a sus fieles algunas obligaciones disciplinarias, por espolear a los tibios a que ejerciten y muestren el amor. Para las personas de bien afirmada fe y claro sentido, sean clérigos, sean seglares, huelgan estas obligaciones disciplinarias; lo esencial es el dogma. El Estado concede de buen grado la libertad de ideas (el pensamiento no delinque), pero no transige con la libertad de acciones, porque romperían la disciplina [155]. La Iglesia es intransigente en materia de ideas y tolerante en materia de acciones: sólo el pensamiento peca. Todos los pecados, por monstruosos que sean, reciben absolución en el confesonario; pero la más mínima duda del confeso en materia de fe nos impide absolverlo. Ahora bien: como todo esto es de sentido común, debe permanecer en secreto para los que no tienen sentido común, sean clérigos, sean seglares. ¿Comprende usted?

—Comprendo, comprendo —asentí. Y, en efecto, había comprendido lo que me había dicho, nada difícil de comprender; pero a él no le comprendía. ¿Qué era aquel

---

[154] Nótese, a partir de aquí, el encadenamiento simétrico de los párrafos, a base de paralelismos antitéticos.
[155] T: El pensamiento no delinque.

hombre que ante mí estaba, deglutiendo y raciocinando al propio tiempo, masticando y discurriendo, con tanta frialdad [156], escrúpulo y elegancia, vestido como un hombre de sociedad, sin una insinuación sensible del estado eclesiástico a que pertenecía, y que, de vez en vez [157], según hablaba, se asía con la mirada al retrato de una mujer a quien él mismo había empujado a la anónima sima prostibularia? ¿Qué era aquel hombre? [158]. ¿Un hedonista? ¿Un incrédulo? ¿Un hipócrita y un sofista, para consigo mismo y los demás? ¿Un desengañado? ¿Un atormentado? [159]. Lo que menos me interesaba era la explicación que me había ofrecido. ¿Qué se me daba a mí si comía de vigilia o dejaba de comer de vigilia? [160].

Como si por un raro don de receptividad inmediata, frecuente en los duólogos íntimos e intensos, don Guillén hubiera trasegado en su cabeza mi pensamiento, dijo:

—Lo de menos, para usted, es si yo guardo la vigilia o no. Lo importante es que usted, por obra del acaso, ya se lo he dicho antes, me ha sorprendido en mi intimidad de hombre. Todos, frailes, curas y magnates eclesiásticos, por debajo de la estameña, el merino y la púrpura, escondemos un hombre. *Homo sum,* digo con el pagano [161].

Y yo volví a verle, en mi imaginación, con la aureola radiante y los pies enrojecidos.

—Me ha sorprendido usted despojado de mi ministerio. No como ministro del Señor, sino como criatura del Señor, cuitada e imperfecta como todas ellas. Dentro de unas horas, hablaré ante el rey, mejor dicho, sobre el rey; no varios palmos, los que se alce el púlpito, sobre la testa coronada y ungida, sino infinitos palmos, porque

---

[156] T: aplomo.

[157] T: antes, por el contrario.

[158] En forma interrogativa, otra vez la pluralidad de posibles perspectivas sobre un personaje.

[159] T: ¿Un estoico?

[160] M: si promiscuaba o dejaba de promiscuar?

[161] Terencio: «Soy hombre y nada humano me es ajeno.» Lo dice el anciano Cremes en el *Heautontimorúmenos,* acto I, escena 1, verso 77. Esta declaración de humanismo explica la simpatía del narrador por este personaje.

represento la conciencia indeleble y eterna, que está a inaccesible altura por encima de tronos, cetros y soberanías. Pero aquí, en este triste cuartucho y frente a usted, no puedo incorporar la voz de la conciencia, sino que soy una pobre concavidad sombría en donde la voz de la conciencia hace eco [162].

Aquello se iba poniendo serio. No sabiendo qué decir, permanecí con la cabeza gacha y los ojos fijos en un punto, que por ventura resultó ·ser el retrato del relicario [163].

—¿Le gusta el marco? —preguntó don Guillén.

—Miraba el retrato. Conozco a esa mujer —afirmé en seco.

Don Guillén no se conturbó.

—Está usted equivocado —dijo—. Será otra fisonomía semejante la que usted conoce. A esa mujer no la puede conocer usted. Ya le dije que es mi hermana y que no existe —y subrayó la palabra hermana y el verbo existir.

Después de los postres, don Guillén se sirvió una copita de coñac y fustigó la conversación hasta ponerla en un aire de alacridad y humorismo. Era un hombre tan ingenioso como inteligente.

Al despedirnos me dijo:

—Estos días no asistiré a la mesa redonda. ¿Quiere usted que comamos juntos, aquí, en mi cuarto? Lo que le va a envidiar a usted doña Emerenciana...

En aquellas comidas [164] subrepticias y ociosas sobremesas, mi amigo don Guillén me fue contando a retazos su historia, la de Angustias Pinto y la de los padres de ella y él, Belarmino y Apolonio. Después, por mi cuenta, hice averiguaciones tan importantes, que la historia de Caramanzanita y la Pinta pasan a segundo término.

---

[162] Vuelve a aparecer el hombre como sombra, de acuerdo con el mito de la caverna. Para el intelectualista Ayala, la conciencia es el atributo humano esencial.

[163] T: de la mujer.

[164] M: promiscuaciones.

Capítulo II

Rúa Ruera, vista desde dos lados [165]

(El lector impaciente de acontecimientos recorra con mirada ligera este capítulo que no es sino el escenario donde se va a desarrollar la acción) [166]

De la zona profunda, negra y dormida de la memoria, laguna Estigia de nuestra alma, en donde se han ido sumiendo los afectos y las imágenes de antaño, se levantan, de raro en raro, inesperadamente, viejas voces y viejos rostros familiares, a manera de espectros sin corporeidad. Así como en la noche los lóbregos e inmóviles pantanos respiran niebla blanca y fantasmal, así nuestra interior laguna Estigia deja en libertad sus vaporosos espectros a las horas en que la niebla del sueño satura nuestro espíritu. Pero, en ocasiones, las criaturas incorpóreas del más allá de la memoria se alzan a la luz del día.

Ahora mismo me apercibía yo a describir la Rúa Rue-

---

[165] En este capítulo, «sobre ofrecernos Pérez de Ayala una de las más vivas y penetrantes páginas que sobre perspectivismo quepa encontrar en cualquier tiempo, viene casi a identificar el arte de novelar con el de contemplar el mundo desde, al menos, una doble perspectiva» (Baquero Goyanes, pág. 237).

[166] Esta advertencia entre paréntesis no está en el manuscrito. En el prólogo explicamos la frecuencia, en la obra de Pérez de Ayala, de estos capítulos prescindibles, y su importancia.

ra [167], de la muy ilustre y veterana ciudad de Pilares, en donde vivía Belarmino Pinto, llamado también monxú Codorniú, zapatero y filósofo bilateral, cuando, al pronto, en el umbral u orilla de mi conciencia, se yergue el espectro de don Amaranto de Fraile, enarbolando un tenedor de peltre, que a mí se me ha figurado tridente de Caronte, ese Neptuno del mar de la eternidad [168]. Como Bruto a la silueta de César en la tragedia shakesperiana, digo a la sombra incorpórea del excelente don Amaranto:

—*¡Speak! ¡Speak!* [169].

Y la sombra rompe a hablar, con la propia gracia y penetración que hace tantos años me deleitaban:

—¿Vas a describir la Rúa Ruera? ¿Vas a describirla, o vas a pintarla? —Advierto dos novedades. Primera, que don Amaranto ahora me trata de tú. Segunda, que la voz se le ha ahilado y suena como la de un eunuco. Prosigue la voz: —Los cíclopes veían el mundo superficialmente, porque sólo tenían un ojo. Los cíclopes, por ver el mundo superficialmente, quisieron asaltar el Olimpo; pero los dioses los precipitaron en el hondo Tártaro. —Don Amaranto siempre con sus mitologías—. El novelista es como un pequeño cíclope, esto es, como un cíclope que no es cíclope [170]. Sólo tiene de cíclope la visión superficial y el empeño sacrílego de ocupar la mansión de los dioses, pues a nada menos aspira el novelista que a crear un breve universo [171], que no otra cosa pretende ser la novela [172]. El hombre, con ser más mezquino, aventaja al cíclope, a causa de poseer dos ojos con que ve en profundidad el mundo sensible. Ahora bien [173], describir

---

[167] T: Ruina.

[168] T: muerte.

[169] Pérez de Ayala debe de citar de memoria. Lo que dice Bruto a la sombra de César es: «Speack to me what thou art» (*Julius Caesar,* escena última del acto IV).

[170] Nótese la ironía con que Pérez de Ayala destruye (o limita, por lo menos) su propia comparación.

[171] T: un pequeño cosmos.

[172] Importante declaración de Pérez de Ayala, que puede compararse con sus libros teóricos, como *Principios y finales de la novela.*

[173] «Ahora bien» no aparece en el manuscrito.

es como ver con un ojo, paseándolo por la superficie de un plano, porque las imágenes son sucesivas en el tiempo, y no se funden, ni superponen, ni, por tanto, adquieren profundidad. En cambio, la visión propia del hombre, que es la visión diafenomenal [174], como quiera que, por enfocar el objeto con cada ojo desde un lado, lo penetra en ángulo y recibe dos imágenes laterales que se confunden en una imagen central, es una visión en profundidad [175]. El novelista, en cuanto hombre, ve las cosas estereoscópicamente, en profundidad; pero, en cuanto artista, está desprovisto de medios con que reproducir su visión. No puede pintar: únicamente puede describir, enumerar. La misión de ver con mayor profundidad, delicadeza y emoción y enseñar a los otros a ver de la propia suerte, le toca al pintor [176]. La maldición originaria del novelista cífrase en que necesariamente se ha de extender sobre sinnúmero de objetos. El pintor, por el contrario, escoge un solo objeto, o, si toma varios, los agrupa en reducido espacio, los concentra y sensibiliza. El pintor, a la inversa del novelista, no se deja dominar por la vastedad del objeto [177], sino que lo domina [178]. Que sea el objeto vértice del ángulo de visión del pintor, y no el pintor vértice del ángulo de contemplación del panorama, como lo es el novelista. El pintor que pinta cuadros de más de dos [179] metros cuadrados, es inexorablemente un pintor superficial. La cuestión, para el pintor de grandes dimensiones, es de concepto; de que se dé cuenta que debe ser artísticamente superficial, o de que sea superficial e inartístico sin darse cuenta. Los

---

[174] Nótese la presencia de términos muy cultos, poco frecuentes en novelas.

[175] Las metáforas ópticas son el medio de aludir a algo más serio: la superficialidad o profundidad de la visión del mundo que nos ofrece el novelista.

[176] No se olvide que Pérez de Ayala fue pintor, en su juventud. (Últimamente, Fernández Avello ha descubierto algunas de sus pinturas). Esta experiencia le sirve para la comparación con la tarea del novelista.

[177] M: por el objeto.

[178] M: sino dominarlo.

[179] T: seis u ocho.

famosos pintores de frescos, así antiguos como modernos, dándose cuenta de esto, pintaron por largos planos [180], con tintas monótonas [181], esquivando la sensación obvia de volumen y profundidad; fueron deliberadamente superficiales [182].

Yo interrumpo a la sombra locuaz, de voz de eunuco:

—En la iglesia vecina ha sonado el *Angelus* meridiano. En una hora interrumpiré mi trabajo. Si te escuchase, jamás haría otra cosa que dejarme arrastrar en el curso ocioso de la deleitación [183] discursiva. Dime, en resolución, cómo he de describir la Rúa Ruera, y que te plazca la descripción.

—No describiéndola. Busca la visión diafenomenal. Inhíbite en tu persona de novelista. Haz que otras dos personas la vean al propio tiempo, desde ángulos laterales contrapuestos. Recuerda si en alguna ocasión te aconteció ser testigo presencial de cómo ese mismo objeto, la Rúa Ruera, suscitó duplicidad de imágenes e impresiones en dos observadores de genio contradictorio; y tú ahora amalgama aquellas imágenes e impresiones.

—¡Recuerdo, recuerdo...! —exclamo; pero ya la sombra del excelente don Amaranto se ha desvanecido, al hombro el tenedor de peltre, emblema del ascetismo de las casas de huéspedes.

—Sí; recuerdo que...

En rigor, ¿qué importa describir o pintar? ¿Qué importa obtener una visión de dos o de tres dimensiones? Lo importante es comunicarse, manifestarse, darse a entender, siquiera sea por alusiones remotas, gestos mudos y palabras volanderas [184]. Mas, porque no me importune nuevamente la silueta magistral e imperiosa del admirable don Amaranto, me doblegaré esta vez a seguir su pauta.

[180] T: mediante largas superficies.
[181] T: planas.
[182] Afirmaciones muy discutibles: Pérez de Ayala pudo ver en Florencia los frescos de Masaccio que contradicen todo esto.
[183] T: agudeza.
[184] Aclaración importante de Ayala, que no toda la crítica recuerda suficientemente: más que la técnica perspectivística importa, en definitiva, la comunicación con el lector.

Recuerdo que, viviendo yo en la ilustre y veterana Pilares, vinieron a visitar la urbe mis amigos madrileños Juan Lirio, pintor, y Pedro Lario [185], que no sé lo que era, él decía que espenceriano [186]. Les acompañé como guía. Al llegar a la acrópolis, o parte alta de la ciudad, cuya calle más antigua y señalada es la Rúa Ruera, Lirio dijo, haciendo descompuestos ademanes de entusiasmo:

—¡Qué calle más hermosa!

—¡Qué calle tan horrible! —corrigió Lario [187], frunciendo un gesto desabrido [188]. Añadió—: ¡Qué calle tan absurda!

—Por eso es hermosa.

—¿Lo absurdo es lo hermoso…? ¿Qué diría de esa opinión un griego, para quien la belleza era el resultado más meticuloso y fino de la lógica? El mundo es hermoso, pulcro, porque es lógico.

—En cuanto a la belleza de los griegos, te respondo que a la nariz, en mármol de Paros, de una estatua, prefiero la nariz respingadilla y de aletas palpitantes de esa chatunga que sube por la calle. Y en cuanto a la belleza lógica del mundo, te respondo que me atraen más las obras del hombre que las de la naturaleza. Me gusta más una góndola que un tiburón, y si me apuras, admiro más un cacharro de Talavera que el Himalaya. En la Naturaleza, transijo mejor con lo caprichoso y absurdo, o que tal parece. Una jirafa me divierte más que el terreno terciario [189].

---

[185] Sara Suárez recuerda un Lirio que aparece en *La pata de la raposa*, y un Larios, en *Pilares:* los dos, con un carácter equívoco que no se da aquí (pág. 49).

[186] El diálogo entre Lirio y Lario «da al lector el tono con que va a ser modulada toda la obra, novela de estructura dialéctica» (Baquero, pág. 210).

[187] «La discusión del capítulo II entre Pedro Lario, el filósofo espenceriano, y Juan Lirio, el pintor, no es sino la versión dialogada de la controversia entre los partidarios de la Naturaleza y los partidarios del Arte, quienes ponen al hombre por encima de aquélla. Es el conflicto que atormenta a Alberto Díaz de Guzmán —protagonista de las primeras novelas de Ayala— y al cual se da aquí una solución ecléctica» (Matas, pág. 68).

[188] T: con hostilidad.

[189] M: que el caballo de mejor planta.

—Has caído en contradicción. Prefieres la chata a la estatua; y la chata es una obra de la Naturaleza. Prefieres la góndola al tiburón, porque la góndola es obra del hombre.

—Sobre las obras de la Naturaleza pongo las del hombre, y sobre las del hombre, la vida misma, y con preferencia la fuente de la vida: la mujer. Pero concedo que me contradigo con frecuencia. ¿Y qué? Así me siento vivir [190]. Si no me contradijese y obedeciese a pura lógica, sería un fenómeno de naturaleza y no me sentiría vivir. Las obras del hombre, y más todavía las de arte, son estimables en la medida que se las siente animadas de esa necesidad [191] de contradicción, que es la vida. Esta calle es hermosa y tiene vida, porque es contradictoria. Déjame que tome un apunte de ella; no me voy sin pintarla. La única nota molesta y detonante es aquella casa nueva y afrancesada [192].

—Te has mostrado al desnudo. Los pintores y los filólogos y eruditos sois bestias de la misma especie, y me irritáis [193] tanto los unos como los otros. Unos y otros os alimentáis de vejeces. Os fascina lo caduco, lo carcomido, lo apolillado. Entre un mamotreto momia y un gustoso tratado de sociología, recién salido del horno, el filólogo y el erudito eligen el primero. Entre un mancebo apolíneo y un vejete [194] horrendo, de verrugosa [195] nariz, el pintor elige el segundo y disputa de buena fe que es hermoso pictóricamente. ¡Qué aberración! Pero hay algo que me exaspera aún más. Y es que el erudito se figura que los libros no cumplen una misión social de amenización y perfeccionamiento del espíritu, sino que existen sólo para que él tome notas. Y el pintor se figura que las cosas y los seres carecen de finalidad propia y utilidad colectiva, y que existen nada más para que él tome

---

[190] Sara Suárez señala la posible influencia de Unamuno en esta defensa de la contradicción (pág. 50).
[191] T: de ese deseo.
[192] T: horrible.
[193] T: molestáis.
[194] T: valetudinario.
[195] T: tumefacta.

apuntes —a todo esto Lirio se ocupaba en dibujar la Rúa Ruera. Como no le atajaban, Lario prosiguió—: He aquí esta calle absurda y odiosa. ¿Por qué se le ha de denominar calle? Cada casa es el producto impulsivo del arbitrio de cada habitante. No hay dos iguales. No se echa de ver[196] norma ni simetría. Todo son líneas quebradas, colorines desvaídos y roña, que tú quizá llames pátina. Está, además, en una pendiente de cuarenta y cinco grados, losada de musgosas lápidas de granito. Por ella no pueden subir carruajes, ni caballerías, ni cardíacos. Soledad, soledad. El sol no penetra por esta angostura, que parece un intestino aquejado[197] de estreñimiento. Ahora tañen las campanas de la catedral y nos atruenan. Probablemente están tañendo a todas horas, desde esa mole[198] hinchada, de alargado cuello, que gravita sobre las prietas casucas, como una avestruz clueca que empollase una nidada de escarabajos. ¿Y esto es una calle, una calle hermosa? Una calle es una arteria de una ciudad por donde deben circular la salud y la vida. Ahora bien: la idea, el concepto de ciudad aparece cuando el hombre comprende que por encima del capricho impulsivo de su arbitrio personal están la utilidad y el decoro colectivos, el propósito común de prosperidad, cultura y deleite, en los cuales participan por obligación y derecho cuantos en la ciudad conviven. Antes de llegar a este punto, el hombre arraiga en aldehuelas salvajes o posa en aduares nómadas. Mas ya que el individuo se aplica a realizar el concepto de ciudad, es decir, de un esquema, una estructura, con propósitos ideales, de la cual él no es sino subordinada partícula, surge la ciudad helénica, arquetipo de urbes, surgen la norma, el canon, la simetría, las calles soleadas, regulares y homogéneas, las viviendas civiles de hospitalario pórtico e inviolable hogar, los jardines, el mercado, el ágora, el templo armonioso, que no esa catedral bárbara y campanuda.

---

[196] T: No aparece.
[197] T: atacado.
[198] T: «torre». La torre es lo que caracteriza mejor la catedral de Oviedo: desde ella se contempla Vetusta, al comienzo de *La Regenta*.

—El bárbaro eres tú —interrumpió Lirio, mirando con ojos desdeñosos [199] a Lario—. ¿De suerte que para ti una ciudad hermosa, una ciudad civilizada, una ciudad lógica [200], es una ciudad regular y homogénea?

—Claro está.

—Si el hombre no pudiera dar de sí más que eso, la ciudad homogénea, entonces holgaba que las especies hubieran evolucionado y ascendido hasta fructificar en el género humano. Las abejas y los castores construyen ciudades homogéneas.

—La ciudad de las abejas es la república ideal. Ya te he dicho que el mundo es hermoso, es pulcro, porque es lógico; eso quiere decir la voz mundo, *mundus,* si no me equivoco. Todo en el universo está sujeto a maravillosa ordenación. Lo inorgánico se rige por leyes serenas, no contingentes. Lo orgánico y zoológico, hasta el hombre, se atiene al instinto, que procede siempre en derechura y sin dubitaciones. En cambio, el símbolo [201] del hombre fue el jumento [202] de Buridán, que poseía una vislumbre o premonición de inteligencia discursiva, y por esto mismo murió de inanición entre dos montones de heno, dudando [203] por cuál decidirse. Antes de que las especies evolucionen y produzcan el género humano, antes del orto del hombre con su conciencia, la Naturaleza se desarrolla en un sentido teleológico de coordinación y finalidad. Seres y cosas ensamblan por algún modo sutil. La jirafa, ese animal que te agrada, por absurdo, no es nada absurdo; tiene el cuello largo para poder alcanzar los dátiles de las altas palmeras. El tigre tiene chorreada la piel para poder disimularse entre los cañaverales.

—Y las palmeras son altas —cortó Lirio— porque la jirafa tiene el cuello largo. Los cañaverales existen para que el tigre, confundiéndose con el medio, adquiera una piel bonita. Esa calle existe para que yo la pinte, porque la juzgo preciosa y porque me da la gana.

---

[199] M: coléricos.
[200] T: de lógica humana.
[201] T: el precursor.
[202] T: el asno.
[203] T: sin saber.

—Prosigo sin hacer caso de tus chocarrerías. El advenimiento del hombre, con su inteligencia precaria, en medio de la Naturaleza, trae aparejados el desorden, la discordia, las dudas y confusiones, en cuanto a la finalidad. ¿Qué otra cosa es la inteligencia normal humana sino tentación al desorden y torpeza de coordinación? Apenas levanta la cabeza, el hombre trastrueca todo el bien concertado sistema de finalidades con que el universo se sustenta en equilibrio, y él mismo se erige centro del universo y foco de todas las finalidades. La finalidad de todas las cosas reside en el hombre, dice el hombre. Pero, y el hombre, ¿qué finalidad tiene? Comienza la era de lo absurdo. La lógica humana, en su origen, es rudimentaria e ilógica, porque procede por tanteos y no en derechura ni con seguridad. Débese ello a que [204] durante esta etapa el hombre anda buscando finalidades absolutas, en lugar de coordinaciones experimentales y finalidades relativas; y todo porque tiene miedo a la muerte, pusilanimidad desconocida en la Naturaleza hasta el nacimiento de la conciencia humana. Cuando el hombre, por fin, se limpia [205] de niebla metafísica y se libra de superstición (que esta palabra viene de *superesse* y *superstare,* sobre ser, sobre estar, sobrevivir, o seguir viviendo, y expresa el desdén irónico que sentían los antiguos hacia los cristianos, que [206] creían en la inmortalidad), renuncia a escudriñar finalidades absolutas, confórmase con finalidades concretas, naturales, biológicas, se perfecciona, se somete a la lógica cósmica, supera el absurdo, obra con rectitud, simplicidad y eficacia, como un mecanismo perfecto; vuelve a la Naturaleza [207].

Lirio va a interrumpir. Lario le contiene alargando la mano.

—Aguarda. Concluyo en seguida. ¿Qué es una ciudad, y dentro de una ciudad, una calle? Una finalidad concreta; un lugar donde vivir de asiento, con agrado y

---

[204] T: La razón consiste en que.
[205] T: libra.
[206] T: quienes.
[207] Olvidarse de la muerte y volver a la naturaleza es el mismo ideal expresado en *La pata de la raposa.*

comodidad. El hombre ya manumitido de supersticiones y que acepta con buena gracia los postulados biológicos, trazará una vía ancha, en lugar llano, y edificará viviendas holgadas, aireadas, luminosas, higiénicas, conforme a un patrón fijo y que mejor provea en las necesidades domésticas. El conjunto será una calle lógica, decorosa, bella. Contempla ahora ese callejón incongruente, hacinamiento de zahurdas, que no viviendas, vergonzoso vestigio de tiempos ignorantes y supersticiosos. Quienes levantaron esas casas no pensaban vivir en ellas de asiento, sino de paso, de tránsito, mientras ganaban el cielo. No les preocupaba el estar, sino el *superestar,* el sobrevivir en el otro mundo. No les importaba la humedad, el mal olor, la falta de aire, luz y agua, sino la salvación eterna. Todas las casucas se apretujan y amontonan [208] por ponerse en contacto con el torso de la catedral, o, cuando menos, por situarse [209] a la sombra de su torre. Sólo hay una casa decente: ésa de tres pisos, blanca y aseada, con miradores de hierro; ésa en cuyo piso terrizo hay una confitería, con su grande y llamativo rótulo, que dice: «*L'Ambrosie* [210] *des dieux; le plaisir des dames. Confisserie et pâtisserie de René Colignon.*»

—¿Has concluido?

—He concluido.

—Pues voy a responderte, sin lógica, porque me revienta la lógica. La casa esa blanca, yo la derruía, y a René Colignon lo ahorcaba de lo más empinado de la torre de la catedral. Dices que el hombre es hombre superior cuando se convierte en un mecanismo perfecto; vaya, cuando deja de ser hombre. Pues yo no quiero ser hombre superior. No quiero emanciparme de supersticiones. Quiero sentirme vivir; y no me siento vivir sino porque sé que puedo morir. Amo la vida, porque temo la muerte [211] Amo el arte porque es la expresión más íntima y completa de la vida. Pongo el arte sobre la Natu-

---

[208] T: y empujan.
[209] T: ponerse.
[210] T: le plaisir.
[211] Ser hombre es sentirse mortal: profesión de fe del vitalista Ayala.

raleza, porque la Naturaleza, no sabiendo que de continuo se está muriendo, es una realidad inexpresiva y muerta. El árbol amarillo de otoño ignora que se muere; yo soy quien lo sabe, cuando en un cuadro perpetúo su agonía. El arte vivifica las cosas, las exime de su coordinación concreta y de su finalidad utilitaria: las hace absolutas, únicas y absurdas; las satura de esa contradicción radical que es la vida, puesto que la vida es al propio tiempo [212] negación y afirmación de la muerte. Sólo las cosas vivas son hermosas. Esa calle es hermosa porque vive; es lo contrario de esas calles inanimadas e inexpresivas que pregonas. Tú mismo has dicho que las casas se amontonan, se empujan; buscan el abrigo de la catedral. Sí; parece que las casas están dotadas de volición y de movimiento. Cada una tiene su personalidad, su alma, su fisonomía, su gesto, su biografía. Una medita, otra sueña, otra ríe, otra bosteza. Aquella casona de sillares de granito, angostos y escasos huecos de románico diseño, gran portón de arco apuntado y escudos junto al alero, es un señorón feudal que se atreve a mirar a la Iglesia casi par a par y se mantiene apartado [213] de ella [214]. Aquella otra casa solariega, de entrada barroca y escudo blanquinoso, labrado no ha mucho, es un [215] noble de ayer, y muy afecto a la Iglesia [216], puesto que salen del portal dos dominicos de abundantes libras [217]. Luego vienen los burgueses, el estado llano, la plebe. En aquella casuca amarilla, de entrada abismática, como el orificio de una boca desdentada [218], galería de vidrios como antiparras y tejado redondo, negruzco y a trechos desguarnecido, como gorro mugriento, vive, sin duda, un prestamista [219]. Aquella casita cenceña y larguirucha, con ven-

---

[212] «Al propio tiempo» no está en el manuscrito.
[213] T: a distancia.
[214] Alude aquí Pérez de Ayala a una serie de personajes que aparecerán luego: ésta podría ser la casa de la duquesa de Somavia.
[215] T: es de un.
[216] Los señores de Neira.
[217] El Padre Alesón y su compañero.
[218] T: de una sima.
[219] El usurero Bellido. Aquí estaba todo este párrafo, que Pé-

tanas pobladas de macetas y pájaros, ¿qué ha de ser sino [220] la morada de una doncella tallada? [221] Que un zapatero se asila en aquel bajo, lo proclaman las dos disformes botas de montar que cuelgan de sendas palomillas, y que el zapatero es persona de fantasía [222] se desprende con evidencia del rótulo: «El Nenrod boscoso y equitativo. Zapatería bilateral de Belarmino Pinto.» ¿A qué seguir? Ya he concluido mi dibujo. ¿Qué opinas, Lario?

Lario examina el dibujo, y exclama, despojándose del sombrero, meneando la cabeza y rascándose el colodrillo:

—La calle no puede ser más fea. El dibujo no puede ser más hermoso. Puesto que ya la has perpetuado, ahora debían arrasar la Rúa Ruera.

---

rez de Ayala tachó: «La casuca de color violáceo y perfil abombado, casi abdominal, es de un canónigo, pues la mujer pingüe y el perro pingüe que están al balcón no pueden por menos de ser el alma y el perro de un canónigo.»

[220] T: sino es.

[221] Felicita Quemada. Da estas precisiones de los personajes, que en la novela habitarán cada una de las casas, Sara Suárez (página 52).

[222] T: persona nada vulgar.

Capítulo III

Belarmino y su hija [223]

El círculo republicano de Pilares estaba en la misma embocadura de la calle del Carpio, adosado al caserón de los Jilgueros, dos hermanos ricos, don Blas y don Fermín Jilguero, canónigos los dos, que habían edificado aquella fábrica, alarde y amenaza a la vez, frente por frente del mismo palacio episcopal. La intromisión del círculo republicano en la barriada eclesiástica traía muy desasosegados al obispo, a los Jilgueros, a todo el cabildo y a la tropa menuda clerical que allí avecindaba. Siempre que había reunión en el círculo, salían los asistentes lanzando gritos inflamatorios, cuando no blasfematorios. Por fortuna, el círculo tenía poca cabida. Componíase de un aposento, nada holgado, con dos litografías por toda decoración, y seis sillas y una mesa por todo ajuar, que el partido local había alquilado a la viuda de un talabartero, furibundo federal en vida.

—¿Qué es la república? Un maremágnum, el ecuménico de los beligerantes, el leal de la romana de Sastrea. Pero, sobre todo, abundo en lo del ecuménico. Y si no, aquí estamos entre cuatro paredes... —Belarmino Pinto, que era quien hablaba, se detuvo a escoger vocabulario

---

[223] Aquí comienza la novela propiamente dicha. Sara Suárez señala, con relación a este capítulo, «su disposición fácilmente adaptable al teatro, por el abundante diálogo y escasos cambios de lugar» (pág. 55).

adecuado en donde escanciar la abundancia de su idea-
ción.

—Pido la palabra para alusiones —dijo Carmelo Balmisa [224], un sastre muy leído.

Belarmino se volvió para mirarle, sorprendido, casi
asustado. Cada vez que le sacudían de sus divagaciones y
le sacaban del ensimismamiento oratorio, exigiéndole
atención hacia el mundo exterior, se le hacía más violencia que si le metiesen las manos en los bolsillos y se los
dejaran vacíos y vueltos del revés. Tenía el rostro enjuto [225], extático, de infantil dulcedumbre, estrecho en la
mandíbula, elevado y espacioso en la frente; los ojos negros, húmedos y llameantes: dos [226] lenguas [227] de fuego
flotando en [228] óleo. Era un hombre joven aún.

—Yo soy el aludido —insistió Balmisa.

—¿El adulado? —preguntó Belarmino, esforzándose
en descender hasta la realidad externa.

—El adulado, no; el aludido —rectificó el sastre.

—Es lo mismo —respondió Belarmino, a punto de
evaporarse nuevamente y eximirse de las circunstancias
en redor suyo [229]—. Aludir es el dicho [230] vulgar, el material tosco. Adular es la forma confeccionada [231]. La alusión es siempre una adulación. ¿Te inclinas al dicho vulgar? Sea. ¿En qué te he aludido?

—Has hablado de Sastrea. Asumo que es algo tocante a mi profesión de sastre. Exijo que me interpretes la
frasecilla completa, por si el concepto es ofensivo. ¿Qué
es maremágnum? ¿Qué es el ecuménico de los beligerantes? ¿Quién es el leal de la romana de Sastrea? Me
lisonjeo que no has dado a entender [232] que hay un enamorado de mi costilla, que es Ramona, y no romana.

---

[224] T: «Malvisa». Y así siempre que lo nombra.
[225] T: cenceño, escuálido.
[226] T: como dos.
[227] T: gotas.
[228] T: sobre.
[229] T: esto es, de lo que estaba en torno suyo.
[230] T: la forma.
[231] Belarmino ajusta su metáfora al oficio de su interlocutor,
un sastre.
[232] M: aludido.

—¡Oh, celebro vulgar! —exclamó Belarmino, resignado y abatido—. Tendré que explicarme con palabras vulgares [233] para que te penetres. Maremágnum, ello mismo lo dice, es el non plus ultra, lo mejor de lo mejor. Ecuménico es lo mismo que reunión de conformidad. Los beligerantes, los que están en contra. Leal, monta tanto como fiel. La romana es para pesar. Sastrea, lo sabe cualquiera, es la señora que está pintada en la Audiencia.

—Ahora comprendo; sólo que como eres tan misterioso... —insinuó Balmisa, guiñando maliciosamente un ojo a dos testigos mudos, uno el director de un diario republicano local, en donde colaboraba el sastre, y otro un tendero de pasamanería, que se reían disimuladamente de Belarmino—. Has querido decir que la república es un desiderátum, la conciliación de los contrarios [234] y el fiel de la balanza de Astrea.

—No lo he querido decir, sino que lo he dicho.

—Pero no te habíamos entendido.

—¿Has entendido a Salmerón [235] cuando vino a Pilares a pronunciar aquel discurso?

—Me lisonjeo que sí.

—¿Del todo, del todo?

—Hombre, del todo...

—Pues Salmerón dijo lo que nosotros [236] pensábamos; por eso él y nosotros somos republicanos. Pero lo dijo de forma que sólo le podíamos entender algunos; por eso es filósofo [237]. Yo también soy aprendiz filósofo. Tú eres un celebro vulgar.

—Me resigno. Ahora explícanos lo de las cuatro paredes.

—Eso es el ecuménico. ¿En dónde estamos? En una habitación. ¿Qué es esta habitación? Un cuadrado. ¿Y

---

[233] T: callejeras.

[234] Aparece ya aquí, en las primeras palabras de Belarmino, uno de los temas esenciales de la novela: la conciliación de los contrarios.

[235] Nicolás Salmerón (1838-1908) fue discípulo de Sanz del Río, catedrático de Metafísica en la Universidad Central y Presidente de la República en 1873.

[236] T: todos.

[237] T: tribuno y filósofo.

qué es este cuadrado? Un círculo: el círculo republicano. La cuadratura del círculo [238]. Por eso la república es el ecuménico.

—¡Bravo! ¡Bravo! —gritaron el sastre, el periodista y el mercero, desternillándose de risa.

Belarmino comenzó a exaltarse, ignorante [239] ya de quienes le rodeaban.

—Nosotros estamos suscritos en este cuadrado [240].

—Por una cuota de dos pesetas mensuales —comentó el mercero.

—Somos círculos que estamos suscritos en un cuadrado.

—¡Ah! Inscritos —aclaró el periodista.

—Cada hombre es el centro de un círculo infinito, como dijo Pascual.

—¿Qué Pascual? —preguntó el sastre.

—Como no sea Pascal [241] —sugirió el periodista.

—Aquel faro de la humanidad —prosiguió Belarmino, refiriéndose al mentado Pascual—, que aborrecía a los jesuitas, como nos dijo Salmerón en su discurso. ¡Mueran los jesuitas! —gritó Belarmino, fuera de sí, puesto en pie—. ¡Viva Pascual! ¡Viva Salmerón! —clamó, señalando una litografía color sepia, que colgaba de la pared y representaba al aclamado—. ¡Viva la repú-

---

[238] Este razonamiento recuerda el que don Wifredo Cabezón hace en *La araña* para demostrar que la suya es una «tertulia cúbica» (Sara Suárez, pág. 56).

[239] T: olvidado.

[240] T: círculo.

[241] Igual confusión en *El ombligo del mundo* (*Obras Completas*, II, pág. 836): «Tengo oído a uno de los *Escorpiones* una estupenda definición, de un tal Pascal o Pascual: el infinito es un círculo cuyo centro está en todas partes y la circunferencia en ninguna.»

En la poesía de Ayala hay muchas referencias a Pascal. Por ejemplo:

«¡Oh pobre Blas Pascal! ¡Quién de esta pesadumbre
del pensar y el sentir, libertarse pudiera!...
Más dichoso que el hombre es el hueco carrizo
que nada siente y que no piensa.»

(*Obras Completas*, II, pág. 243.)

blica! —señaló otra litografía iluminada, que figuraba una señora gorda, con [242] túnica tricolor, una antorcha en la mano y a los pies un león y unas cadenas rotas—. ¡Muera la curia romana! ¡Muera el Tribunal de la Rota!

—Muérete tú de una vez, tontorontaina, adúltero, babayo [243], antes que nos mates a todos a disgustos —chilló [244] una voz mordaz, al tiempo que una mujer, antes joven que vieja y nada fea, con la faz[245] distendida [246] como una Euménide, penetraba, vestida de [247] huracán y desolación[248], en aquel círculo que era un cuadrado, e iba a hacer presa sobre Belarmino. Era Xuantipa, la mujer legítima del agudo [249], elocuente y fogoso [250] zapatero. El nombre Xuantipa [251] provenía por contracción de Xuana la Tipa, alias o apéndice [252] adquirido por herencia paterna. Su progenitor, Xuan el Tipo, vinatero, procedente de Toro, fue el primer usufructuario del dicho apéndice o alias [253], y lo debía a que, estando irritado, y se irritaba a menudo, amenazaba con quitar el tipo al *sursum corda.* Xuantipa se ataviaba a la usanza, llamativa y gentil, de las menestrales: pañuelo de seda amarillo al cuello, pañoleta de Vergara, de colores vivísimos, cruzada al pecho y anudada a la espalda, falda de cretona azul, rameada en blanco. Belarmino vestía a lo señor. El único signo de sus menesteres profesionales era un delantal de piel, que llevaba arrollado bajo el chaleco, habiendo dejado por descuido un ángulo fuera, al modo de mandil masónico. Existía notoria incongruencia entre Belarmino y su mujer. Xuantipa zamarreó a Belarmino y le arrastró por las solapas hacia fuera. Belarmino miraba con gesto exculpa-

---

[242] T: vestida con.
[243] Asturianismo: estúpido (Reinink, pág. 145).
[244] T: aulló.
[245] T: el rostro.
[246] T: irritada.
[247] T: envuelta en.
[248] T: estrago.
[249] T: ingenioso.
[250] T: inflamado.
[251] Pérez de Ayala alude a la mujer de Sócrates, a la vez que justifica el nombre como mote popular asturiano.
[252] T: que había.
[253] T: sobrenombre.

torio a sus amigos, como diciendo: «Perdono; es una mujer inferior.» Antes de salir, Xuantipa apostrofó a los que quedaban:

—Pillos, que tomáis a este babayo de mona para reírvos [254].

Según bajaban las escaleras, Belarmino bisbiseaba, como si hablase consigo mismo:

—Y esto un día, y otro día, y otro día...

—Lo mismo [255] digo yo —replicó iracunda Xuantipa—; un día, y otro día, y otro día, y jamás aprendes, babayo.

—Ya te he dicho, mujer, que todo lo llevo con resignación, todo menos que me llames babayo. Con esa palabra vulgar me parece que me cubres [256] de inmundicia.

Xuantipa condujo de la solapa a Belarmino, a través de las acostumbradas calles de amargura. Los chicuelos les seguían a distancia prudente canturreando:

> Hoy a la Xuantipa
> le duele la tripa.
> Monxú Codorniú,
> lo pagarás tú.

La Xuantipa les arrojaba guijarros [257]. Desparramábanse los pilletes, pero volvían a poco con la cantata. Belarmino caminaba con talante digno y admirable. Así llegaron a la zapatería. En la zapatería aguardaba a Belarmino un caballerete [258]. Xuantipa se perdió por una puerta de la trastienda. Quedaron a solas el caballerete y Belarmino. Dijo el caballerete, apuntando desdeñosamente con el bastón a un par de botas que yacía sobre el mostrador:

—Belarmino, te devuelvo ese par de botas; no me sirven. Tú haces el calzado sedicioso, republicano...

---

[254] *reirvos:* Pérez de Ayala usa el pronombre átono asturiano vos (Reinink, pág. 138). Nótese la unión, en la novela, de lenguaje popular con léxico y sintaxis muy cultos.

[255] T: Eso.

[256] T: llenas.

[257] También a Tigre Juan (en la novela de su nombre) le siguen los pilluelos, cantándole coplas.

[258] A partir de aquí, desfilan por la zapatería una serie de personajes que sirven para mostrar diversas facetas del carácter de Belarmino.

—Usted dispense, don Manolito. En mi profesión soy analfabético. Quiero decir que, como zapatero, no tengo preferencias políticas, sino como ciudadano. La ciencia zapateresca ignora las cláusulas políticas; por eso es analfabética. Yo, lo mismo hago botas de monte y campo, que botas de montar o zapatos higuelife [259]. También confecciono calzado para religiosos y sacerdotes; ahí ve usted, don Manolito.

—Esas botas no me sirven. Estoy decidido a encargarme el calzado fuera de Pilares.

—¿Qué le vamos a hacer? Pero este par de botas... —murmuró Belarmino, dando vueltas a una de ellas y descubriendo consternado los desgastes y quebrantos que la bota había padecido por el uso, evidentemente prolijo. Añadió con timidez—: Están muy usadas.

—Por favorecerte las he puesto un par de veces.

—Algo más —se atrevió a corregir [260] Belarmino.

—Quizás media docena de veces. Cuando las recibí y las probé, vi que no me estaban bien. Pero pensé: «¡Si se las devuelvo al pobre Belarmino, creerá que es manía!» Y me las puse, para ensayar si se adaptaban al pie. Imposible. Pues no conforme con esto, y porque me disgustaba devolvértelas, ensayé otros días, no más de seis veces, hasta que, a pesar mío, me convencí que no me sirven. Y todavía no me agradeces el favor... Temo que has perdido los papeles; pero, con todo, y antes de encargar el calzado fuera, me resigno a que me hagas otro par, a ver si esta vez aciertas. ¡Ea, abur!

Y se fue.

Belarmino extrajo [261] del cajón del mostrador un libro, que era un diccionario de la lengua castellana, y con él bajo el brazo se sentó en una silleta, cerca de una de las puertas de entrada.

—¡Eh, tú, Celesto! ¿Estás ahí?

De un ángulo de sombra surgió un rapacejo pelirrojo, como de doce años: el aprendiz. Se acercó con la boca abierta.

---

[259] Castellanización del inglés «high life» (de alta sociedad).
[260] T: decir.
[261] T: sacó.

—¿Tienes algo que hacer?

—Nada.

—No hay encargos, ¿verdad?

—No, señor.

—Pues saca de paseo a la neñina [262] hasta la plaza de la catedral, que da el sol. Yo quedo aquí al cuidado.

El rapacejo penetró por la trastienda y volvió a salir en un momento, con una criatura de unos siete [263] años. Belarmino la tomó en brazos:

—¿Quieres a tu padre?

—Sí, quiero —respondió la preciosa chiquilla.

—¿Mucho?

—Mucho, mucho.

Belarmino besó a su hija con ternura y largueza. Luego se la encomendó al aprendiz, dándole de paso una moneda de cinco céntimos:

—Toma una perrina, para que le compres una cachava de caramelo. Y que sea colorada, porque de esas le gustan más.

Y ya por su cuenta, Belarmino abrió el diccionario y comenzó a tomar notas en un cuadernillo de hule que sacó de la chaqueta. Apenas transcurridos cinco minutos, irrumpió en la zapatería el voluminoso y rubicundo don René Colignon, fabricante de achicoria y confitero. Su rubicundez era tan flamígera que proyectaba reflejos en las paredes. Tenía, además, la epidermis tirante y barnizada, como una vejiga de manteca, y poseía una perilla color de trigo, esmeradamente construida, desde donde se alzaba [264] la blanquecina barbeta, como un huevo en una huevera de latón dorado. Ojillos galos, rabelesianos [265], azules y alegres, que delataban al deleitante de la mesa y del lecho.

Como antes de penetrar el señor Colignon le anunció,

---

[262] Otro asturianismo.

[263] T: cuatro.

[264] T: surgía.

[265] Se ha visto un antecedente de este personaje, dentro de la obra de Ayala, en el Rabelais de «El otro padre Francisco. (Cuento drolático)», dentro del libro *Bajo el signo de Artemisa* (*Obras Completas,* II, págs. 869-878).

al modo de [266] heraldo, un resplandor rojizo y canicular, Belarmino se apresuró a esconder el libro y el cuadernito de notas.

—*Oh, monsieur le cordonnier! Mon cher ami le cordonnier!* —entró diciendo el señor Colignon, con modulaciones y altibajos en la voz, que sonaban como las gárgaras de un pavo; los brazos abiertos, con que estrechó contra su corpacho al manso, dulce y enjuto Belarmino—. Que yo os quiero [267], ilustre y simpático *cordonnier.*

—Yo también le quiero a usted, señor Coliñon, sin guardarle rencor por el mote.

—Que no ha estado [268] mi falta, amado [269] Belarmino.

El caso es que las gentes, nada avezadas a [270] la prosodia francesa, habían convertido el *monsieur le cordonnier* en monxú Codorniú [271].

—Y hasta me han sacado cantares —añadió Belarmino.

—Ya, ya; pero ello no ha estado mi falta.

—Lo sé. A mí me gusta hablar con usted, que es persona ilustrada y sabe de tierras lueñes; sobre todo, que viene usted de una república de estranjis.

—De estranjis... ¡Ja, ja! Delicioso... —el señor Colignon emitió una risotada que era como sonoro glogló de pavo—. Quería preguntarte una pequeña cosa que me ha venido anoche a la cabeza. ¿Por qué es que tú llamas tu zapatería «El Nenrod boscoso y equitativo», y metes [272] que es bilateral? [273]

---

[266] T: como.

[267] Pérez de Ayala se divierte poniendo en boca del señor Colignon un castellano lleno de galicismos. Es un procedimiento que repite en varias de sus novelas: una manifestación más de su interés por el lenguaje.

[268] T: sido.

[269] T: caro.

[270] T: versadas en.

[271] En *Tinieblas en las cumbres,* al director del circo ambulante, Víctor, le conocen como Monxú Levitón (en mi edición, pág. 114).

[272] T: pones.

[273] Sara Suárez apunta que Pérez de Ayala pudo haber llamado a esta obra «novela bilateral», como resumen de los dualismos y oposiciones que en ella se plantean.

—Quedará usted complacido en un finiquito. El aquel de hablar bien y pensar de doble fondo, y, en autonomasia, ser filósofo.

—¿Eres tú filósofo? Creía que tú eras solamente republicano y orador.

—¿Orador? ¡Arreniego! Los oradores son los lentes —(lentes: entes) [274]— más vulgares. Desprecio la oratoria. Claro que hablo en público; pero no quiero ser orador, sino locuente, sólo locuente, como mi maestro Salmerón. Bueno; también republicano de celebro; por eso soy filósofo. Ahí está Salmerón. Yo no soy todavía del todo filósofo; pero cada día lo soy más. Y andando el tiempo... Pues el aquel de la filosofía no es más que enanchar las palabras, como si dijéramos meterlas en una horma. Si encontrásemos una sola palabra en donde cupieran todas las cosas, vamos, una horma para todos los pies; eso es la filosofía [275] tal como la apunta mi inteleto [276]. Ya daré, ya daré en el chisgaravís —(chisgaravís: quid)— [277]. Entre que doy o no, me aplaco haciendo hormas para varios pies y enanchando palabras para varias cosas, cuantas más, mejor; ecolicuá el doble fondo. Ahora usted se penetrará. El Nenrod; éste es nombre propio y no se puede enanchar. Boscoso: adula, o como otros vulgares dicen, alude al boscan, que es una piel, al bosque o monte, porque hago botas de monte, y al oso, porque se engrasa el material con unto de oso. Equitativo, porque hago botas de montar, o sea de equitación; porque están hechas sobre seguro, como en la Equitativa, y porque la ciencia zapateresca ignora las cláusulas políticas, y así manufactura un escarpín para la reina de Escocia, como un zueco [278] ferrado para el sacamantecas, o un zapato de hebilla para el camarlengo; total, equis.

---

[274] Para que el lector no se pierda y no multiplicar las traducciones «a posteriori», Pérez de Ayala se ve ahora obligado a intercalar estos paréntesis aclaratorios.

[275] Bajo la metáfora zapateril, es una declaración importante para comprender el fundamento del lenguaje de Belarmino.

[276] Luego aclarará quién es éste.

[277] M: en el blanco.

[278] T: zapatón.

El hervor que se movió en el recinto torácico del señor Colignon ya no fue gongló de pavo singular, sino greguería de piara navideña. Abrazaba una y otra vez a Belarmino, diciéndole, en los ojos lágrimas provocadas por la risa:

—¡Que tú eres grande, *monsieur le cordonnier,* que tú eres grande!

Las regocijadas zalemas del señor Colignon no enojaban a Belarmino; antes le producían emoción y halago. Era muy penetrativo el zapatero [279], rápido en percatarse del mecanismo y expresión de pasiones y afectos; pero como al propio tiempo su bondad aventajaba aún a su penetración, cuando sospechaba [280] un sentimiento ajeno de hostilidad o mofa, rehuía darse por enterado [281]. Sabía distinguir, por lo tanto, entre risas y risas. En las risotadas del abundante [282] y rubicundo señor Colignon, especie de rebase *ex abundantia cordis,* Belarmino adivinaba una amable cualidad personal, o acaso cualidad de raza: la de admirar con alegría. ¡Cuán de otro linaje las risitas celadas y maliciosas del sastre Balmisa y demás tertuliantes del círculo republicano; expresión ambigua de un corazón de secano [283] y de un celebro oscurecido! Así pensaba el zapatero. Pero como compadecía y amaba, porque lo habían menester, a sus contertulios, asistía diariamente a ejercitarles en los procedimientos del discurso de doble fondo.

Ya que el señor Colignon terminó de sahumar el ambiente con aquel copioso rebase de optimismo, Belarmino quedó un punto en suspenso, temeroso de que su interlocutor solicitase por último el significado de la palabra bilateral aplicada al establecimiento de zapatería. Como filósofo catecúmeno, Belarmino empleaba algunos términos a los cuales daba valor místico, y cuyo contenido no hubiera acertado jamás a elucidar satisfactoria-

---

[279] Interviene aquí el narrador omnisciente, que enjuicia a su personaje.
[280] T: adivinaba.
[281] T: rehuía enterarse o simulaba no haberse enterado.
[282] T: gordo.
[283] T: mezquino.

mente. Por fortuna, el señor Colignon olvidó llevar sus pesquisas hasta la bilateralidad de la zapatería. El francés y el español prosiguieron las cháchara, muy al mutuo sabor, hasta que se presentó Xuantipa. La zapatera consorte se dirigió al señor Colignon con extremada cortesía y miramiento. Estas civiles afectaciones no se producían en Xuantipa sino en coyunturas extraordinarias y con razón suficiente. La razón era que hacía tiempo el señor Colignon había prestado al matrimonio Pinto mil pesetas, sin recibo ni documento alguno comprobatorio, y la Pinta premeditaba sangrar nuevamente al sanguíneo y rubicundo confitero y aliviarle de un regular chorro de pesetillas. El señor Colignon era muy rico. La gran casa en donde vivía y ejercía el comercio era de su propiedad. La había levantado con los rendimientos abundosísimos de la confitería, pastelería y chocolatería, y de una fábrica de achicoria que poseía en las afueras de la ciudad. En cambio, hasta los gatos de la calle sabían que la casa Pinto decaía, se empeñaba, estaba en un tris de desaparecer, debido a que Belarmino descuidaba [284] sus intereses por mezclarse en politiquerías.

—¿Qué botas son éstas? —preguntó Xuantipa, indicando los miserables residuos que don Manolito había desechado a pretexto de que no le habían servido—. Parecen botas de un pobre de los caminos.

—Son botas de don Manolito Cuevas; para un arreglo.

—Pues no se las arregles si no las paga por adelantado; es un hambrón, que no tiene ni para sardinas —rezongó Xuantipa, recobrando su habitual rostro torvo, de Euménide—. ¿Cuántos pares te debe?

Belarmino no se acordaba con precisión. Lo mismo podían ser quince, que veinte, que veinticinco pares. Pero, ¿cómo se lo decía a la irritable Xuantipa, sin suscitar una escena ominosa, y en presencia del señor Colignon?

—Dos o tres pares —dijo, al fin, Belarmino.

—¿No sabes si son dos o tres? —preguntó Xuantipa, irguiéndose rápida y enderezando las sierpes de sus ojos hacia el anonadado Belarmino.

---

[284] T: abandonaba.

113

—Lo tengo apuntado.

—¿En dónde? A ver, a ver... —exigió Xuantipa, alargando el brazo amenazador.

—Mujer... —suplicó Belarmino.

—Xuantipa, cuando él lo dice... Belarmino es un hombre verdadero —medió el señor Colignon.

—¿Ese un hombre verdadero? ¿Ese mastuerzo, ese babayo, un hombre verdadero? Lo habrá sido antes, de soltero. Ahora... [285]. Un tontorontaina, un hazmerreír, un holgazán. Eso, eso es lo que es. Usted no le conoce, Colignon.

—Esto que yo he deseado [286] decir es que Belarmino habla [287] verdad. Sea [288] usted tranquila, Xuantipa; póngase usted tranquila.

—¡Tranquila, tranquila!... Si es para tocarse del queso [289]. Esto se lo lleva la trampa, porque no hay un hombre aquí. ¿Qué va a ser de mí? ¿Qué va a ser de esa pobre neñina inocente? Porque yo, bien lo sabe Dios, perdono, hago como que no sé. Pero no me chupo el dedo... ¡A mí me la va a dar ese babayo!... —rugió Xuantipa con voz ronca y ojos áridos y contraídos, que se esforzaban inútilmente [290] en exprimir algunas lágrimas—. Pero se ha acabao, se ha acabao y se ha acabao. Se lo juro a usted por éstas —y, más que besar, chascó los labios, delgados y secos, sobre una cruz improvisada con el pulgar y el índice de la mano diestra—. Desde hoy mismo tomo yo el gobierno de todo, y si éste no sirve para otra cosa, que haga las camas y lave los orinales, y barra, y cocine, y que cante el himno de Riego mientras friega los platos.

—Pero, ¿es que sabe usted hacer calzado? Porque eso es lo principal —dijo sonriente el señor Colignon, pro-

---

[285] M: Ahora ni hombre, ni medio hombre.
[286] T: querido.
[287] T: dice.
[288] T: Esté.
[289] M: Xuantipa quería decir que era para volverse loca.
[290] T: en balde.

curando rebajar el diapasón dramático de la escena a un tono más cuoloquial [291] y tranquilo.

Belarmino permanecía baja la testa [292], de precoz calvicie; un haz de luz [293] venía al soslayo a clavarse en ella, como una espada en la cabeza de un mártir [294].

—Pues si yo supiera hacer calzado... —replicó Xuantipa— estaba ya todo requeterresolvido y en un periquete. Pero, ya ve usté... Cuando nos casamos había aquí seis oficiales y oficialas, y no dábamos abasto a los encargos y pedidos. Un miserable aprendiz sóbranos hoy.

—Bueno, hace falta volver a lo de antes, y volverán ustedes —afirmó el optimista y rosáceo señor Colignon.

—¡Dios le oiga! —oró Xuantipa, adoptando una actitud devota convencional.

—Yo creo que usted debe intervenir algo en el negocio, Xuantipa: llevar la administración, hacer a los deudores que ellos paguen... Usted sirve para eso, tanto como Belarmino creo que no sirve.

—¿Que si sirvo? Si éste me dijera de verdad quiénes son los que no pagan, le prometo a usted que o pagan o les saco el galillo [295].

—¿Qué es lo que tú opinas de mi plan, Belarmino?

—Bien, muy bien —elevando los ojos, con beatitud.

—A éste, todo lo que sea ahorrarse trabajo y molestias le sabe a gloria.

—Él hará lo que le pertenece —declaró convencido el señor Colignon—. Y ahora, ¡coraje y hacia adelante!

Un nuevo personaje penetró desde la calle. Era un vecino, sin duda, puesto que venía con cilíndrico gorrete de andar por casa, muy cochambroso por cierto; nariz minúscula y erisipelosa; antiparras cuadradas; color ama-

---

[291] T: llano.
El novelista ha elegido una palabra más elevada, para expresar la llaneza.
[292] T: cabeza.
[293] T: un rayo soslayado.
[294] Tienen mucha importancia en la novela los efectos de luz; sobre todo, en la zapatería de Belarmino. Quizá influye el hecho de ser Ayala dibujante y pintor.
[295] T: arranco los ojos.
Galillo (familiar): gaznate, gañote.

rilla; boca circular, desdentada, negra, honda como una sima. Vestía levitín raquítico, rapado y camaleónico, por sus tornasoles; bufanda de Palencia, enroscada al pescuezo; estrechos pantalones a cuadros, con sendas prominencias en las rótulas. Calzábase con zapatillas de orillo. Sobre la oreja diestra, larga pluma de ave, color toronja; la bocamanga izquierda, revestida con una especie de malla o red de negras rayas, que no eran sino las huellas y rasgos de haber limpiado allí los puntos de la pluma. Emitía en la atmósfera un efluvio sombrío y pesimista, como si poseyese una zona de influencia nefasta. Era, por prestigio o metamorfosis, la encarnación humana de aquella ictérica casuca de la Rúa Ruera, en donde el pintor Lirio calculaba que no podía por menos de vivir un prestamista.

Así como los joviales espíritus diurnos se alejan con ruborosas alas apenas despunta por Oriente [296] el íncubo nocharniego [297], el señor Colignon, desasosegado, aturdido y pálido por dentro, pues por fuera no se lo consentía su imposible rubicundez, se despidió y tomó la salida, no sin que Xuantipa le dijese al partir:

—Con su apoyo contamos, señor Colignon, y Dios se lo premiará.

—¡Ajá, ajá! ¿El franchute apoya? De perlas, hijos, de perlas —comentó don Ángel Bellido, que éste era el nombre, tan propio cuanto impropio [298] del prestamista.

—Sí, señor Bellido. ¿Sale usted del limbo? ¿Quién no sabe que el señor Coliñón es uña y carne con nosotros?

—Hija, tanto como uña y carne... Que [299] sea carne, que carne, gracias a Dios, no le falta, y que vosotros seáis la uña..., doyme por satisfecho —dijo don Ángel—. Pero, como quiera que yo todos los días tengo el gusto de hacervos una visitilla para refrescaros la memoria, y

---

[296] T: Poniente.
[297] Pérez de Ayala emplea con frecuencia largas comparaciones, en tono, a la vez, clasicista e irónico.
[298] Otro caso de nombre significativo (y paradójico).
[299] T: Con que.

vosotros nada me decíais ni me dejabais entrever...[300] Porque, acá, para inter nos, la cosa presentaba un cariz... que..., ya, ya..., ya me entendéis...— El señor Bellido era singularmente afecto a los puntos suspensivos[301]. Todas sus sentencias dejaban un rumor silbante de cohete. El que le oía, quedábase anhelante, esperando el estallido de la nuez. Generalmente, los cohetes no llevaban nuez. Pero cuando estallaban, la bomba era de dinamita. Prosiguió el señor Bellido—: Porque el préstamo y los intereses acumulados ascienden... —¡Psss!, el cohete ascendía[302] en el espacio. Silencio. Ansiedad—: Ascienden a diez[303] mil pesetas. Constan en documento ejecutivo. Vos pudiera embargar en el acto y, por no perderlo todo, quedarme con estas cuatro porquerías que aquí tenéis, que no valen ni la mitad del débito —tal fue la bomba de dinamita que don Ángel Bellido hizo estallar sobre la mansa cabeza de Belarmino y la frente arisca de Xuantipa.

Xuantipa, como más inconsciente, se dejó dominar por el espanto. Belarmino, con su intuición repentina de los sentimientos, comprendió lo que debía responder:

—Mala ocasión sería para embargarnos, ahora que no hay materiales en almacén ni apenas calzado en existencias.

—Quita allá, hombre de Dios —se apresuró a decir el señor Bellido—. ¿Pero es que yo he hablado de embargarte? He dicho que si quisiera... Pero qué lejos está de mi ánimo... Y más ahora que el señor Coliñón vos apoya...

—No es que nos apoye —declaró el sincero Belarmino.

---

[300] T: sobreentender.

[301] Pérez de Ayala se ha burlado del uso excesivo de este recurso estilístico en *Las máscaras:* «Advierto al lector que los puntos suspensivos son del propio señor Linares Rivas, muy afecto a este signo ortográfico, que es el que corresponde con un gesto insinuante de los actores cómicos. Y el público, ante los puntos suspensivos, exclama: ¡Qué ingenioso!, ¡qué fino!, ¡qué talento!» (*Obras Completas,* III, pág. 393).

[302] T: subía.

[303] T: once.

—¿Eeeeh...? —preguntó alarmadísimo el señor Bellido, estirando el pescuezo y asomando las pupilas por encima de las cuadradas antiparras.

—¿Cómo que no? ¿Pues no acabamos de hablar mano a mano y como Cristo nos enseña? —terció, sofocada, Xuantipa.

—Yo prefiero no mezclar a mi amigo, el señor Coliñon, en estos asuntos —dijo Belarmino.

—Te entiendo, picarín —gangueó el señor Bellido, retirando los ojuelos, uno de ellos con guiños de despedida, detrás de las vidrieras, y retrayendo el pescuezo a su longitud usual—. Tú no quieres que se difunda la noticia de que el franchute es tu socio capitalista [304], ¿eh? Pues, por mí... Y para que te convenzas de que merezco tu confianza, voy a darte otra noticia. Un zapatero de fuera, zapatero de lujo, viene a establecerse en esta misma calle. Es un protegido de la duquesa de Somavia. Conque..., ojo al Cristo [305], que es de plomo. Para competir tendréis que apretar. Díselo al franchute. Que suelte mosca.

En esto que, con ágil [306] y perfumado revoloteo de brisas primaverales, se hizo presente una dama. Llegar ella y escapar el prestamista todo fue uno. No se dijera sino que la zapatería sólo tenía cubicación disponible para una persona de fuera. Cada recién llegado era el clavo que sacaba otro clavo.

La dama exhalaba melindrosos resoplidos y se agitaba de aquí acullá con gentileza enteramente adolescente. Vista por la espalda, era una figurilla breve, fina y graciosa. El anverso de la medalla no se correspondía con el dorso [307]: pecho alisado con rasero; rostro acecinado [308] y de ojos conspicuos; una faz del todo masculina [309].

---

[304] T: industrial.
[305] T: al santo.
[306] T: suave.
[307] T: reverso.
[308] Doña Micaela, la madre de Urbano (en *Las novelas de Urbano y Simona*), también tiene el rostro «acecinado». Es un adjetivo claramente peyorativo, para el vitalista Pérez de Ayala.
[309] Felicita vista por detrás y por delante: sencillo ejemplo de perspectivismo óptico.

—¡Uf, uf! ¡Qué hombre ese! —rompió a parlotear—. ¡Qué aspecto de desenterrado! Si huele a camposanto...[310] No sé, Belarmino, cómo le admite usted aquí. Ha dejado un tufo... Esta noche me da[311] la pesadilla. ¡Ay! Si le veo no entro. Pero el otro me venía siguiendo. Y busqué en ustedes refugio, asilo, amparo. Cada día más atrevido. Es capaz de entrar en pos de mí. ¡Qué Anselmo, señor!... Pero a cada cual lo suyo; hay que reconocer que es guapo, simpático, buen mozo y elegante que no cabe más. Envía las camisas a planchar a Madrid[312]. Ya me pasma que haya tardado tanto en pasar por la puerta. Me asomaré con disimulo a espiarle. Allí está. Se ha quedado en acecho a la puerta de la confitería. ¡Qué tenacidad! ¡Qué constancia! Y así cinco, seis años; he perdido la cuenta. Si yo le diera pie, nos casábamos en un decir amén. Pero no me atrevo, no me atrevo. El tálamo me impone. Y admito que una joven no debe estar soltera y sola. Hay lenguas como agujas de colchón. Pero el tálamo me impone, me impone[313]. Venía volada por la calle, y él detrás, detrás. ¡Qué asiduidad! ¡Qué perseverancia! ¡Ay! Déjenme ustedes que repose y tome aliento.

Aquella criatura facunda y versátil, especie de andrógino reseco y sin incentivo, vivía en la Rúa Ruera y se llamaba Felicita Quemada[314]. Su tenaz y perseverante perseguidor, hombre un tanto machucho, como cuadraba con la dama, pasaba en Pilares por árbitro de las elegancias y ocupaba el lugar más distinguido en la política local. Era vicario del duque de Somavia, el cacique[315] de

---

[310] T: a cadáver.

[311] T: tengo.

[312] En *La Regenta,* el tenorio local, Álvaro Mesía, aumenta su prestigio porque usa calzado «ultravetustense».

[313] En su madurez, Pérez de Ayala gusta de cristalizar una situación o un sentimiento con una frase, que se repite como estribillo lírico.

[314] Un posible antecedente, dentro de la obra de Pérez de Ayala, es la solterona puritana, que aparece en *Bajo el signo de Artemisa* (*Obras Completas,* II, pág. 934).

[315] Varias veces se ha ocupado Ayala del tema del caciquismo: especialmente, en sus novelas cortas *Luz de domingo* y *La caída de los limones.*

la jurisdicción, que se pasaba la vida en Madrid. La vicaría o representación no se limitaba solamente a los asuntos de la política de campanario. La elegancia veníale a Novillo también por delegación o apoderamiento del aristócrata, viejo verde y currutaco. Novillo, en lo indumentario, constituía una réplica, algo rebajada, de su protector el duque, el cual le enviaba desde Madrid corbatas, cuellos postizos, calcetines y chalecos de fantasía semejantes a los suyos, aunque de clase inferior, y trajes de paño catalán, imitados de los que él usaba, de paño inglés. Los amores de Novillo y la Quemada, o, como le decían en Pilares, la Consumida, habían llegado a ser a manera de rasgo típico o suceso rutinario y familiar en la vida de la calle y de la población entera. Databan los amores desde más de dos lustros; los habían iniciado estando los dos muy corridos en años, y no habían trascendido [316] del estadio del más puro romanticismo, platonismo e inefabilidad. La Consumida jamás hablaba de otra cosa. Novillo jamás hablaba de ellos, y si se los mentaban, sentíase gravemente ofendido. Los vecinos de Rúa Ruera y de la ciudad tomaban por lo cómico aquellos amores, y a Novillo, tal vez por satírica suspicacia, le sobrenombraban el Buey. Pero el amor mudo y constante de Anselmo y Felicita encerraba, bajo el aspecto ridículo, emoción [317] patética [318]. Aquella timidez invencible de Anselmo (él, tan osado en los manejos de la administración municipal y provincial y en las estratagemas electorales) [319], ¿cómo podía explicarse sino por la fatalidad? [320] ¿A qué podía atribuirse sino al sañudo antojo de la Némesis adversa? Buscábanse sin cesar Anselmo y Felicita, vivían el uno para el otro; pero la Némesis antojadiza había herido de mudez a Anselmo y colocado entre los

---

[316] T: pasado.

[317] T: fuerte emoción.

[318] La unión de lo ridículo y lo patético produce lo tragicómico, esencial en la novelística de Pérez de Ayala.

[319] Nótese el contraste, uno más entre los innumerables que se dan en esta novela.

[320] Como en la primera página de la novela, la referencia a la fatalidad da universalidad irónica al suceso minúsculo, costumbrista.

dos, además de esta barrera de silencio, un ancho valladar infranqueable, aunque de aire delgado y transparente. La propincuidad máxima del objeto de su amor a que Anselmo aventuraba acercarse era una distancia de cinco metros, como si al llegar allí tropezase con un obstáculo cristalino e invisible. Ahora, que esta distancia la conservaba de continuo. No parecía sino que Felicita estaba encerrada en un fanal o gran campana de vidrio. Dentro de aquella prisión imperceptible para los ojos, Felicita se consumía lentamente; de fuera, Novillo se detenía estupefacto, sin apenas atreverse a mirar a la amada cautiva. Añádase, en honor de la verdad, que el tormento surtía contrapuestos efectos en Novillo que en Felicita, pues a Novillo no le robaba carnes, antes se las añadía. Y conste, por último, que la fidelidad de Novillo era absoluta; nadie le conocía otros galanteos, ni siquiera claudicaciones de amor mercenario, en una capital de provincia donde todo se sabe.

Sentóse Felicita, respiró fuerte, tomó aliento, pero no se reposó, sino que, tan pronto como había tocado el asiento, saltó en pie de nuevo, sacudida por aquel dinamismo fatídico que la tenía en los huesos, y tomando unos papelorios que llevaba debajo del brazo los extendió sobre el mostrador.

—Vea usted Belarmino. Este es *El Espejo de la Moda* y éste *La Sílfide Mundana* [321]. Vea usted. Hay una parte consagrada al calzado. Aquí hay un par de zapatos que me enamora. ¿No podría usted hacerme uno así? Soy muy exigente para el calzado. Es mi debilidad. A las personas bien nacidas se les conoce por los pies. Un pie juanetudo denota espíritu grosero. Anselmo es, lo mismo que yo, un esclavo del bien calzar. Lo habrá usted observado. Vea usted estos zapatitos que describe *La Sílfide*. Son de piel de Escandinavia. ¿Tiene usted ese material? Llevan pespuntes y picados de cabritilla blanca. De eso sí tendrá usted. En todo caso, podremos aprovechar algún viejo par de guantes de los innumerables que poseo. Esta

---

[321] Pérez de Ayala ironiza sobre los títulos de revistas femeninas.

121

es otra debilidad mía. El guante y el calzado; la mano y el pie. A todo esto, me estoy distrayendo más de lo debido. Y, a propósito: ahora se me ocurre, ¿le parecerá mal a Anselmo que entre en su casa de usted, Belarmino? Como él es dinástico y usted tan subversivo... Pero, no. Si le pareciese mal, me lo hubiera dicho. Ea, me voy. Me llevo las revistas de modas. Ya hablaremos con calma de los zapatos de piel de Escandinavia.

Y salió, con perfumado revoloteo de faldas, sin haber dejado en todo el tiempo de su permanencia un solo resquicio por donde Xuantipa o Belarmino hubieran podido colarse a decir esta boca es mía. Esta escena se repetía casi a diario. Era obligado que penetrase creyéndose perseguida, que proyectase vagamente hacerse un par de zapatos y que, de posdata, le acometiese el escrúpulo de si a Novillo le placerían aquellas visitas al zapatero subversivo. A poco de salir Felicita, cruzó por delante de las puertas de la zapatería don Anselmo Novillo, con solemnidad de hombre corpulento, machucho y poseído de su elegancia. Comenzaba a pasear la calle a Felicita y pasearía durante [322] tres o cuatro horas.

Xuantipa se retiró a preparar la cena. Belarmino, a solas, apoyó la frente en ambas manos, meditabundo. Así estuvo, sin moverse, largo espacio [323], hasta que volvieron el aprendiz y la niña. Oscurecía ya. Belarmino despertó de su meditación para besar y abrazar a su hija, silenciosamente, con ahínco y ternura, todavía más exagerados que de ordinario. Se le humedecieron los ojos.

—¿Enciendo luz? —preguntó el aprendiz pelirrojo.

Belarmino tardó en responder; le faltaba la voz.

—No hace falta. Ahorraremos en luz. Vete a la cocina con la niña y ayuda al ama, si hace falta. Alúmbrate con este fósforo. Cuidado.

Belarmino se recogió otra vez a meditar, empapado [324] en la tiniebla [325]. Belarmino, ahora, no se desleía en aque-

---

[322] T: y aun se estaría.
[323] T: rato.
[324] T: zambullido.
[325] Recuérdese el título de la primera novela de Pérez de Ayala, a la vez lupanaria y filosófica: *Tinieblas en las cumbres.*

llas especulaciones filosóficas [326], o lo que él entendía por tales, que últimamente, en los dos o tres recientes años, le habían acaparado la actividad del pensamiento y los afanes del pecho, sin dejar lugar ni vado para ninguna otra ocupación [327] o sentimiento, a no ser el amor por su hijita. No; ahora Belarmino no cavilaba sobre el problema del conocimiento, sino sobre el problema de la conducta; no le preocupaba lo que debía pensar, sino lo que debía hacer. Su vida externa, el curso y movimiento de su vida social, era al modo de una rueda dentada, en engranaje con otras; esta rueda cada día realizaba mecánicamente una vuelta completa, entreverando sus dientes con los dientes de las demás [328] ruedas, siempre los mismos y siempre de la propia forma y disposición, y de suerte que no cabía averiguar si ella hacía girar a las otras o las otras le hacían girar a ella, o si la una y las otras rodaban con regularidad a impulsos de un mecanismo incógnito y enorme. Aquel día había sido idéntico a otros incontables días, en el rodar de los días de Belarmino. Y, sin embargo, aquél era un día señero, un día crítico, un día que le había provocado una intuición profunda del porvenir o, como Belarmino se decía a sí mismo en aquellos instantes, empleando el tecnicismo esotérico de su inventiva, un *faraón crónico*.

Los hombres se dividen en dos clases, según la manera de dormir. Unos duermen poco, porque duermen de prisa; otros duermen mucho, o cuando menos permanecen largas horas en el lecho, porque duermen poco a poco. La cabeza, o depósito del sueño, es como una vasija con un pequeño desagüe. A unas personas se les colma de sopetón la vasija y caen dormidas en un sueño inerte y sin ensueños; luego la vasija se va desaguando [329] con regularidad, y en las tempranas horas mañaneras la cabeza se halla vacía, limpia, despejada y el cuerpo con anhelo [330] de ejercicio. Estas personas se levantan despiertas del todo.

---

[326] T: metafísicas.
[327] T: idea.
[328] T: otras.
[329] M: vaciando.
[330] T: apetencia.

A otras personas la vasija se les va llenando lentamente, a causa de penetrar por un lado poco más cantidad de sueño de la que por otro se va vertiendo y disipando, y así contraen un sueño dificultoso y enrarecido, poblado de imágenes incoherentes; el contenido de la vasija alcanza su plenitud precisamente al tiempo que es fuerza abandonar el lecho. Estas personas se levantan cuando están más dormidas y se conducen como sonámbulos en la mañana baldía, hasta que al cabo de unas horas han eliminado la saturación de sueño. Aquellas otras personas [331] son de naturaleza muscular y robusta. Estas últimas [332], de naturaleza linfática [333] y débil. Las primeras están dotadas para el éxito práctico: en la guerra, en la política, en los negocios. Las segundas, para el éxito intelectual y estético. Belarmino era de esta segunda clase de personas. Xuantipa le hacía levantar a escobazos, como en un ojeo se ahuyentan las liebres encamadas. Después, durante las horas antemeridianas, era hombre inútil. Sentía la frente llena de humareda que le descendía a los ojos y se los escocía [334] y enturbiaba. Al final de la comida del mediodía, después de haber bebido su botella de sidra hecha, y fumado sus dos pitillos, de los amarrados por la cintura, era ya otro hombre. El talento, que él se lo figuraba como un ser sustantivo, independiente, hasta corpóreo, misterioso huésped interior, comenzaba a rebullir, a desasosegarse y, dando unos golpecitos con los nudillos por la parte de dentro de las paredes del cráneo, le decía: «Ea, Belarmino, aquí estoy yo; vamos a discurrir cosas nunca oídas.» A este recóndito ser personal o demonio íntimo, Belarmino lo llamaba *Inteleto* [335].

Solía impacientársele el Inteleto a los postres, y tan pronto como Xuantipa se levantaba a fregar la loza, Belarmino se evadía furtivamente al círculo republicano. Después, lo de siempre: irrupción violenta de Xuantipa, retorno aflictivo, este o aquel cliente, todos morosos,

---

[331] T: las primeras.
[332] T: las segundas.
[333] T: nerviosa.
[334] T: irritaba.
[335] Otro recuerdo socrático, pero muy tamizado por la ironía.

el óptimo Colignon, el pésimo Bellido, la imposible Felicita. El trazado de la vida de Belarmino era una página escrita con falsilla, y en la cabecera de la página un signo sagrado: la hija de sus entrañas [336]. De raro en raro, abríase un corto paréntesis en las líneas de la página, que se correspondía con alguna reunión pública del Círculo republicano, en que Belarmino pronunciaba discursos tremendos. Como todas las naturalezas dulces y tímidas, Belarmino tenía ahorrados el coraje y la violencia en un depósito a réditos con interés compuesto, y cuando llegaba la coyuntura excepcional de gastar las reservas, se exaltaba en términos que parecía un poseso. El sastre Balmisa, el director y redactores de *La Aurora,* y demás correligionarios pertenecientes a la clase media baja intelectual, tomaban a broma a Belarmino y le calificaban de chiflado. El clero y las familias piadosas le reputaban como un loco, aunque generalmente inofensivo, en ocasiones peligrosísimo y de más cuidado que todos los otros [337] republicanotes. Pero el estado llano del partido, obreros y artesanos humildes, dedicaban a Belarmino supersticiosa fe y se enardecían oyéndole [338]. Cierto que no le entendían; también San Bernardo inflamó una [339] Cruzada arrebatando muchedumbres que no entendían la lengua en que les persuadía [340]. Cuando Belarmino pronunciaba un discurso, era de rigor que los oyentes saliesen a la plazuela del Obispo lanzando gritos inflamatorios y blasfematorios [341]. Por eso, algunas gentes devotas maduraban seriamente el plan de convertir a Belarmino.

Allí estaba Belarmino, empapado en la tiniebla, desfallecida el alma [342], atravesando un terrible *faraón crónico* y cavilando lo que debía hacer. Los mismos incidentes

---

[336] T: su corazón.
[337] T: demás.
[338] Tres perspectivas distintas sobre el personaje principal.
[339] T: la segunda.
[340] T: hablaba.
[341] Hay aquí, me parece, una ironía de Pérez de Ayala sobre los discursos políticos y, en general, sobre la oratoria. Años después, el novelista se vio arrastrado a intervenir en un mitin de la Agrupación al Servicio de la República.
[342] T: corazón.

cotidianos, repetidos mecánicamente, van tomando diferente semblante y adquiriendo valor más preciso. Según la estructura de la piedra, el curso y agresión de las aguas a unas las monda, redondea y suaviza, y a otras les saca ángulos, aristas y púas, hasta que un día, de pronto, cortan como cuchillos y penetran como puñales. El roce forzoso con Xuantipa Belarmino lo había aceptado como una disciplina de perfección. Xuantipa había arañado y cortado y pinchado desde el principio; pero en fuerza de frotar, arañar, cortar y pinchar, a Belarmino le parecía el roce más blando cada vez, y sentía ya el alma redonda, suave y como lubrificada al contacto con su áspera cónyuge. La frotación con la clientela le era cada vez más indiferente, y lo mismo el agitado y turbulento roce con Felicita. La frotación con el francés [343], cada vez más grata. Lo espantable, lo que había suscitado el terrible *faraón crónico,* era el contacto con Bellido, contacto siempre molesto y congojoso, pero que aquel día, de súbito, le había herido y desgarrado hasta lo más íntimo [344]. «Estoy arruinado. Me veré en la calle mañana o pasado o dentro de un mes. Esto no tiene *igua*» (significaba: no hay salvación) [345], se dijo Belarmino mentalmente. Hubiera podido ir tirando como hasta entonces, por tiempo indefinido; pero la llegada de un competidor, que Bellido le había anunciado, aceleraba [346] el desenlace catastrófico. Además, presumía con fundamento que Martínez, un antiguo oficial suyo, trataba de [347] instalar una tienda de calzado de fábrica en la misma calle. «¿Calzado de fábrica? —pensó Belarmino, desviándose del camino recto—; buen calzado será ése que no está hecho a la medida. Como si una máquina pudiera hacer zapatos decentes. ¡Pazguatos! Milagro que no se les ocurre inventar una máquina para hablar y otra para escribir, o cualquiera otro disparate...» Volvió en seguida al camino recto

[343] T: (frotación metafórica, claro está, igual que los otros roces y frotaciones, salvo con Xuantipa).
[344] T: «del corazón» y «de las entrañas».
[345] La frase entre paréntesis no está en el manuscrito.
[346] T: precipitaba.
[347] T: pretendía.

de sus cavilaciones. La cuestión era que aquello no tenía *igua*. Con el buen Colignon no había que contar. Por lo pronto, no era verosímil que el francés adelantase todo el dinero que se necesitaba para pagar la deuda de Bellido y montar por lo grande la zapatería. Pero, aun cuando el señor Colignon lo ofreciese, él no lo aceptaba, porque sabía de antemano que era dinero perdido. Confesábase a sí propio, honradamente, no haber nacido para gobernar un negocio. Había nacido para más nobles y menos provechosos cuidados; bien claro se lo decía su demonio interior, el Inteleto: «Belarmino, vamos a discurrir cosas nunca oídas.» Su deber era abandonarlo todo, vivir de limosna, sufrir penalidades, dormir bajo los porches, alimentarse de hierbas, con tal de seguir la voz del Inteleto y dar con aquellas cosas nunca oídas que el geniecillo interior le prometía. Pero, ¿y su hijita de sus entrañas? Cuando Belarmino decía entre sí: «hija de mis entrañas», la frase adquiría casi sentido literal. Cuando abrazaba y besaba a su hija, o la miraba en adoración, o pensaba en ella, sentíase más madre que padre. Lo cierto es que Angustias no era hija de Belarmino, sino de una hermana suya que, a poco de morírsele el marido, murió ella de sobreparto. Belarmino recogió a la criatura, apenas nacida, y la crió él mismo con biberón [348]. Esto ocurrió un año antes de casarse con Xuana. Belarmino había contado a Xuana antes de casarse la verdadera historia, que ella admitió sin sospechas. Mas después de casados, como quiera que ella no lograba hijos propios, comenzó a odiar al marido y a cavilar que la niña era hija disimulada de Belarmino; conque la criatura tampoco se libraba del odio de la apasionada mujer. En los apóstrofes y denuestros de Xuantipa, aunque muy velados, siempre latían, como se habrá advertido [349], venenosas alusiones a este asunto [350].

[348] De modo semejante, Tigre Juan da el biberón a Mini, al final de *El curandero de su honra*. Para Pérez de Ayala, se trata, creo, de mostrar, a la vez, el carácter materno y paterno.
[349] «Como se habrá advertido» no está en el manuscrito.
[350] Todo el párrafo en que explica que Angustias no es hija de Belarmino (desde: «Cuando Belarmino decía entre sí...») es añadido posterior.

Si se arruinaba —proseguía pensando Belarmino—, su deber era entrar como oficial con el nuevo zapatero y trabajar por que a la hija no le faltase lo preciso. Trabajar... Le harían trabajar de la mañana a la noche, y aun de noche, como él había hecho trabajar a sus oficiales en épocas de prosperidad económica, antes de que aquella personilla exigente que llevaba alojada dentro de la cabeza, o sea el Inteleto, hubiera dado imperiosa cuenta de sí, distrayéndole del negocio. Trabajar horas y horas, de longitud inacabable, despidiéndose para siempre de las horas calmas y fugaces dedicadas al ocio contemplativo y al coloquio secreto con su habitante interior... ¡Imposible! Tal era el pavoroso *faraón crónico* que traía a mal traer a Belarmino.

—Buenas tardes [351] nos dé Dios. ¿Hay alguien en la casa? —dijo una voz flaca y aguda, como de flautín, que caía de lo alto [352].

Belarmino creyó estar soñando. ¿Era aquélla la voz de un ángel acatarrado?

—¿No hay cristiano o alma humana en este recinto? —volvió a hablar la voz de flautín, sonando siempre al nivel del cielo raso. Oyéronse a continuación unas palmadas retumbantes, como el tableteo de un trueno.

—Belarmino, ¿estás ahí? —rugió Xuantipa desde las habitaciones interiores.

Belarmino dijo para sí: «Pues, señor, no estoy soñando.» Encendió una cerilla y a poco se cae de espaldas. Tenía ante sí una mole que casi tocaba con el techo [353]. Presto se recobró y se percató de la realidad verdadera. Tratábase del Padre Alesón, un fraile dominico de las dimensiones de un paquidermo antediluviano, a quien sus hermanos en religión y la grey parroquiana de la Orden llamaban la torre de Babel, por la estatura [354] y porque sabía veinte idiomas: unos vivos, otros muertos y otros putrefactos. Acompañábale otro padre innomina-

---

[351] T: noches.
[352] Importancia de la voz, una vez más, que precede a la aparición del personaje.
[353] Contraste de la voz con la persona.
[354] T: altura.

do, de volumen normal entre religiosos, aunque excesivo para laicos [355]. Aun al lado de este segundo fraile, Belarmino era una pavesa. Los dominicos penetraban entonces por primera vez en la zapatería de Belarmino.

Luego que el zapatero encendió un quinqué de petróleo, el Padre Alesón tomó la palabra:

—Le causará maravilla vernos en su tienda, dadas las ideas que usted profesa...

—Reverendo —interrumpió Belarmino, no muy seguro de que éste era el tratamiento debido—, la ciencia zapateresca ignora las cláusulas políticas; por eso es analfabética. Yo también he confeccionado zapatos para religiosos y sacerdotes.

—¡Ah! ¿Sí? ¿Cuándo, amigo mío?

—Hace tiempo.

—¿Quiere decirse que usted, a pesar de sus ideas contrarias a la Iglesia, no tiene inconveniente en calzar a las personas religiosas? Pero pudiera ocurrir que las personas religiosas tengan inconveniente en dejarse calzar por usted.

—El fanatismo es reincidente —declaró sentencioso Belarmino.

—¿Cómo reincidente? —preguntó el Padre Alesón.

—Vamos, que abunda... y daña; que se lo encuentra uno a cada paso.

—Ya; ha querido decir frecuente...

—No, señor; he querido decir, y he dicho, frecuente, y abundante, y dañoso, y que se choca con él; en autonomasia, reincidente.

El Padre Alesón permaneció un tanto perplejo. Belarmino le hablaba una lengua perfectamente insólita, que él no conocía ni sospechaba; como que no era lengua viva ni lengua muerta, sino lengua en embrión.

—Y usted, ¿no es nada fanático? —preguntó, algo desconcertado, el Padre Alesón, con su voz de flautín, dejando, a pesar suyo, escapar un gallo o atragantón en la sílaba acentuada del esdrújulo—. Hanme dicho que sí.

---

[355] La ironía anticlerical es una constante en las novelas de Pérez de Ayala, que alcanza su cumbre en *A.M.D.G.*

Después de este giro en transposición, que es, naturalmente, grave y solemne, el dominico cobró bastante serenidad y aplomo.

—Fuera de la zapatería, y suscrito en el círculo de la paradoja, que es un cuadrado, porque es el ecuménico, soy fanático y hasta teísta macilento; pero dentro de la zapatería, y en ridículo, soy analfabético. Este es el maremágnum de la clase y del bien eliminar.

El Padre Alesón, consternado, no sabía qué replicar. La cosa no era para menos. Belarmino, con el tecnicismo de su inventiva, había dicho, traducido al pie de la letra: «Fuera de la zapatería, e inscrito en el círculo de mi ortodoxia, que así puede llamarse círculo como cuadrado, puesto que la ortodoxia es la conciliación de los contrarios, soy fanático, y aún más, incendiario violento; pero fuera de mi centro propio y dentro de la zapatería, soy indiferente. Tal es el ideal de la conducta y del bien obrar.» En la torre de Babel no se hablaba todavía tal lenguaje.

El Padre Alesón pensó: «Si me dedico ahora a trabajos lingüísticos y hermenéuticos, no acabo nunca. Al grano.» Y dijo en voz alta... y tan alta:

—Pláceme, amigo mío. Ha hablado usted con singular elocuencia y persuasión. Ahora me explico que sus discursos conmuevan y arrastren a la audiencia.

—Le advierto a usted, reverendo —cortó Belarmino, cosquilleado por una comezón de simpatía hacia el ciclópeo dominico—, que no entienden mis discursos, pero causo entusiasmo por el peso llamativo. (Lo cual significaba por el fuego del sentimiento.)

—Justamente por eso me lo explico. Y voy ahora directamente a mi propósito. Hemos acordado que haga usted zapatos para los padres de la residencia: cinco padres y un lego. Don Restituto Neira, señor caritativo y dadivoso, y su santa esposa, doña Basilisa, los cuales, como usted no ignora, nos han cedido el último piso de su palacio para residencia, desean también que usted haga el calzado para la servidumbre. Espero que, a pesar de sus ideas impías, aceptará el encargo. No se arrepentirá, le garantizo. Nuestros zapatos no le serán muy difíciles de hacer. El voto de pobreza nos obliga a vestir y calzar sin artificio —y adelantando el pie sacó del faldamento un zapato por el estilo de los del dómine Cabra; una tumba de filisteo [356].

Belarmino, con su clarividencia psicológica, adivinó repentinamente que pretendían sobornarle. En otra ocasión, soltando la reserva [357] de coraje y violencia para los casos extraordinarios, se hubiera descarado con los frailes. Pero en aquellos momentos, sangrante aún la herida que Bellido le había abierto y en estado de *faraón crónico,* lejos de enfurecerse, sintió una manera de alivio y esperanza.

—Acepto —dijo con firmeza.

—Congratúlome —exclamó el dominico, sin ocultar su satisfacción—. Quedamos, pues, amigo mío, en que mañana, por la tarde, vendrá usted a nuestra residencia a tomarnos las medidas.

—¿Eh? ¿Debo ir yo allí? —preguntó, preocupado, Belarmino—. ¿Qué dirán mis correligionarios?

—¿Qué han de decir? Usted va como zapatero. Además, es lo más rápido y expeditivo.

A Belarmino le gustó la voz [358] expeditivo, y la almacenó en la memoria, a fin de meterla en la horma, ensancharla y darle un significado espacioso, nuevo y conveniente.

—¿Da usted su palabra? —pidió el Padre Alesón.

—Sí, señor reverendo. Y que sea lo que Dios quiera.

—Que me place oírle esa expresión devota: que sea lo que Dios quiera. Dios querrá lo mejor. Hasta mañana, amigo mío.

Así que salieron los frailes, Belarmino se arrepintió de su promesa. Pasó la noche en claro, caviloso y febril. Dábase golpes en la cabeza, requiriendo socorro y consejo de su habitante interior; pero el Inteleto estaba distraído o ausente y no acudía al llamamiento.

---

[356] «Cada zapato podía ser tumba de un filisteo», dice Quevedo del dómine Cabra (*Historia de la vida del Buscón,* ed. cit., página 92).

[357] T: abriendo el depósito.

[358] T: palabra.

A la mañana siguiente, con la cabeza que tan pronto le pesaba al modo de una bola de granito, como sentía que se le escapaba de sobre los hombros, cual vedija de humo, Belarmino salió a la puerta del establecimiento para despejarse. En un entresuelo de la acera del frente, y poco más abajo de la calle, una cuadrilla de carpinteros, albañiles y pintores trabajaban con energía y diligencia. Les dirigía y daba órdenes, mostrándoles de cuando en vez unos papeles azules, que debían de ser planos o dibujos, un hombre el más híspido y enchipado, bigotes tiesos, sombrero sobre una oreja, flor en el ojal, chaquet de largos faldones y que, en conjunto, a Belarmino le produjo una impresión soñada, desagradable y epicena, entre [359] chulo y pavo real. «¿Qué novedad es ésta?», se dijo Belarmino, sin clara conciencia de la realidad y con sorpresa más bien de orden animal, como gallina que al salir de mañana al corralillo lo encuentra invadido por avechuchos intrusos e insolentes. No tardaron en venir a decirle a Belarmino que todo aquel tráfago era para aderezar la nueva zapatería, y que el hombre híspido era el nuevo zapatero en persona. Belarmino pensó: «Decididamente, esta tarde voy a la residencia de los dominicos.»

En las comidillas y comadreos de la calle se comentaba de continuo el suceso de la anunciada zapatería, y cada cual aportaba a la información general lo que podía: una presunción, un indicio, un dato. El nuevo zapatero se llamaba Apolonio Caramanzana; antes había tenido zapatería en Santiago de Compostela; era muy protegido de la duquesa de Somavia; acompañaba al zapatero un guapo zagal de doce años, hijo suyo [360]; padre e hijo se hospedaban provisionalmente en la casona de la duquesa; la duquesa visitaba a menudo las obras de instalación; el nuevo zapatero trabajaba ya para ciertas personas de fuste, etc., etc. Y así iba efervesciendo la curiosidad en la Rúa Ruera y en todo Pilares. Sólo había un hombre que contemplaba aquella liviana y desalada [361]

[359] T: de.
[360] T: no se sabía si legítimo o natural.
[361] T: multitudinaria.

expectación con perfecta indiferencia y rebozada ironía: era Belarmino. La agrura, aspereza y agresividad de Xuantipa habían subido de punto desde el advenimiento de Apolonio. Estaba exasperada y llegó a pegar a su marido. Belarmino recibía sonriendo denuestros y golpes. Bellido, a pesar de su sangre fría, vibraba convulso y a diario tiraba varias bombas de dinamita sobre la sesera de Belarmino, el cual le escuchaba sonriendo seráficamente. Felicita dejó de visitar la zapatería de Belarmino; un alivio. El señor Colignon le amonestaba, le alentaba, le estimulaba, se obstinaba en inyectarle acometividad y espíritu [362] mercantil; le prevenía contra riesgos inminentes, le pintaba, ora un porvenir fuliginoso, ora un futuro sonrosado, y Belarmino, sin responder, le miraba con sonrisa serena y afectuosa. Un día el señor Colignon le dijo:

—Tú estás bien tranquilo y muy seguro de tus recursos. ¿Es que los señores de Neira y los padres te han hecho la promesa de un buen trozo, es decir [363] de la plata?

—Nada me han prometido.

—Entonces, ¿qué es lo que [364] piensas hacer?

—Vivir.

—Vivir; pero, ¿cómo?

—Mejor que nunca.

—Magnífico, magnífico. Pero, ¿cómo?

Belarmino se aproximó al señor Colignon y le habló recatadamente al oído:

—¿Recuerda usted que un día le dije: «Ya daré, ya daré en el blanco»? Pues ya he dado, ya he dado. La beligerancia es la madrona de la Grecia. El faraón crónico es lo más puerperal. He hallado la solera recreada. (Traducido al romance: la adversidad es la madre de la sapiencia. Una crisis profunda es siempre fecunda.) En cuanto a la última sentencia, el propio Belarmino la vertió al habla vulgar, a instancias del señor Colignon, que preguntó:

---

[362] T: estímulo.
[363] T: «es a decir». Así quedaba claro el galicismo.
[364] T: «¿qué es que...?» Igual que en el caso anterior.

—¿La solera recreada?

—Se lo interpretaré en forma corriente: solera es palabra que viene de sol y dice la luz más viva, y fuente de luz. Recreado es lo que nadie ha hecho, que se hizo por sí, y produce gusto, recreo, o sea, luz increada.

Esta vez los recónditos y gargarizantes pavos del señor Colignon permanecieron taciturnos. El francés apoyó horizontalmente el antebrazo en la depresión o meseta superior del abdomen, sustentó el opuesto [365] codo sobre aquella mano y con la otra mano se cubrió el huevo y la huevera de latón, esto es, la barbeta y la perilla, en actitud napoleónica y cogitabunda.

—Yo comprendo, yo comprendo, *mon pauvre ami;* los padres te han convertido...

El que se rió ahora fue Belarmino, y de la mejor gana:

—¿Convertirme? ¡Qué proyectil! —Belarmino juntó en un racimo las yemas de la diestra mano, se las llevó al entrecejo y silabeó confidencialmente—: ¡El Inteleto! —y luego, cambiando de tono—: Algo me he ayudado con un libro de los padres...

—¿Te lo prestaron?

—No; lo pedí yo prestado, porque lo vi encima de una mesa.

—¿Y cómo es que se titula?

—No se enterará usted, porque está en latín.

—Pero tú, tú, ¿comprendes latín?

—Llegaré a tener intuición con él; por ahora, sólo me es saludable.

El señor Colignon se retiró pensando: «No tiene remedio el pobre hombre.»

La apertura de la nueva zapatería causó inolvidable sensación y pasmo descomunal. El rótulo rezaba: «Apolonio Caramanzana, maestro artista». Había [366] un ancho escaparate, con límpida luna de cristal. Sobre el piso del escaparate, forrado de peluche verde, se alineaban varios pares de zapatos y botas, realmente exquisitos, apoyados oblicuamente en sendos sustentáculos de níquel y con

---

[365] T: otro.
[366] T: tenía.

inscripciones debajo que decían: «Zapatos de piel de Suecia, encargo de la excelentísima señora duquesa de Somavia», «Bota de becerro, para el señor Novillo», y así otros varios encargos de personas distinguidas y elegantes. Al fondo, en una urna, guardábase el esqueleto auténtico de un pie humano. Sobre la urna se leía: «Osteología del pie.» De cada huesecillo salía un alambre, con una cartela al final. Las cartelas decían: «Tibia, peroné, maléolo interno, maléolo externo, tarso, astrágalo, calcáneo, escafoides, cuboides, las tres cuñas, metatarso, falanges, falangitas, falangetas.» Encima de la urna colgaba de la pared del fondo un cuadro pintado a la acuarela que representaba una bota de perfil, despidiendo rayos; en la cabecera, un letrero: «La podoteca ideal», y en la parte inferior, una estrofa: [367]

> «Aunque tan fina y lustrosa
> y de tan bellos perfiles,
> nadie, si la llevas, osa
> cortarte el tendón de Aquiles» [368].

Y más abajo aún: «Dime con qué botas [369] andas, decirte he quién eres.»

A entrambos lados del cuadro central pendían otros dos cuadros. Uno figuraba un pie desnudo, de alto puente y empeine corvo, con su inscripción: «Pie ario; noble.» El otro, un pie asentado todo a lo largo, la planta sobre la tierra, con su inscripción: «Pie planípedo, plantígrado o semítico; plebeyo.» En las paredes laterales [370] del escaparate, repisas de cristal, con vaciados de pies, en escayola, algunos retorcidos y deformes, y adherida a la repisa, una indicación: «Repertorio de extremidades, obtenido del natural.» En lo más altanero de la luna de cristal desarrollábase una cinta, a modo de di-

---

[367] T: una cuarteta.
[368] Pérez de Ayala es maestro en componer versos humorísticos voluntariamente ripiosos. Así aparecen, por ejemplo, en *Tinieblas en las cumbres* y *Troteras y danzaderas*.
[369] T: con quién.
[370] T: A las bandas.

visa heráldica, declarando, con doradas letras teutónicas: «Una hermosura soberana inspira a Caramanzana» [371].

Cuantos veían el escaparate pensaban en el infeliz Belarmino. La opinión [372] fue unánime: no había competencia posible. También Belarmino fue a ver el famoso escaparate. Lo examinó atentamente, con calma. Como su corazón [373] estaba purificado de pasiones torpes, no se le distendió el rostro en gesto ninguno [374], lastimado o feo; antes, sonreía; sonreía con expresión inocente y delicadamente irónica. Apolonio, que ya le conocía y le estaba espiando desde dentro de la tienda, se sintió, por misteriosa manera, humillado. Ahito y ebrio [375] con el [376] éxito, ¿qué le importaba a él la expresión hipócrita y maligna del ya desbaratado rival? Y, sin embargo, sentíase humillado, adivinando que la verdadera rivalidad entre ellos no era zapateril, sino de otro orden más íntimo y personal, y que en aquella larvada [377] e inevitable rivalidad acaso Belarmino saliese vencedor [378].

---

[371] Otro ripio.
[372] T: voz.
[373] T: espíritu.
[374] T: con gesto alguno.
[375] T: embriagado.
[376] T: de.
[377] T: latente.
[378] Desde el comienzo de la novela, es evidente la predilección del narrador por uno de los dos antagonistas.

CAPÍTULO IV

Apolonio y su hijo [379]

Fue el Jueves Santo, por la noche. Habíamos cenado en la habitación de don Guillén. El canónigo fumaba un cigarro largo y fino [380]; yo; un cazador [381], ese tabaco oscuro, velloso y de sangre, tan enérgico, sutil y esencial provocador de ideas e imágenes que, a veces, sustituye con ventaja los beneficios del trato humano, sin sus inconvenientes y molestias. Como dijo, siglos ha, Cristóbal Hayo, maestro físico de Salamanca, en loor del tabaco: «Usando dél no se siente soledad» [382]. Don Guillén me lo había ofrecido, sabiendo que era la vitola más de mi gusto; delicado agasajo que yo le agradecí [383]. No faltaban las copitas de coñac viejo [384].

Anoto estos detalles, quizá impertinentes, para que se vea que don Guillén era hombre atento a los detalles y moderado gratificador de los sentimientos, de donde se deduce que, para él, la realidad externa existía, y que

---

[379] Sara Suárez caracteriza este capítulo como narrativo frente al tercero, presentador (pág. 68).

[380] M: un fino cigarro de Henry Clay.

[381] M: de Caruncho.

[382] Esta frase no aparece en el manuscrito.

[383] Hasta su vejez, Pérez de Ayala fue un gran fumador de puros.

[384] M: «de coñac Hennesy». Pérez de Ayala también era aficionado al coñac.

la aceptaba en toda su importancia [385], procurando solamente que el contraste [386] con ella fuese lubrificado y terso [387].

Estaba riéndose para sí, como ante una visión cómica y tierna [388] al propio tiempo. Comenzó a hablar:

—No puedo pensar en mi padre sin reírme. Sin reírme amorosamente, entiéndame usted. Mi madre murió cuando yo cumplía apenas los tres años. No la recuerdo. Mi padre era, o, por mejor decir, es, pues vive; vive como sombra de lo que fue... Mi padre es hijo de un criado de la casa de Valdedulla, antiquísimo linaje gallego que viene de los godos o cosa así. Mi familia paterna, de padres a hijos, desde hace ya dos o tres siglos, vivía a la sombra de la casa de Valdedulla, cumpliendo más que en menesteres de servidumbre en empleos de confianza. El primogénito permanecía siempre al servicio de la casa, y a los demás hijos varones los condes los dedicaban a la Iglesia, o los enviaban a que se ganasen la vida por el mundo. En mi familia ha habido bastantes abades, y no me sorprendería tener algún tío ricacho en América, sin yo saberlo. Mi abuelo era así como administrador de la casa de Valdedulla. Cuando yo nací, esta poderosa casa había quedado reducida a dos vástagos, don Deusdedit, el conde, y doña Beatriz, que se había casado con el viejo duque de Somavia, y vivía en Pilares. El conde era solterón, padecía muchos achaques y tenía la cara llena de erupciones amoratadas. No había esperanza de que se casase, no tanto por feo y raquítico, ya que las mujeres apencan con todo, si el pretendiente guarda [389] hacienda o luce ejecutoria, cuanto porque el duque era misógino y misántropo. Solía decir: «En mí, gracias a Dios, concluyen los Valdedulla, que desde Mauregato [390] no han hecho más que burradas.» Nada le interesaba. Nunca salía del

---

[385] Esto tiene un valor muy positivo para Pérez de Ayala.
[386] M: «contacto». Creo que está bien lo del manuscrito y lo de la primera edición es errata.
[387] T: suave.
[388] Lo tragicómico, una vez más.
[389] T: lleva.
[390] T: Chindasvinto.

Pazo. El único que le divertía algo era mi padre. No quiso el duque que mi padre recibiese a su tiempo, hereditariamente, el cargo familiar de mi abuelo, «porque —decía— esto se acaba conmigo; el nombre se pierde, gracias a Dios, y la casa se transmite al hijo de Beatriz, que es un Somavia; conque allá entonces que él haga lo que le pete». El conde[391] deseaba cooperar a que mi padre se valiese por sí, mediante una profesión u oficio, y aun carrera. Parece ser que mi padre, desde muy niño, componía versos y era muy dado a leer novelas y dramas. Ya de entonces mi padre había caído en gracia al conde, que era unos quince[392] años más viejo que mi padre. Respondiendo a los deseos del conde, mi abuelo optó por la carrera eclesiástica, en la cual, dado su natural despejo, mi padre llegaría, probablemente, a cardenal[393], pero mi padre no sentía afición a los cánones y, sobre todo, el conde, que alardeaba de volteriano, dijo en seco que no. Enviaron a mi padre al Instituto, en donde estudió dos años, y, consecutivamente, obtuvo dos tandas de suspensos en las mismas asignaturas. Uno de los profesores escribió al conde que a mi padre el exceso de imaginación le impedía concentrarse y estudiar con disciplina y provecho. Mi padre no ha olvidado aquel fracaso; ahora, que él lo explica a su modo, y se queda tan satisfecho. Siempre dice: «Yo, que he recibido una educación académica...» Mi padre quería seguir la carrera de autor dramático, y cuando le convencieron de que no había semejante carrera, respondió: «Pues si no autor dramático, zapatero.» ¡Peregrino dilema! No puedo por menos de reírme... Estas cosas raras e ilaciones sorprendentes eran las que divertían al conde. Le estoy fastidiando a usted...

—Nada de eso —respondí[394].

—Abrevio. Hasta los doce años viví en el Pazo de Val-

---

[391] T: duque.

[392] T: como cosa de veinte.

[393] T: a obispo.

[394] El manuscrito incluye después esta frase maligna, típica de Pérez de Ayala: «Lo que usted me cuenta me parece más ameno y animado que una novela de don Ricardo León —novelista que a la sazón se granjeaba incomprensible nombradía.»

dedulla. Tres años antes había muerto mi abuelo. Desde aquel punto, el propio conde llevó las cuentas y administración de sus bienes. Mi padre tenía una zapatería abierta en Santiago de Compostela. El negocio andaba malamente, porque mi padre se pasaba lo más del tiempo de tertulia y juerga con algunos amigos estudiantes. Se sostenía gracias a la benevolencia y liberalidad [395] del conde. De cuando en cuando, venía de visita al Pazo, y ¡había que verle lo pomposo y majetón, con su flor en el ojal, su sombrero ladeado y su chaquet, un chaquet paradisíaco, como decía el conde, no sé por qué! «Chico —exclamaba el conde—, me dejas patidifuso con tu elegancia y tus ínfulas.» Y, muerto de risa, le hacía recitar fragmentos de un drama que mi padre estaba escribiendo, titulado *El cerco de Orduña y señor de Oña*. Mi padre le explicaba el argumento y hacía especial hincapié en la tesis, o, como él decía, la idea, a lo cual replicaba el conde, pensativo: «Pues no creas; eso tiene intríngulis.» «¡Que si tiene! —replicaba mi padre, con inocente petulancia—. Ya verá el señor conde cuando el drama se estrene.»

—Probablemente sería más racional [396] que los de su conterráneo el señor Linares Rivas[397] —interrumpí. Estaba yo, como el lector advertirá, en esa indiscreta edad juvenil en que, para [398] aquilatar el mundo, los hombres y las cosas, se hace uso de [399] términos de comparación nominativos [400].

—No puedo decirle, porque no asisto al teatro ni leo literatura frívola. Continúo. Durante aquellos tres años, después de muerto mi abuelo, el conde no se dio instante de reposo, visitando tierras, apuntando lindes, recontando ganado, recorriendo la casa, embalando vajillas y cubiertos de plata, escribiendo horas y horas en su despa-

[395] T: liberal.
[396] T: mejor.
[397] La opinión de Ayala, en serio, sobre el teatro de Linares Rivas puede verse en su libro de ensayos *Las máscaras (Obras Completas*, III, págs. 391 y ss.).
[398] T: se quiere.
[399] T: mediante.
[400] El plural se refería a las alusiones a Ricardo León (suprimida) y Linares Rivas.

cho. Al cabo de los tres años, una mañana apareció difunto, no sé si de cansancio o de aburrimiento. Entre sus papeles había una carta para mi padre, en donde se decía: «... eres bueno; pero eres algo ganso, y no vales para andar solo por el mundo. Te dejo en mi testamento un pequeño legado, que si tú lo manejas, la del humo. Por lo tanto, de que yo me haya muerto, vas con tu hijo a Pilares. Mi hermana, la duquesa de Somavia, tiene instrucciones mías y te dirá la forma en que dispongo que se emplee el legado. Con ella nada te faltará.» Esta carta la leí siendo ya hombre. Mi padre se la había entregado a la duquesa, y ella me la enseñó. Pero recuerdo cuando mi padre la leyó por vez primera, en el Pazo de Valdedulla, estando el conde de cuerpo presente. Le vi apretar las cejas y palidecer; era, sin duda, que leía lo de ganso. Luego se le aflojaron las cejas, le comenzó a temblar una mejilla, le asomaron lágrimas a los ojos, dejó caer la carta sin acabar de leerla, se cruzó de brazos, estuvo silencioso largo rato, mirando al muerto, sollozó:

«Para ti, alma generosa,
no es noble ni decorosa
la terrena inhumación.
Te daré entierro en la fosa
de mi triste corazón» [401].

Se arrodilló y besó, con prolongado beso, la mano del conde. Yo lo observaba todo, de hito en hito. Los niños son los mejores observadores, y las observaciones intensas de la niñez jamás se olvidan. Pensará usted que mi padre es un grandísimo figurón, que todo aquello era fingido, teatral y a propósito para reír, a pesar de la presencia del difunto. Que sea para reír, no lo niego; pero también para llorar [402]. Mi padre ha tenido siempre una sensibilidad excesiva. Cualquiera cosa le agitaba. Se en-

---

[401] Otro ejemplo de la habilidad de Pérez de Ayala para los versos ripiosos, ridículos.

[402] Para la visión tragicómica del mundo que tiene Pérez de Ayala, así sucede con todas las cosas de la vida. Podrían multiplicarse los ejemplos paralelos en todas sus obras.

ternecía por fútiles motivos [403] hasta las lágrimas [404]. Todo lo tomaba a pecho. Por manera espontánea, se producía con exuberancia y énfasis. Era también muy aficionado al canto. Cuando cantaba me hacía el efecto de que se iba a derretir en la atmósfera, como un terrón de azúcar en agua. Y en cuanto a lo de improvisar versos, también era natural en él. Se convencerá usted muy pronto de cómo mi padre, sin duda por el continuo [405] ejercitarse, componía ya versos por rutina. Pero, para no interrumpir la narración, prosigo por orden. Mi padre no se apartó del cadáver hasta que los enterradores terminaron con la poco noble y decorosa inhumación terrena. Volvimos al Pazo. Mi padre me traía de la mano y gimoteaba [406] como una criatura. Entramos en lo que había sido capilla ardiente. La carta póstuma del conde yacía por tierra. Mi padre la recogió, a fin de concluir la lectura. Yo vi que apretaba nuevamente las cejas, tiraba de una comisura del labio hacia arriba, inflando así la mejilla, la cual se arrascaba, indicio [407] de contrariedad. Antes había dejado caer la carta al llegar a lo de la herencia. Ahora aquello de ir a establecerse en Pilares, entre gente desconocida y bajo la tutela inmediata de la duquesa, le molestaba sobremanera [408]. Pero, ¿qué remedio? Mi padre arrancó las raíces que le sujetaban [409] a la hermosa tierra gallega y tomamos el portante para otra región no menos hermosa. Mi primer viaje por ferrocarril: ¡lo que hube de gozar!... En León doblábamos el rumbo y cambiábamos a un tren directo hasta Pilares, que partía de allí mismo. Era en las postrimerías del mes de abril, después de unos días tormentosos, y se decía si en el puerto que hay entre León y Pilares [410] estaba interceptada la vía, hacia la estación de

---

[403] T: con cualquier motivo.

[404] T: el llanto.

[405] T: mucho.

[406] T: lloraba.

[407] T: en señal.

[408] T: no le hacía gracia ninguna.

[409] T: unían.

[410] La ascensión a este puerto de Pinares (Pajares) sirve de hilo conductor a la primera novela de Pérez de Ayala, *Tinieblas en las cumbres.*

Busdongo, a causa de la niebla. Eso de pasar sobre montañas cubiertas de niebla me entusiasmaba. Paseábamos mi padre y yo, no sé quién con mayor impaciencia, a lo largo de los andenes, aguardando que formasen el convoy. Y aquí viene la prueba de que mi padre componía versos sin darse cuenta. Mi padre rezongaba entre dientes: «El tren se retrasa ya. ¿Qué demonio ocurrirá?» [411]. «Acaban de dar las dos. ¿Qué pasa? Sábelo Dios.» Y aleluyas y más aleluyas. En nuestra caminata arriba y abajo pasábamos por delante de una garita que me llamaba la atención, porque tenía encima un rótulo, para mí enigmático [412]: «Lampistería». En una de las vueltas, un hombre, con un farol, salió de la garita. Mi padre, dirigiéndose a él, dijo «Oiga, señor lampistero; no habiendo aviso, supongo que hay vía libre, y espero que el tren pase de Busdongo.» Y volviéndose hacia mí: «Dime, Pedriño, ¿no es esto señal de ser un poeta?. Sin intención he compuesto una sonora cuarteta. Siempre expreso en poesía el contento o el fastidio. Valeiro bien me decía que soy el moderno Ovidio» [413]. No quiero cansarle. Baste decirle que mi padre, en cuanto se ponía un poco agitado, respiraba en verso. Esta peculiaridad, o si usted quiere manía, acaso haya sido causa de sus infortunios, pero ciertamente merced a ella los ha sobrellevado con pasmosa resignación e indiferencia. A mi padre le cae una teja en el cogote, por ejemplo. De este accidente no tiene la culpa la poesía, naturalmente. Pero mi padre, sin inmutarse, explicará que le ha sobrevenido la desgracia porque es un elegido de los dioses —mi padre siempre habla de Dios en plural, como los paganos—, y añadirá que todos los personajes trágicos son semidivinos —erudición compostelana—; y la explicación la dará en verso, con lo cual se le mitiga el dolor de la descalabradura. Otra peculiaridad de mi padre es la instantaneidad con que se

---

[411] T: pasará.

[412] T: jeroglífico para mí.

[413] Escribe Ovidio en sus *Tristes*: «Scribere temptabam verba soluta modis / Sponte sua carmen numeros veniebat ad aptos / Et quod temptabam scribere versus erat» (Libro IV, 10, v. 24-26; París, Les Belles Lettres, 1968, pág. 123).

143

le inflama la pasión del amor. Mujer que ve, ya está él por las nubes, y cátalas ya Elviras, Lauras y Beatrices. Se morirá en un suspiro de amor, exhalado por la mujer que en aquel trance esté a su vera [414], ya sea una monja joven y admisible, ya sea una portera pitañosa. Mi padre, como autor dramático, suponía que cada persona es víctima de una pasión, necesariamente; si no el amor, el odio; si no el odio, la envidia; si no, la cólera; si no, la avaricia. Concebía a los hombres como muñecos de una pieza con un solo resorte, y los dividía en nobles, indiferentes y viles, según la pasión dominante. Siendo, pues, cada hombre un elemento simple, rara vez puede entenderse con los demás, y de aquí vienen los conflictos dramáticos. Sólo los nobles se entienden entre sí, y no siempre si se interpone el amor. Los indiferentes se ignoran; los viles se aborrecen y aborrecen a los demás. Mi padre clasificaba a todas las personas que veía según ciertos rasgos de la fisonomía [415], y aseguraba; «Ese es noble», «ése es vil», e inmediatamente se dedicaba a imaginar la biografía del desconocido, con los conflictos dramáticos que le habían sucedido o que le habían de suceder. Decía mi padre, siguiendo la sapiencia búdica: «Cada hombre lleva su destino escrito en la frente con caracteres invisibles.» Bueno; me estoy retrasando, como el tren en León, el cual salió por último ya anochecido, y yo pasé durmiendo sobre las montañas nevadas. Pilares: la primera ciudad que yo veía. Como *illo tempore* no había coches de plaza, hubimos de ir a pie, preguntando [416] por la Rúa Ruera, la calle donde está el palacio de Somavia. Ya en la calle, nos siguió hasta la misma puerta del palacio un rapacejo pelirrojo, como de mi edad, que acompañaba a una niña. ¡Niña más delicada [417], dulce y hermosa...! El nombre del rapaz, Celesto; de la niña, Angustias. Fuimos amigos desde luego. Más adelante le contaré. Entramos en el palacio, preguntamos por la duquesa, nos pasaron a una habitación oscura, y después

---

414 T: lado.
415 T: indicios del rostro.
416 T: inquiriendo.
417 T: fina.

de una hora de espera, que a mí me duró un siglo, apareció la duquesa, vestida con una bata colorada a pesar del luto reciente [418], cosa que me escandalizó [419]. Nosotros íbamos de negro y mi padre hasta se había hecho una camisa toda negra, para la ocasión y para que no se le manchase con los ciscos del tren. La duquesa abrió las maderas de la habitación y se nos quedó mirando: «Vaya, vaya —dijo, cuando se satisfizo de mirarnos—; con que éste es el gran Apolonio Caramanzana y este otro el camuesín...» De allí en adelante me llamó el camuesín. La duquesa era muy campechana, y de vez en cuando... ¿cómo lo diré?, pues, como vulgarmente se dice, echaba ajos; ahora que, como mujer, los convertía en femeninos, mudando la o final en a. También fumaba. Todos los Valdedulla fueron entes estrafalarios. En cuanto al corazón de la duquesa, emplearé una frase de mi padre: todo de miel hiblea y más grande que el monte Olimpo. Los beneficios con que aquella gran señora nos colmó a mi padre y a mí son de los que no pueden pagarse. Pasaba entonces de los cuarenta, ya lo creo; lo que se dice una jamona; antes [420] fea que guapa, para ser sincero, pero con un no sé qué de alegría, desenvoltura y buena gracia, más atractivo que la misma belleza. Le digo a usted que cuando soltaba un ajo, que en ella eran signo de hallarse contenta, se quedaba uno embobado y sonriente como si escuchase una nota de ruiseñor. De las palabras no cuenta la estructura, sino el timbre y la intención; son como vasijas que, aunque de la misma forma, unas están hechas de barro y otras de cristal puro y contienen una esencia deliciosa. Y ahora se me representa en el recuerdo la imagen de Belarmino, zapatero filósofo, que vivía también en Rúa Ruera, tipo casi fabuloso [421], al cual pertenece precisamente la anterior teoría sobre las palabras:

---

[418] Todos los críticos que estudian el valor de los colores en la obra de Ayala señalan el que posee esta bata colorada como indicio del carácter de la duquesa, rebelde a las convenciones sociales.

[419] T: sorprendió.

[420] T: más.

[421] T: extraordinario.

«La mesa —decía— se llama mesa porque nos da la gana; lo mismo podía llamarse silla [422]; y porque nos da la gana llamamos a la mesa y a la silla del mismo modo cuando las llamamos muebles; pero lo mismo podían llamarse casas; y porque nos da la gana llamamos a los muebles y a las casas del mismo modo cuando los llamamos cosas. La cuestión de la filosofía está en buscar una palabra que lo diga todo cuando nos da la gana.» Yo no sé si era un loco cuerdo o un cuerdo loco. Me he desviado. Iba a decir [423] que, si bien la señora no estaba para el caso [424], mi padre se inflamó de sopetón en amor hacia ella. Como mi padre ha vivido fuera de la realidad, se conduce siempre con desparpajo que asusta y admira; así es que, al poco rato de conversación con la duquesa, y como quiera que se hallaba bastante agitado, comenzó a dispararle versos amatorios, un tanto velados todavía, más por artificio que por timidez, declarando que no en balde la señora se llamaba doña Beatriz y que él, como el Dante, subía del infierno de Compostela al paraíso de su presencia y protección. Extrañará usted lo sabihondo que era mi padre; pero la cosa es bien clara. Mi padre tenía portentoso poder de asimilación. Su erudición, disparatada y pintoresca, la había adquirido oralmente, como los griegos, bajo los pórticos compostelanos, entre estudiantes, gente ociosa y pícara, quienes, lo declaro con rubor, por reírse de él, dándole pábulo a su manía, le abarrotaban la cabeza con noticias y noticiones históricos y literarios, unos ciertos, otros inventados [425]. Mi padre lo había absorbido todo, en revoltiño, y luego lo aplicaba a su modo, ya con tino, ya desatinadamente, ora a pelo, ora a contrapelo: pero siempre con familiaridad despampanante. Si nombraba a Ovidio o a Sófocles [426],

---

[422] Proclamación tajante del principio de la arbitrariedad del signo lingüístico, del que parte toda la moderna ciencia del lenguaje. Ya Shakespeare había escrito, en el *Romeo y Julieta:* «What's in a name? That which we call a rose / by any other name would smell as sweet.»

[423] T: estaba en.

[424] T: llevaba algunos años a.

[425] T: fingidos.

[426] T: Dante.

era como si hubieran comido juntos pote gallego. Cuando mi padre se entregó al delirio poético amatorio en presencia de la duquesa, yo, presa del terror [427], abatí la cabeza y pensé: «La señora nos suelta los perros y salimos de estampía.» A la señora le cayó en gracia la ingenua osadía de mi padre, emitió [428] un ajo encantador y le alentó a que improvisase nuevos versos elegíacos. Conocía la duquesa a mi padre de los años mozos, y, sobre todo, por referencias epistolares de su hermano; de suerte que la escena no le cogía de nuevas [429]. ¡Qué gran señora! Nos alojó en su palacio, en tanto se llevaba a cabo la instalación de la zapatería de mi padre, un establecimiento por todo lo alto, pues resultó que las instrucciones del difunto conde consistían en que una parte del legado se emplease en este fin, que la duquesa presidiese en todo lo tocante al buen empleo del dinero, que buscase clientela segura y estuviese al cuidado de que mi padre no se desmandase. De la otra parte del legado nada dijo la duquesa hasta pasado algún tiempo. Era la señora, si muy campechana, no menos celosa de la jerarquía. Su afabilidad y benevolencia descendían siempre de lo alto, a modo de protección. Espontáneamente, y al parecer sin deliberado propósito, colocaba a las demás personas, a todas, en su lugar debido, es decir, por debajo de ella, unas próximas, otras más bajas, acaso a algunas [430] en posición humillante. A nosotros nos situó [431], desde luego, en una categoría intermedia; casi [432] criados y casi amigos. En rigor, amigos, lo que se llama amigos, por su parte no los tenía. A las personas más próximas a ella en amistad las trataba como vasallos emancipados; un peldaño más alto que nosotros, que no estábamos todavía del todo emancipados. Esta persistencia del orgullo de casta, aunque envuelto en blandas maneras, era el único ángulo

---

[427] T: pues no le conocía aún bastante.

[428] T: soltó.

[429] Esta frase fue añadida posteriormente, para dar verosimilitud al relato.

[430] T: «pero a ninguna». Pérez de Ayala cambió luego de opinión, como se ve más adelante.

[431] T: colocó.

[432] T: entre.

rígido de su carácter, y por este lado llegaba en ocasiones a extremos de dureza e insensibilidad, inconscientemente, y, por lo tanto, sin remordimiento. Por lo que a nosotros toca, no teníamos por qué quejarnos, antes sí, mucho que agradecer. Vivía sola lo más del año. El viejo duque y el unigénito, adolescente de veintiún años, pasaban los inviernos en Madrid, ciudad que ella aborrecía, sobre todo por el sol. Le gustaban los cielos grises y la luz cernida. Decía que la luz de Madrid le alborotaba la sangre y la impulsaba a cometer barbaridades. «Con el marido que Dios me dio —esto se lo oí yo mismo, años después—, la menor barbaridad, viviendo en Madrid, hubiera sido el adulterio. Aquí distraigo el aburrimiento murmurando y sacando tiras de pellejo. En Madrid, con mi temperamento, no me hubiera contentado con menos que con sacar tiras de pellejo de verdad. Todos mis antepasados han sido un poco salvajes, y eso que vivieron en climas templados y lluviosos. De vivir bajo el sol bárbaro del Mediodía, hubieran sido enteramente salvajes, peores que rifeños.» Digo, pues, que nos alojó en su casa como huéspedes, pero no comíamos en su mesa, ni tampoco con la servidumbre, que era numerosa; nos servían aparte. En el Pazo yo comía con los criados. Sin embargo, como cosa de una semana después de vivir en su palacio, nos invitó a que la acompañásemos a comer. La razón es que se aburría sola, y mi padre le proporcionaba distracción y divertimiento. Y, en efecto, por divertirse maquinó un plan maligno y agudo, y fue que, como mi padre en su vecindad se ponía en estado de excitación poética y todo le salía en verso, ella le prohibió severamente que dijese nada rimado: «La poesía es [433] salsa que fatiga la digestión. Conque, ya sabes; si te viene un verso a la lengua, cierras la boca.» Mi padre padecía mortales congojas. Yo le veía trasudar. La nuez le sobresalía de modo pavoroso, como si los consonantes, contenidos y atragantados, le hicieran bulto desde dentro de la garganta y le fueran a estrangular. «Habla, hombre, habla; pero en prosa.», le ordenaba la duquesa. Mi pa-

---

[433] T: cual.

dre comenzaba a hablar, pensándolo mucho, y a lo mejor, ¡zás!, una aleluya. «Apolonio: mira lo que hablas, que te castigo sin postre», amenazaba la señora. La señora gozaba abiertamente, y yo —los chicos siempre son crueles— no dejaba de pasar un buen rato, aparte de que mi padre y yo no habíamos convivido nunca hasta entonces, y era para mí un ser algo extraño, en todos los sentidos de la palabra. Ahora, cuando pienso en ello, me duele un poco el corazón. Lo único que me tenía avergonzado entonces era no saber [434] comer con modales finos ni usar ordenadamente del tenedor y del cuchillo. La señora me aleccionaba, con afectuosa solicitud, y cuidando de no aumentar mi vergüenza. Al final de la comida, la señora confirmó su pragmática para siempre en adelante: «Queda, pues, entendido, Apolonio, que nunca, nunca, me hablarás en verso. Tus versos llegarían a irritarme. Desestimamos lo que se nos ofrece con derroche. Y tú no querrás que tus versos me fastidien ni me enfaden. Sé más avaro de ellos. Además, los versos amorosos no son para publicados en alta voz, ante testigos, que tal vez son criados. ¿No te inspira ningún escrúpulo mi reputación de dama honesta? Las poesías de amor son para compuestas a solas y para leídas con recogimiento. Haz tantas poesías como se te antoje, pero por escrito; luego me las das para que yo las lea en secreto. Ahora que, pues [435], posees ese don inapreciable y fuera de lo común de improvisar como quien bosteza, no es justo, ¡qué ajo! [436], que en ocasiones sonadas no hagas gala de él y dejes aturulados a quienes te oigan. Pero [437] yo seré la que decida cuándo ha llegado la ocasión. Quedamos en que no hablarás en verso sino cuando yo lo ordene expresamente, y aun entonces, sería mejor visto que te hicieses de rogar un poco.» Mi padre se dobló por la cintura, con ademán de acatamiento. Cualquiera menos [438] inocente y sencillo que mi padre hubiese penetrado la ironía y propósito de

---

[434] T: que no sabía.
[435] T: como.
[436] Como su maestro Galdós, Ayala emplea eufemismos.
[437] T: Ahora que.
[438] T: que no fuese tan.

la duquesa. Mi padre, por el contrario, se hinchaba, como si inhalase un gran volumen de lisonja y vanidad. Todas las noches, después de la cena, la señora recibía unos cuantos amigos en tertulia; aquello, en puridad, era un rendimiento de vasallaje. Una tarde dijo la duquesa a mi padre: «Quiero que asistas hoy a mi tertulia. Mis amigos te conocen ya, por referencias de fuera, y porque les he hablado de ti.» Yo que lo oí, adiviné, desde luego, que había invitado a mi padre para que sirviese de espectáculo, y que le ordenaría hablar en verso. Esto de que unos señorones, que no sabíamos quiénes eran, se riesen de él, me producía cierta lástima y me daba alguna rabia. Pero a estos sentimientos se sobrepuso la curiosidad que sentía por conocer *de visu* la tertulia de la señora. Así es que, después de cenar, me pegué a los faldones de mi padre, decidido a colarme en el salón detrás de él. Estaba mi padre tan embebido y agitado que no se fijó en que yo le seguía. A la puerta del salón, vestido de librea, montaba la centinela Patón, un lacayo de labios bozales y ojos de cerdo [439], que nos tenía a mi padre y a mí mala voluntad y envidia no disimuladas. Cuando yo iba a filtrarme en el salón, este animal me cogió por el cerviguillo, sin decir palabra, y me arrojó a trompicones diez metros pasillo adelante. Me senté en una butaca, con la cara escondida, hipando. En esto pasó la duquesa: «¿Qué te ocurre, camuesín?» «Que Patón no me deja entrar.» «Pues no faltaba otra cosa, hijo.» Hijo me llamó; sentí como que el corazón se me deshacía [440]; y siempre que lo recuerdo experimento la misma sensación. La señora me cogió por la mano, y al cruzar frente a Patón, que se había puesto más tieso, sacaba más el hocico y parpadeaba con rapidez, le dijo: «¿Eres tú el que elige mis invitados?» Me atrincheré, acurrucado en un rinconcito, debajo de una palmera y, como se suele decir, no perdí ripio de cuanto ante mí tenía. La reunión estaba ya completa. No había otra [441] señora que la duquesa, que presidía en un sillón de alto respaldo, a manera de sitial.

---

[439] T: jabalí.
[440] T: derretía.
[441] T: más.

150

Los demás, a un lado y otro de la duquesa, formaban en semicírculo, fumaban y tomaban café, y bebían licores de unas mesitas colocadas a trechos. También la duquesa fumaba, y no un cigarrillo, sino un cigarro puro nada flaco. El único que no fumaba era un cura, de piel lechosa, nariz colgante, ojos tiernos y postura de feto, todo encogido. Este cura, don Cebrián Chapaprieta, era quien decía la misa particular para la duquesa y sus criados. Mi padre estaba magnífico. Si un forastero entra de pronto en el salón, dice a la primera ojeada: aquí hay una gran señora y un gran señor. El gran señor, mi padre, naturalmente. Tenía las manos apoyadas en los muslos, con los codos sacados hacia adelante, el torso erguido, el cuello estirado, la cabeza desviada en leve escorzo de melancolía y desdén, el cigarro puro olvidado y periclitante en un ángulo de la boca. Levantaba dos palmos sobre los otros tertuliantes. Allí estaba [442], pues era punto fijo en la tertulia, un señor Novillo, apoderado político del duque y edecán de la duquesa. Este Novillo tenía sus pujos de señorón, pero a mí me hacía el efecto de un criado vestido con el traje de día de fiesta. Hablaban todos menos mi padre, siempre guiados por la duquesa, de chismes y cuentos locales. Terminados los licores y el café, y cuando ya el humo de todos los cigarros se había mezclado y confundido, formando un a manera [443] de toldo que colgaba del techo, la duquesa dijo: «Don Hermenegildo, hace tiempo que no nos obsequia usted con el salto de la trucha.» Don Hermenegildo se puso en pie. Era un magistrado de la Audiencia provincial; viejo ya, calvo, diminuto, flaquísimo; aladares rizados con tenacilla sobre las orejas; bigotes horizontales, engomados con zaragatona, tan largos, que sobresalían a los lados como balancín de funámbulo; corbata de chalina, chaqueta hasta media posadera, pantalones a menudos cuadros negros y blancos, de campana excesiva, para disimular la enormidad de los pies, aprisionados en zapatos de colgantes cintas de seda, tan anchas como la chalina. Ante mis ojos

---

[442] T: también.
[443] T: a una especie.

estupefactos, don Hermenegildo se puso en cuatro patas [444]. Entonces, Pedro Barquín, colono de la duquesa, hombre tosco y de aspecto soez, se colocó detrás del viejo magistrado, e introduciéndole el pie por la entrepierna, lo levantó en vilo y lo lanzó a regular distancia. La bochornosa operación se repitió varias veces, con gran goce [445] y algazara de los presentes, incluso el presbítero Chapaprieta. Mi padre era el único que se mantenía impasible, porque despreciaba lo cómico. Confieso que también me reí como un idiota. Ahora me avergüenzo, por mí y por la duquesa. No acierto a explicarme cómo aquella señora hallaba placer en vilipendiar a un anciano que, además, ostentaba la respetable investidura de magistrado [446]. Esta era la arista dura e insensible de su carácter. No debe omitirse, a guisa de exculpación, que el don Hermenegildo se lo debía todo a los Somavías, y había hecho su carrera en fuerza de vilezas. Concluido el número acrobático, Pedro Barquín, que era especialista en chascarrillos, refirió algunos, nada aseados [447] ni inocentes por cierto [448]. Después de varios chascarrillos, y en un momento de reposo y silencio, el señor Chapaprieta dijo recatadamente, como para su sotana: «Parece confirmado que Su Santidad concede un título pontificio a

[444] Simbólicamente, la buena sociedad provinciana se arrastra a los pies del cacique.

[445] T: satisfacción.

[446] T: juez.

[447] T: pulcros.

[448] En el manuscrito, sin tachar, aparece luego este párrafo: «Recuerdo uno, que aquella noche casi me hizo morir de risa. Era un padre francisco que por primera vez debía leer desde el púlpito un ejemplo de la vida del fundador. Como el padre estaba muy aturdido y era de temer que se embarullase, le acompañó otro fraile, a fin de darle ánimos y corregirle las equivocaciones. Estando, pues, este fraile escondido y agazapado dentro del púlpito, comenzó el otro a leer en alta voz: "nuestro padre San Cifrasco". El corrector tiró de los hábitos al lector y le bisbiseó: "San Francisco, hermano, San Francisco." Prosiguió el otro: "San Francisco comía como bestia..." El corrector tira del hábito apresuradamente y bisbisea: «como vestía, hermano, como vestía». Prosigue el otro: "como vestía; y dormía sobre una vieja". El corrector da un tirón angustioso: "vuelva la hoja, hermano, vuelva la hoja". El otro obedece y sigue leyendo: "tarima..." Ja, ja. ¡Qué gansada!»

los señores de Neira.» Estos señores de Neira eran un matrimonio sin hijos, riquísimos, muy metidos por la Iglesia. El marido presumía de origen hidalgo. Vivían en un palacio, frontero al de Somavia. Lo habían adquirido de una tal Pepona, cortesana vieja, la cual, a su vez, lo poseía por graciosa donación de su amante, el marqués de Quintana, desaparecido hacía años [449] del mundo de los vivos. El señor Neira había hecho labrar fantásticos escudos junto al alero del palacio para que se vieran de lejos y de muy lejos, pero no de cerca, por eso, por fantásticos. Gestionaba un título del reino, y por sí o por no se lo daban, y para ganar tiempo, otro del Vaticano, negocio más hacedero. En resolución, que los Neira querían hombrearse con los Somavia. Al oír la duquesa al señor Chapaprieta, comentó: «El Papa no puede hacer nobles». «Claro que no —dijo Barquín—; el Papa sólo puede hacer santos. Los nobles los hace el rey.» La duquesa replicó: «Barquín, eres un necio; ni el Papa puede hacer santos, ni el rey nobles. Santos y nobles se hacen ellos a sí propios. Lo que hacen el Papa y el rey es reconocerlos como santos y como nobles. Ni el Papa me puede hacer a mí santa, ni el rey noble a ti, aunque a mí me canonicen y a ti te otorguen un título de la Corona. La nobleza y la santidad son dos cosas justamente contrarias [450]. Los nobles fueron los más bravos; los santos, los más tímidos. Se diferencian nobleza y santidad en que la nobleza se transmite por herencia y la santidad no. Ya no hay más nobles que los que vienen de nobles, ni más aristocracia que la de la sangre vieja, porque no vivimos tiempos en que se puedan hacer nuevos nobles ni nuevos santos; nuevos nobles, porque en nuestra sociedad no hay ocasiones en que acreditar la bravura personal; nuevos santos, porque todos estamos tan bien protegidos por las leyes, que ni a los más tímidos se les pone en trance de que muestren su timidez en términos de santidad. En estos tiempos no hay posibilidad de [451]

---

[449] T: años antes.

[450] Nótese el estilo paralelístico, típico de las digresiones cultas de Ayala.

[451] T: no pueden.

ejecutar actos nobles ni actos santos; sí solamente actos provechosos, digo ganar dinero. Los hombres ahora pueden hacerse ricos.» Había hablado la Valdedulla. Aquellos mismos conceptos se los había oído ella infinitas veces a su padre, don Teodosio, y a su hermano, don Deusdedit. Respondió Barquín: «Luego debemos admitir que la aristocracia moderna es la del dinero...» Dijo la duquesa: «Me cisco en esa aristocracia» [452]. Así dijo. Y prosiguió: «Toda esta aristocracia de ricos se compone de negreros, de aprovisionadores de ejército, de prestamistas con pacto de retro, de desamortizadores; en una palabra: ladrones. No es que me escandalice. Ustedes me conocen y saben que nada me asusta. Reconozco que en el principio de las casas nobles, como en el de las grandes fortunas, hay siempre uno o varios ladrones. Sólo que aquellos ladrones obraban de frente [453], a pecho descubierto, eran bravos y generosos, o, lo que es lo mismo, nobles; y estos otros ladrones son cobardes, traicioneros [454], alevosos, miserables, taimados, bellacos, amigos de la encrucijada y la asechanza.» Como la duquesa se había acalorado, cuando calló nadie se atrevía a hablar. Pero mi padre dijo lentamente, porque no le saliese la frase en verso y de modo que sus palabras adquirieron un tono pedante y aforístico: «Tiene razón mi señora la duquesa. Quienes amontonan el oro son hombres viles. ¿Qué aconsejó Yago? Llena tu bolsa. Quienes lo conquistan y lo reparten son hombres nobles. ¿Qué hizo Hernán Cortés? Quemar sus naves. Quienes carecen de oro son hombres indiferentes» [455]. La alusión a las naves de Hernán Cortés, ni la entiendo, ni creo que mi padre la entendiese. Ello es que las sentencias de mi padre produjeron asombroso efecto. La duquesa sonrió complaci-

---

[452] En este discurso se ve claro que la duquesa no es totalmente negativa, como han pensado algunos críticos. Pérez de Ayala la censura, pero también la estima, conforme a su concepción del verdadero arte, que expone en *Las máscaras* y en *Troteras y danzaderas*.

[453] T: procedían.

[454] T: traidores.

[455] A Apolonio, en esta ocasión, parece que se le ha pegado algo del estilo enigmático y conceptuoso de Belarmino.

da y los tertuliantes mascullaron murmullos de aprobación. Terminó la reunión sin que la señora pusiese en evidencia el don poético de mi padre. No volví a asistir a las reuniones hasta muchos años después. Abrió mi padre, al fin, la zapatería con gran fortuna, y nos fuimos a vivir al local del establecimiento, de la parte del patio. Teníamos una asistenta vieja para aviar [456] las habitaciones, porque la duquesa, sabiendo lo enamoriscado que era mi padre, no consintió que tomase [457] criada, no fuese a perder la chaveta y hacerme a mí perder la inocencia. La señora cuidaba de mí como una madre. Me llevaba con frecuencia a comer con ella, y me daba libros a que se los leyese. También me enseñó algo de francés [458]. Gozaba yo entonces de hermosa libertad. Mis mejores amigos eran Celesto y Angustias, la hija de Belarmino. Pasábamos juntos dos o tres horas todos los días, bajo los arcos de la plaza en tiempo lluvioso, y los días serenos, de paseo en el parque o de excursión por las afueras, a coger flores y nidos, cazar grillos y pescar ranas. De Belarmino ya le he hablado. A poco de abrir mi padre la zapatería, la de Belarmino se hundió. Un usurero apellidado [459] Bellido se lo embargó todo, dejándole en la calle con su mujer y su hija. Le recogieron unos frailes dominicos, que tenían residencia en el palacio de los señores de Neira, marqueses ya de San Madrigal, y le habilitaron en la portería del palacio un zaquizamí, en donde trabajaba de zapatero remendón. Este Belarmino había sido republicano frenético y orador demagógico. Después de su ruina, se apaciguó del todo. Cuando yo iba por su cuchitril, estaba siempre con expresión seráfica, como si soñase. No le sacaba de su placidez bendita ni su mujer, que era un basilisco. Decíase en la ciudad que los padres dominicos le habían socaliñado y convertido. Socaliñado, quizá. Convertido, quiá. Lo que yo puedo garantizar es que ni entonces, ni mucho después, cumplía con sus deberes religiosos. Si no un incrédulo, cuando

---

[456] T: asear.
[457] T: tuviésemos.
[458] T: la lengua francesa.
[459] T: llamado.

menos era un tibio. Mi padre, que jamás ha querido mal a nadie, demostraba caprichosa inquina contra Belarmino. He aquí la razón. Mi padre, de su estancia en Compostela, estaba acostumbrado a moverse en un ambiente de ilustración, como decía él, o sea entre estudiantes. En Pilares, no ya le faltaba este ambiente o relación habitual, sino que quien lo disfrutaba era Belarmino. Este curioso individuo hablaba un idioma indescifrable, de su propia invención, con singular facundia. Era un fenómeno. A oírle, medio en guasa primeramente, luego empeñados en descifrarle, acudía buen número de estudiantes, y por último de profesores. Mi padre no podía llevar con paciencia su postergación. Se perecía por atraer la amistad de los estudiantes y demostrarles que él, intelectualmente, era muy superior a aquel loco. Un día que yo le menté [460] mis paseos con Angustias y Celesto, me prohibió que siguiese cultivando aquella compañía; pero, como no se enteraba de nada, no le hice caso. No hay que decir que mi padre había clasificado a Belarmino y todos los suyos entre las personas viles. Así pasaron cerca de dos años. Un mes de septiembre, volviendo la duquesa de la aldea, me invitó a comer. Cuál no sería mi susto y perplejidad cuando vi que había otro invitado, nada menos que su ilustrísima el señor obispo de la diócesis. Llamábase fray Facundo Rodríguez Prado. Este varón solemnísimo [461] había sido en su mocedad pastor de vacas, al servicio del duque de Somavia. La duquesa continuaba tratándole como criado. Los Somavia, merced a sus influencias, le habían hecho obispo [462]. Provenía de la Orden dominicana. Había vivido algunos años en las islas Filipinas, y allí se había granjeado reputación de sabio entomólogo y se le atribuía el descubrimiento de varias familias de insectos: la *musca magallanica,* mosca como la de aquí, sólo que reside en el archipiélago magallánico; el *draco furibundus,* especie de mosquito de trompetilla; *formica cruenta,* hormiga que pica, y otras

---

[460] T: se enteró que.
[461] T: distinguido.
[462] Para Pérez de Ayala, el caciquismo se mantiene también gracias a la Iglesia; aquí, a la debilidad del obispo.

bestezuelas domásticas. Los periódicos siempre le nombraban así: «Nuestro prelado, el sabio naturalista, de fama universal, que ha descubierto tantos insectos.» Y el diario republicano ponía invariablemente esta glosa: «Si nuestro prelado, en lugar de descubrir tantos insectos, hubiera descubierto un buen insecticida, se lo agradecería más la Humanidad y la ciencia y ostentaría una fama mejor conquistada.» Era un cacique, tenía el cráneo como una bola, faz [463] sombría y concupiscencias [464] políticas. Durante la comida, la duquesa le soltó varias frescas y uno que otro sabroso ajo. Después de la comida, su ilustrísima se fue, en apariencia emberrenchinado, y quedé cara a cara con la duquesa, la cual, muy seria, me dijo: «Mi hermano, en su testamento, ha dejado unos cuartejos, poca cosa, para que con ellos, según mi arbitrio, vea yo de hacerte hombre. Después de pensarlo mucho, he determinado que seas cura. Hoy por hoy, hijo mío, los curas son los [465] hombres que en España cuentan con porvenir más halagüeño [466], máxime [467] si tienen aldabas. A un gaznápiro con faldas, aunque pertenezca a la familia más baja [468], se le admitirá en las mejores familias; aunque no posea un céntimo, no le desdeñarán los más ricos; aunque sea un sandio, le escucharán los políticos y los académicos; aunque sea más feo que Picio, le mirarán hasta con embeleso las más hermosas mujeres. Todo depende de que él sepa manejarse [469]. Poco hemos de poder mi marido y yo si no te hacemos obispo. Ya has visto este majadero de Facundo [470], tan obispo como San Agustín. Y al pobre Chapaprieta no le tenemos ya de obispo porque a ése, tan engurruñado, soso y melifluo, nada se

---

[463] T: cara.
[464] T: ambiciones.
[465] T: únicos.
[466] T: seguro.
[467] T: particularmente.
[468] T: cerril.
[469] El anticlericalismo de Pérez de Ayala se funda en el excesivo poder social que —según él— poseen los clérigos en España.
[470] T: Raimundo.

le puede hacer, como no sea madre abadesa[471]. Tú eres listo y nada gazmoño. Los hábitos no te sentarán como un miriñaque. Cuando sea menester, sabrás remangarlos. Además, eres honrado, veraz y tienes buen corazón, todo lo que se necesita para ser sacerdote caritativo y digno. Confío que nunca me motejarás, ni con el pensamiento, por haberte empujado por ese camino.» Nunca se lo motejé, ni con el pensamiento. Ella hizo lo que en conciencia juzgó más conveniente, lo que quizá fue más conveniente. Entré en el seminario de edad de quince años. Son ya las dos de la madrugada. Mañana continuaremos, si a usted no le hastía seguir escuchando.

—Lo que lamento[472] es que no sean ahora mismo las diez de la noche del día de mañana.

Nos despedimos, con un apretón de manos.

---

[471] T: y para eso haría falta una operación complicada.
[472] T: siento.

Capítulo V

El filósofo y el dramaturgo

Don Restituto y doña Basilisa, los señores de Neira, marqueses de San Madrigal, constituían un matrimonio bien avenido [473] y estéril. Él lucía una nariz tumefacta, roja y compleja, de esas que con tan afectuosa minucia gustaban de analizar [474] los pintores flamencos [475]. Ella conservaba perpetuamente la expresión satisfecha [476], candorosa y benigna que suelen llevar [477] aparejada los rostros de facciones vulgares cuando el estómago está sano y bien repleto [478]. Era mucho más joven que el marido, mantecosita, frescota y en sazón todavía de hacerles la boca agua a los aficionados a manjares suculentos y a la Venus pingüe. Vestían los dos de negro. Vivían rodeados de servidumbre, compuesta toda de varones y vestida también de negro. Todos los criados tenían un aire común de seminaristas famélicos o de mandaderos de monjas; actitudes humildosas, ademanes de «todo sea por Dios», caras largas, huesudas, amarillas. Todos, hasta el

---

[473] T: un matrimonio viejo.
[474] T: pintar.
[475] Muchas veces presenta Pérez de Ayala a un personaje o situación en términos artísticos.
[476] T: sosegada.
[477] T: que va siempre.
[478] T: alimentado.

cocinero. Y eso que se les echaba de comer con largueza [479].

Don Restituto y doña Basilisa, o la señora Emperatriz,
como la llamaba el Padre Alesón, el políglota, eran lo que
se dice dos almas de cántaro, incapaces de causar mal a
nadie a sabiendas, ni tampoco de hacer bien a sabiendas,
por eso, porque no sabían exactamente lo que era el mal
ni el bien ajenos. El bien sumo a que ellos aspiraban era
a salvar el alma; y de una manera secundaria, cuando
surgía la oportunidad, cooperaban a que el prójimo se
pusiese en vía de salvar la suya. No se conformaban,
claro está, con que todos, el prójimo y ellos, salvasen el
alma de la misma suerte, pues también en el cielo, como
en este valle de lágrimas, hay capas sociales [180], hay coros, dominaciones, tronos, etc., etc.; en suma, categorías [481]. Don Restituto se servía de una comparación. El
cielo [482] es como un teatro. El público lo forman los bienaventurados, los que se salvan. El protagonista es Dios.
Luego, en el escenario, hay otros personajes, comparse-
ría, orquesta, coros; la misma Iglesia asegura que hay coros. Pues bien: es absurdo pretender que en un teatro
se acomode todo el público en palcos y butacas. Estas
localidades son para los espectadores distinguidos, y las
galerías y cazuela para la plebe. Y prueba de que la cazuela es también paraíso la ofrecen los mismos teatros de
este mundo, en los cuales se dice indistintamente paraíso
y cazuela. El purgatorio es como el vestíbulo del celestial coliseo, lugar de los que deben [483] esperar con la natural impaciencia. Don Restituto no podía conformarse
con que a él y a su Basilisa les diesen una entrada general de galería para contemplar de lejos la gran apoteosis
de la eternidad, puesto que él pagaba el billete tanto como
el que más y más que casi todos. El alma de don Restituto y de su consorte era tan simple e ilusionada, que Dios

---

[479] T: abundancia.
[480] Se burla Pérez de Ayala de la religiosidad burguesa que
entiende la salvación como un negocio.
[481] T: sociales.
[482] T: paraíso.
[483] T: tienen que.

hubiera pecado de cruel si en el momento de llevarlos de este mundo y abrirles la puerta del cielo no hubiese ordenado a San Pedro, acomodador [484] en jefe, que les situase en una platea proscenio, desde donde pudieran ver bien y que los vieran bien a ellos.

Por lo pronto, en esta vida disfrutaba ya la piadosa y optimista pareja de un anticipo, casi garantía, de lo que había de ser su futura posición en el empíreo. Curas, frailes y hasta el señor obispo los visitaban, los adulaban, los mimaban y, en definitiva, los trataban como a presuntos bienaventurados de la clase más distinguida. Si don Restituto pretendía títulos mundanos, no era por vanidad, sino por una especie de sentimiento de clase, por decoro, como si dijéramos, de aquella categoría de bienaventurados de platea y butaca a que él pertenecía, y por justificarse, en algún modo, con los de galería y cazuela.

Provenía don Restituto de una familia humilde de la montaña, y en este accidente del nacimiento fundaba su crédito a cierta nobleza titular, pues para él todos los montañeses llevan algo de sangre hidalga. Había ido de niño a Cuba, y allí, en treinta años de reclusión y trabajos forzados, había amontonado un fortunón [485]. Y, sin embargo, don Restituto desmentía prácticamente la sentencia de la duquesa de Somavia, que todo rico es un ladrón. Don Restituto jamás había robado; o si había robado, robó sin enterarse, que para el caso es lo mismo. Había llevado en Cuba una vida de monje sobrio [486] y asiduo, sin contaminarse con la corrupción general de aquella isla verdiaurina y voluptuosa; o, como él decía, pregonando ingenuamente su austeridad: «No he conocido mulata, ni menos negra.» De las blancas no hablaba.

Y así vegetaba ahora, a la vera de doña Basilisa, siempre unidos, transmitiéndose templadas corrientes de mutuo afecto conyugal, pensando en salvar el alma, y no descuidando ayudar a salvar otras.

---

[484] T: taquillero.
[485] Aparece frecuentemente en la obra de Pérez de Ayala el tema del indiano: su padre lo fue (Pérez Ferrero,. pág. 14).
[486] T: casto.

—Padre Alesón —dijo don Restituto—, ese Belarmino me trae... nos trae muy preocupados. ¿Verdad, Basilisa? No oye [487] misa, y eso que ningún trabajo le costaba, puesto que podría oírla sin salir de casa. ¿No será un hipócrita? ¿No continuará tan apóstata como antes? ¿Salvará su alma?

—Mi señora Emperatriz y mi señor don Restituto —respondió el Padre Alesón—, ¿les merece confianza mi dictamen? ¿Sí? Pues helo aquí, por lo sucinto: Belarmino es un cuitado; Belarmino carece de alma racional.

—¿Quiere usted decir que es una bestia, un hombre peligroso? —preguntó don Restituto, alarmado.

—Más bien un niño. Posee, evidentemente [488], un alma racional, como criatura humana que es; pero es un alma racional que no es racional. ¿He desnudado mi pensamiento? Su alma se halla todavía en el período infantil, o de idiotez, si ustedes quieren. No piensa, no discurre, sino de una manera torpe y rudimentaria. Como está bautizado, cuando muera se salvará. Si no estuviese bautizado, iría al limbo de los niños. Éste es mi dictamen, meditado con mucha gravedad e ilustrado con el parecer de autorizados teólogos. Belarmino es un idiota de nacimiento y no ha podido pecar nunca. Belarmino, cuando andaba suelto, era un hombre de cuidado, porque de cuando en vez le atacaban ramalazos de locura, y la locura es contagiosa, sobre todo la locura impía, que es la que a él le aquejaba. La de Belarmino, como ustedes no ignoran, era de frenético arrebato, se propagaba como fuego, causaba escándalo a los corazones sensibles, inducía al desprecio de las cosas santas y amenazaba provocar mayores daños. Este frenesí ya se le pasó, gracias a la caridad de ustedes. ¿Qué más podemos desear? El Belarmino terrible ha dejado de existir. Queda el otro Belarmino: el dulce, el idiota, el maniático. ¿Que no va a misa? ¿Qué falta hacen los niños [489] en misa?

—¿Y no teme usted, Padre Alesón, que le vuelvan los ramalazos?

---

[487] T: asiste a.
[488] T: claro está.
[489] T: los perros.

—Él ahora dice que es un filósofo: sea. Un filósofo no estorba, ni molesta, ni perjudica, siempre que no se le tome en serio. Sobre todo, a los filósofos atarlos con longanizas. Mientras Belarmino continúe recogido [490] en esta mansión hospitalaria; mientras nada le falte para cubrir sus necesidades; mientras no se le estorbe en su manía de leer lo que no entiende y de comunicarse con algunas personas, aliviando por eliminación el peso de los disparates que se le acumulan en la cabeza; mientras dure esta situación presente, todo irá a pedir de boca.

—¡Oh, qué sabio es usted, Padre Alesón, y cómo se me aclaran [491] las cosas más turbias [492] oyéndole! Veo [493] a Belarmino leyendo librotes y escribajeando papelorios lo más del día, y creía que esto no podía por menos de martirizarle los sesos y volverle más loco de lo que está. Yo juzgaba por mí, que no leo más que el libro de misa. Pues no puedo leerlo sin que se me levante dolor de ojos y de cabeza. ¡Dios me perdone! Y cuanta más atención pongo, peor. Pero acaba usted de decirnos que a Belarmino no le perjudica tanta lectura porque es de libros que no entiende. ¡Quién lo dijera! Lo natural parece lo contrario. Pues, ve ahí; tiene usted razón. Ahora caigo en la cuenta que cuando leo las oraciones en latín, que no entiendo jota, no me duelen los ojos ni la cabeza —así habló doña Basilisa. Añadió:— ¿Y la otra, la Juana, su mujer? Me parecía algo, vaya, algo así..., una tarasca.

—Tarasquísima —afirmó el dominico—; pero está totalmente domesticada. Su domesticidad, y más todavía su ausencia, contribuyen no poco, en mi sentir, a que Belarmino viva en paz octaviana. La Juana, por orden nuestra, no aparece por el zaquizamí de la portería; se está en la habitación que les dieron ustedes de vivienda, y cuando no, de paseo por la calle o de novena [494] en alguna iglesia. La hija, Angustias, esa sí hace compañía

---

[490] T: acogido a.
[491] T: me explica.
[492] T: difíciles.
[493] T: Como veo.
[494] T: visita.

frecuente [495] a su padre, como ustedes habrán visto. Es decir... Voy a revelarles un secreto: Belarmino no es padre legítimo de Angustias...

—¿Cómo? —interrogaron a la par don Restituto y doña Basilisa, un poco escandalizados. Prosiguió solo don Restituto—: ¿hija espúrea acaso? ¿De él o de ella? De manera que... ¿nos la han estado pegando? [496]

—Calma, señores míos. No hay novela y sí hay novela. La niña es hija legítima de una hermana de Belarmino, mujer infeliz, viuda de recién casada, que murió de sobreparto, dejando ese recuerdo vivo, esa niña. Belarmino se hizo cargo de ella y la crió con biberón. Por eso él dice, y es de las ocasiones contadas en que habla lengua inteligible, que la ama más que como padre: como padre y como madre juntamente. Respondo que eso es verdad: la quiere con delirio.

—Y eso que es idiota... —dijo doña Basilisa.

—Sí, señora; lo cual demuestra que Dios hizo a los hombres naturalmente buenos, y que todos los delitos de la voluntad y fealdades de la conducta son instigados por la inteligencia rebelde y la razón soberbia. Por eso, en la doctrina cristiana se nos advierte que los pobres de espíritu verán a Dios.

«Lo verán desde la cazuela y sin sacarle punta a la función» [497], pensó don Restituto.

El Padre Alesón proseguía.

—Esa paternidad putativa y seudomaternidad de Belarmino [498] ocurrió un año antes de casarse con la Juana. La Juana, por el momento, no soltó prenda; pero ya casada, y así que sacó el genio, declaró que no se dejaba engañar por Belarmino, y que Angustias era una hija de tapadillo. No hay manera de convencerla de su error. Digo error, porque yo hube de comprobar la certidumbre

---

[495] T: alguna vez.
[496] T: engañando.
[497] T: al espectáculo.
[498] M: —aquí doña Basilisa, oyendo eso de putativo y seudomaternidad, pensó que el padre Alesón quería dar a entender, por medio de tupidas ambigüedades y púdicos circunloquios, que el nacimiento de la niña no era trigo limpio—.

de la historia que antes referí; hay testigos fidedignos que la acreditan. Pero la Juana es obstinada y de cortas entendederas. Y vamos al grano. El furor de Juana contra Belarmino, siempre que se irritaba, y el motivo que la hacía irritarse tan a menudo, derivábanse de la existencia de esa niña. Que la Juana no ve con buenos ojos a la muchacha, se cae de su peso. Si los señores, tan generosos siempre, decidiesen darle educación [499], enviarla a un colegio y hacer ver a Juana que se interesan por la niña [500], no sería extraño que esta mujer, en parte por egoísmo, en parte por vanagloria, cambiase de sentimientos y concluyese muy pronto por alardear de tener una hija que va para señorita.

—Así se hará —se apresuraron a decir, a una, marido y mujer. Prosiguió solo don Restituto—: Es usted un pozo de ciencia y un santo varón.

—¿Y le sigue armando caramillos la Juana a Belarmino? —inquirió doña Basilisa.

—Ya no. La procesión andará por dentro; se repudrirá, dejará escapar una que otra pulla; pero, en general, se comprime.

—Eso será catequización de usted, Padre Alesón —dijo doña Basilisa, con enérgica persuasión—. Le ha enseñado usted la práctica de la paciencia, esa virtud tan necesaria para salvarse.

—Mi señora Emperatriz —replicó el enorme dominico—, yo no enseño nada a nadie, ni siquiera idiomas, que es de lo único de que se me alcanza un poquito. La paciencia, y otra porción de virtudes, son necesarias para salvarse; no sabría decir cuál más y cuál menos. Pero si la Juana se ha orientado por el camino de perfección y comienza a ejercitarse en la paciencia y otras virtudes, débese, ante todo, a una circunstancia en apariencia insignificante y en rigor importantísima, la cual ustedes han procurado [501], que no yo [502]. Para salvar el alma lo esencial es tener la mesa puesta a hora fija. Nos-

---

[499] T: a esa niña.
[500] T: por ella.
[501] T: se debe a ustedes.
[502] T: a mí.

otros los religiosos lo sabemos bien; como que la idea de las órdenes religiosas es esa precisamente. Hacemos voto de pobreza; es decir, nos libertamos ya para siempre de la preocupación económica, y nos consagramos a la contemplación, a la predicación, a la caridad, ora pasiva, ora activa, mendigando y dando ocasión a los demás para que se muestren caritativos, como hace la Orden franciscana, o bien socorriendo y mostrándonos nosotros mismos caritativos, al estudio, a la enseñanza, a la misión apostólica y conversión de gentiles, a un sinfín de obras largas y duras, egoístas y a la par desinteresadas, que nos absorben de la mañana a la noche, gracias a que estamos seguros de que tenemos siempre una cama, aunque dura, so un techo, y la mesa, aunque sobria, aparejada [503] a hora fija. Yo hice voto de pobreza y profesé en la santa Orden dominicana. Pues vean ustedes lo que son las cosas; en el acto mismo de adoptar la pobreza, me encontré con que poseía más riqueza que los más opulentos ricachos y potentados de la Tierra. Dondequiera que voy, no digo ya por las ciudades de estos reinos, sino a otras naciones, pues que he viajado largas [504] tierras: Inglaterra, Rusia, Francia, Alemania, Italia..., y no digo ya de estas naciones europeas, sino otros continentes: África, Asia, América, Australia [505], donde quiera que voy tengo una casa mía, ¡y qué casas!, mayores que un palacio, y mesa puesta, y lecho apercibido, y jamás me falta dinero para ir hasta el fin del mundo. Díganme ustedes si no es idea ingeniosa la de instituir la pobreza como norma de vida... Un rey de Francia quería que todos sus vasallos pusiesen a diario gallina en la olla [506], porque de esta suerte serían felices y no se verían en tentación de cometer delitos contra el Estado. Yo quisiera que todos los hombres de toda la Tierra tuviesen mesa abundante a hora fija [507], porque así se suprimirían casi en absoluto las tentaciones de renegar de Dios. ¡Oh, qué

---

[503] T: puesta.
[504] T: lueñas.
[505] M: Australasia.
[506] T: el puchero.
[507] T: comiesen gallina a diario.

bien estaríamos si, por último, la humanidad se desembarazase de la preocupación del pan de cada día[508] y las naciones se organizasen al modo de grandes monasterios, en donde no hubiera pobres ni ricos y a nadie le sobrase ni a nadie le faltase la casa y la mesa, y la obediencia fuese una blanda ligadura que a nadie impidiese dedicarse con alma y vida a aquello para que Dios le dio vocación... ¡Con qué devoción, con qué unción, con qué sinceridad se rezaría entonces el Padrenuestro! Entretanto llega eso, que dudo que llegue, ¡benditos sean los ricos, como ustedes, que administran en beneficio de los pobres la riqueza, como si no les perteneciese, ya que sólo a Dios pertenece!

El Padre Alesón emitió un suspiro que, a causa de lo aflautado de la voz, parecía más de monja que de fraile. Continuó en diapasón agudo:

—Amados y respetables señores míos: no sé si les habré chocado, a causa de mi franqueza, o si les habré aburrido con tan larga plática. A fuer de riojano, hablo en plata; y como fraile, debo hablar en tono grave[509], a pesar de mi voz de tiple. Quedamos, pues, en que la Juana y la niña van muy bien, aunque pudieran ir mejor, y Belarmino no puede ir mejor, aunque no oiga misa.

Y el voluminoso fraile se levantó de un asiento que antes se creyera que era un butacón, ya que el padre lo llenaba de brazo a brazo; pero, así que se hubo levantado, resultó ser un sofá, y no de los pequeños[510].

Belarmino no podía ir mejor. Tenía mesa puesta a hora fija, cama limpia en sitio fijo también, y la seguridad de que ni la una ni la otra sufrirían zarandeo o zozobrarían, según el vaivén de los negocios. Ya no le aquejaba a Belarmino la congoja del mañana. Trabajaba lo que quería y cuando quería, más por cumplir con los señores de Neira y con los frailes que por necesidad de ganárselo o por ambición de añadir algún dinerillo para antojos. Sus únicos antojos eran los de su hija, y a éstos

---

[508] T: la preocupación económica.
[509] T: con gravedad.
[510] Hipérbole dickensiana (Baquero Goyanes, pág. 207).

solían acudir con mano longánime los señores. Al pasar de zapatero con tienda puesta a zapatero de portal, era para él como si después de un largo viaje por mar, y tras inquietudes [511], amenazas y agonías, llegase a puerto, y, ya desembarcado del grande y temeroso navío, hubiera ido a cobijarse definitivamente en una de esas lanchitas que, asentadas quilla arriba sobre la playa, sirven de vivienda a los marineros retirados. Belarmino continuaba siendo zapatero; su nuevo cuchitril continuaba siendo zapatería; no de otra suerte que la lancha quilla arriba sobre la playa continúa siendo una embarcación. Lo de ahora era como lo de antes; pero al revés. ¡Con qué fruición beatífica, acogido ya a seguro, contemplaba Belarmino al airado mar del mundo! Ahora Belarmino reposaba. Apolonio comenzaba a engolfarse en el negro ponto de las empresas mercantiles. Cierto que iba viento en popa; pero Belarmino, viendo navegar la nave de su afortunado rival, pensaba, con sentimiento lastimoso: «¿Cuánto durará la bonanza? Un guiño de ojos. Te embestirán las tormentas. Te veré vacilar y bailar sobre las olas, como un cojo sin muletas. Te hundirás, sin que te sirvan de nada tu pie ario y tu pie semita. ¡Ay de ti si entonces no sabes ser filósofo!» Contribuía en medida considerable a la serenidad presente de Belarmino haberse libertado, en el transbordo, de no floja impedimenta. Xuantipa ya no le pesaba a todas horas del día; habían cesado las visitas cotidianas del usurero Bellido y de Felicita la solterona. El rubicundo y jovial Colignon perseveraba fiel en el afecto a Belarmino, y el zapatero le correspondía cordialmente [512].

El menaje profesional de Belarmino se reducía a los más indispensables utensilios de zapatería, de los cuales don Restituto le había hecho graciosa donación: unas pinzas, un rebote de correderas, una gubia, un desborrador americano, un rodillo de picar, un sacabocados, varias leznas y un torno de montar con horma de hierro. El torno era remedo y trasunto fiel de un caballejo; re-

[511] T: inenarrables inquietudes.
[512] T: íntegramente.

cordaba a Clavileño, si bien de correspondencia equina más semejante que la volátil cabalgadura del manchego [513]. El tronco era realmente un tronco, un leño robusto asentado sobre cuatro patas, más ancho por la grupa que por los pechos, y sobre ellos se levantaba una tabla ancha y delgada, a manera de cuello, en donde encajaba, con juego articulado y la planta hacia arriba, una horma de hierro, que vista de perfil era enteramente una cabeza de caballo. Montado sobre este diminuto caballete Belarmino se pasaba la vida. Primeramente, de recién instalado en su cuchitril, hacía alguno que otro par de borceguíes para los criados de la casa y para los frailes. Luego fué abandonando poco a poco este linaje de trabajo y se dedicó a composturas. Un día se dijo: «Ya soy remendón de portal», y se le llenó el alma de gozo, como si hubiera conseguido al fin una posición firme largo tiempo anhelada. Trabajaba con [514] intervalos; los ratos de trabajo, cada vez más leves, y los intervalos, cada vez más largos. En estos intervalos leía, apoyando el libro sobre la horma de hierro, y tomaba notas en el cuadernito de hule. En ocasiones meditaba, ajenado [515] de la realidad externa, siguiendo con los ojos formas sólo visibles para él, que cruzaban por el aire. Leía a su modo, conforme a un método original. El diccionario, en su opinión, era epítome del universo, prontuario sucinto de todas las cosas terrenales y celestiales, clave con que descifrar los más insospechados enigmas. La cuestión era penetrar esa clave secreta, desarrollar ese prontuario, abarcar de una ojeada ese epítome. En el diccionario está todo, porque están todas las palabras; luego están todas las cosas, porque la cosa y la palabra es uno mismo; nacen las cosas cuando nacen las palabras; sin palabras no hay cosas, o si las hay, es como si no las hubiese, porque la cosa no existe por sí ni para otras cosas —por ejemplo, una mesa no sabe que existe, ni la mesa existe para una

---

[513] En este párrafo se basan varios críticos (especialmente, Maruxa Salgués de Cargill) para comparar a Belarmino con don Quijote.

[514] T: a.

[515] T: enajenado.

silla, porque la silla no sabe de la existencia de la mesa—, sino que existe solamente para un *Inteleto* que la conoce, y en cuanto que la conoce, le da un nombre, le pone una palabra. Conocer es crear, y crear conocer [516]. Todo lo anterior es un fragmento de las especulaciones belarminianas. ¡Lo que hace la prolongada actitud sedentaria y el ocio discursivo!... Los filósofos son hombres en cuclillas, incluso el peripato, que si explicaba paseando, encuclillado edificó su sistema [517]. Prosigue. Dedúcese que si el diccionario es todo aquello que hemos dicho, diccionario vale tanto como cosmos. Belarmino, en virtud de la reciprocidad de entrambos vocablos, y para evitar confusiones, había fijado a la inversa, para su uso, el empleo y significación de cada uno de ellos, y cuando decía el cosmos, quería decir el diccionario, y cuando decía el diccionario, quería dar a entender el universo. Si le pedía a Angustias que le diese el cosmos, la niña, por experiencia, ya sabía que le tenía que entregar aquel libraco, el cual, para ella, eran tan lógico que se llamase cosmos como que se llamase diccionario. Pero —prosigue la especulación belarminiana— así como la mayoría de los hombres viven en el diccionario —es decir, en el mundo—, sin enterarse de que viven, así también consultan y leen el cosmos —es decir, el diccionario—, sin enterarse de lo que leen. Vivir es conocer, y conocer es crear, dar un nombre. Cuando un hombre llama árbol a un árbol porque le ha oído llamar así, ese hombre no conoce el árbol ni sabe lo que dice; si conociese al árbol, lo hubiera creado él mismo, le hubiera dado un nuevo nombre. Y ahora viene lo más sutil de la especulación belarminiana. En el cosmos —es decir, en el diccionario— están los nombres de todas las cosas, pero están mal aplicados, porque están aplicados según costumbre mecánica y en forma que, lejos de provocar un acto de conocimiento y de creación, favorecen la rutina, la ignorancia, la estupidez, la charlatanería gárrula y el discurso vulgar,

---

[516] Carlos Clavería señaló la cercanía de ésta y otras teorías de Belarmino a las de Max Müller.

[517] La metáfora del novelista no deja de encerrar una ironía contra el método aristotélico.

vacío y memorista [518]. Están los nombres en el cosmos
—es decir, en el diccionario— como aves en jaula, o como
vivos narcotizados y escondidos en sepulcros con siete
sellos. Belarmino hallaba una manera de placer místico,
un a modo de comunicación directa con lo absoluto e íntima percepción de la esencia de las cosas cuando rompía los sellos sepulcrales para que se alzasen los vivos
enterrados, y abría las jaulas para que las aves saliesen
volando. Leía las palabras del cosmos —es decir, del diccionario—, evitando, con el mayor escrúpulo, que ro-
zasen sus ojos la definición de [519] que iban acompañadas.
Leía una; en rigor, no es que la leyese, la veía, materialmente, escapándose de los pajizos folios, caminar [520] sobre
el pavimento, o volar en el aire, o diluirse nebulosamente
en el techo. Unas veces eran seres; otras eran cosas; otras,
conceptos e ideas; otras, sensaciones de los sentidos;
otras, delicadas emociones. Tal vez se producían resulta-
dos que, para un espíritu superficial, pudieran parecer
cómicos; pero, en el fondo, todo era muy serio [521]. *Camello* [522], decía el cosmos —es decir, el diccionario—; y
Belarmino veía, en efecto, brotar de la página el dicho
cuadrúpedo rumiante, aunque muy mermado de proporciones, y salir andando despaciosamente por el piso;
pero [523] a los pocos pasos del perfil de la bestia, ya de
suyo sinuoso, se deformaba más todavía, evolucionaba,
se transformaba; el animal se ponía en dos pies, apare-
cía vestido con uniforme; la cabeza, sin perder la expresión primitiva, tomaba rasgos humanos; las jorobas se
convertían en alforjas, que colgaban al pecho y espalda,
y de una de las bolsas salía un gran cartapacio. Belarmino acababa de comprender un ser del diccionario —es
decir, del mundo sensible—, y, por conocerlo, había
creado una nueva palabra. Camello, de allí en adelante,

---

[518] T: rutinario.
[519] T: con.
[520] T: y salir corriendo.
[521] Esta frase (desde «Tal vez se producían...») no aparece en
el manuscrito. Alude, una vez más, a lo tragicómico.
[522] T: «Dromedario». Lo mismo siempre, más abajo.
[523] T: más.

significaría para él ministro de la Corona. Dromedario [524] significaba sacerdote o ministro del Señor, después de un proceso evolutivo semejante. No se crea que en el léxico belarminiano las voces dromedario y camello entrañaban intención contumeliosa o despectiva; antes al contrario, implicaban admirativa [525] comprensión [526]. Aludían al desierto de indiferencia en que se mueven así el gobernante como el sacerdote, a la sobriedad que practican o deben practicar, a la pesada carga que conducen a hombros, y, finalmente, la joroba simbolizaba [527] la responsabilidad que llevan adherida a la propia espina dorsal, y que en el gobernante es doble, para con Dios y para con los hombres, y en el sacerdote sencilla, sólo para con Dios. Y de aquí, joroba: responsabilidad; un nuevo acto de creación en el cosmos —es decir, en el diccionario— de Belarmino. Otras palabras le producían únicamente sensación de cualidades físicas [528]. Pero las palabras que con mayor ansiedad perseguía, las que le transían de entusiasmo en comprendiéndolas y creándolas, eran aquellas que a él se le antojaban términos filosóficos y que, por ende, expresaban [529] un concepto inmaterial: *metempsícosis, escolástico, escorbútico,* etc., etc. Después de una revelación no poco difícil de interpretar, Belarmino había definido así aquellos tres términos: *metempsícosis,* es lo mismo que intríngulis indescifrable, lo incognoscible,

---

[524] T: Camello.

[525] T: respetuosa.

[526] Aunque lo niegue el narrador, no dejan de suponer una intención irónica.

[527] T: significaban.

[528] T: *Estilo arquitectónico:* ¡qué hermosa le pareció esta cópula de vocablos, cuando los vio alzarse por primera vez de las páginas del libro con alegre alacridad, con graciosa parábola, al modo del chorro que envía una manga de riego! Quedó Belarmino deslumbrado y como en éxtasis; ante sus ojos se desplegaba un radiante arco iris. Y de aquí: estilo arquitectónico= arco iris. A medida que iba leyendo la designación correspondiente a cada estilo, Belarmino recibía una sensación pura de color. Y de aquí: románico = rojo; gótico = amarillo, dorado; helénico = azul; plateresco = blanco, argentado; compuesto = negro.

[529] T: contenían.

das [530] *ding an sich* de Kant, y viene de psicosis, o sea intríngulis, y mete, introduce, esconde; meter intríngulis en las apariencias sencillas [531]. *Escolástico* es el que sigue irracionalmente opiniones ajenas, como la cola de los irracionales sigue al cuerpo [532]. *Escorbútico* vale tanto como pesimismo, y viene de cuervo, pájaro sombrío y de mal agüero. ¡Era mucho hombre aquel Belarmino!

El cuchitril en donde Belarmino filosofaba y remendaba zapatos estaba bastante por debajo del nivel de la calle. Se descendía desde el portal por unos escalones de piedra. Las paredes, encaladas con caprichosos arabescos verdinegros de la humedad. Recibía la luz por un ventano apaisado, con barrotes de hierro, que por la parte de dentro lindaba con el cielo raso y por fuera arrancaba a ras de la calzada; por allí se metía un raudal compacto de claridad cenizosa, como en los cuadros que representan apariciones, y se derramaba, a modo de bautismo, sobre el costado izquierdo de Belarmino [533]. A través del ventano se veían pasar las piernas de los transeúntes, de rodilla abajo, haciendo un ruido acompasado sobre las losas. Belarmino pensaba hallarse providencialmente metido en la entraña de la tierra, colocado en la raíz y cimiento de las cosas, y que para conocer a los hombres lo mejor es verles nada más que los pies, que son la base y fundamento de las personas. Pero, hundido [534] en aquella penumbrosa covacha, oficina en donde se destilaban y clarificaban los enigmas del pensamiento y de la existencia, de continuo a horcajadas sobre su torno de montar, que era Clavileño y era Pegaso, Belarmino se eximía de la gravitación y esclavitud de la materia, volaba libremente por los espacios fantásticos, se cernía en las esferas uranias, contemplaba el diccionario —es decir, el mundo— desde perspectivas tan remotas que acaso se

---

[530] M: «die». Vacilación en el alemán.
[531] «meter intríngulis a las apariencias sencillas» no está en el manuscrito.
[532] La falsa etimología, con separación de dos elementos, parece un pretexto para burlarse de la escolástica.
[533] Otra presentación de la realidad novelesca en términos artísticos.
[534] T: aunque hundido.

mareaba y se le ponía la carne de gallina. Como Belarmino, aunque el Padre Alesón le reputase insensato, era un
hombre muy sensato, se dio cuenta del daño irreparable
que le amenazaba, y era, elevarse tanto, que un día se
extraviase más allá de las nubes y no pudiera volver al
comercio y relación con los demás hombres. Cada vez
que se despojaba de una palabra muerta y creaba una palabra viva, era como si arrojase lastre por la borda y ad-
quiriese nueva cantidad de fuerza ascendente. «Puede
llegar un momento en que no pueda hablar con mi hija,
porque no la entienda ni me entienda y hasta me tome por
loco» [535], y el corazón se le quedaba en suspenso. ¿Qué
hacer? Al punto dio con la solución. Debía conservar el
lastre, bien que procurase seguir aumentando la energía
ascendente; debía esforzarse, costase lo que costase, en
no ir olvidando el idioma vulgar, a fin de usar de él con
su hija y con alguna otra persona de su afecto, si fuese
menester. Pero ¿cómo evitaría olvidarlo, si estaba a solas
casi siempre? El Inteleto le cuchicheó algo dentro del
cráneo, y Belarmino salió a la calle, fue andando hasta
la aldea, y en el primer caserío encargó que le buscasen
una urraca y se la llevasen al cuchitril. Había oído que
a las urracas, con paciencia y buen vino se les enseña a
hablar. Hubiera preferido un loro, pero no tenía dinero
y dudaba que se encontrasen en el mercado. Llegó pocos
días después el aldeano con la urraca, blanca y negra
como los padres dominicos. «Ahora, a enseñarle el
idioma más vulgar posible», se dijo Belarmino, no sin
cierto desconsuelo y perplejidad, porque no se le ocu-
rrían vulgaridades ni le tentaba ingeniarse en inventarlas.
Mirando melancólicamente a la urraca y su lustroso plu-
maje dominicano, por asociación de imágenes se le ocurrió que el Padre Alesón podía sacarle del apuro, y fue
a pedirle que le prestase un libro de poesías y algún discurso. Belarmino consideraba la poesía y la oratoria como las formas más vulgares de dicción. El dominico [536] le
prestó un tomo de Selgas y un folleto con discursos de

---

[535] En lingüística, la función expresiva del lenguaje puede
llegar a oponerse a la función comunicativa.
[536] T: la torre de Babel.

don Alejandro Pidal y Mon [537]. Belarmino cortó al pájaro las guías de las alas y lo metió en el fondo de un barril oscuro. Allí le daba sopas en vino blanco fuerte, e inclinándose sobre el tonel le leía, separando bien las palabras, versos de Selgas y párrafos de Pidal. Como cierta vez leyese esta frase de Pidal: «Jáctome de ser escolástico», Belarmino se dijo: «Te lo había olido; también Bellido se jactará de ser escorbútico...» La urraca no aprendía a hablar, pero Belarmino no se impacientaba y resistía resignado aquel baño abundante de vulgaridad, más por su conveniencia y para no soltar las amarras con el mundo, que por interés didáctico hacia el avechucho. El señor Colignon echó de ver, aunque ignorase la causa, que Belarmino le hablaba más en cristiano, y así se lo declaró una tarde. Belarmino, esmerándose en expresarse en romance paladino, lo cual le ocasionaba [538] más engorro todavía que a Apolonio expresarse en prosa, le respondió:

—Por muchas intenciones —intenciones: razones—. Primera: porque le quiero a usted. Le quiero a usted porque usted me quiere. Segunda... No sé cómo decírselo para no ser macilento y evitarle pesos desagradables —macilento: violento, cruel; peso: sentimiento. Belarmino hizo una pausa, a la rebusca de locuciones explícitas y amables—. Usted es la materia; yo soy el espíritu [539]. Usted se alegra con las cosas; yo, alejándome de las cosas. Usted es el sí, y yo el no. O, si usted quiere, usted es el no y yo el sí. ¿Soy yo superior a usted? Nada de eso. Ni el sí es superior al no, ni el no es superior al sí; pero el sí y el no son superiores al qué sé yo. Comprendo que usted es tan filósofo como yo, aunque de una manera beligerante —beligerante: contrario, opuesto—. En cambio, la mayoría de los otros hombres no

---

[537] La elección de estos dos autores supone una intención irónica. Recuérdese que acaba de hablar de «el idioma más vulgar posible».

[538] T: costaba.

[539] Un ejemplo más de la técnica de contrastes, tan frecuente en esta novela.

son el sí y el no, sino el qué sé yo; que no saben, ni sienten, ni viven, ni importan. ¿Qué tengo yo con ellos? ¿Por qué he de hablar el idioma de ellos? Usted es otra cosa. Yo desearía que usted entendiera mi idioma. Pero, como usted es filósofo beligerante, y yo le quiero, y además me instruyo con usted y me sirve de piedra de toque, porque es usted el no de mi sí, o el sí de mi no, y los dos nos completamos, pues por eso me afano en hablar para que usted me entienda.

—*Épatant, épatant,* mi querido Belarmino —replicó el confitero con regocijado pasmo [540]—. Te entiendo. Yo soy un epicúreo y tú un estoico, ¿no es esto?

Belarmino aprisionó en la despensa de la memoria las dos palabras: epicúreo y estoico, a fin de transmutarlas más tarde por la alquimia de la especulación y hallarles su verdadero sentido.

Un día se presentó en el cuchitril de Belarmino Froilán Escobar, alias el Estudiantón y también Aligator, a que le pusiese palas y medias suelas a un par de botas, que para llegar a ser un verdadero par de botas no necesitaban, además de las palas y de las medias suelas, sino refuerzo en el contrafuerte, unos trozos de la caña y unos cuantos botones. Justamente, la única afición de Belarmino al arte zapateril consistía en restaurar calzado viejo, cuanto más viejo mejor, y con unos miserables despojos crear un par flamante. Era una afición pareja a su vocación filosófica. Y así, acogió aquellas valetudinarias botas del Estudiantón o Aligator con marcada reverencia y afectuosidad.

Los apodos son, cuándo biografía sucinta, cuándo retrato en miniatura. Los dos apodos de Froilán Escobar le historiaban y le retrataban. Llevaba ya veinte años de estudiante en la Universidad, y no porque fuese inepto para aprobar los cursos, pues era de notable despejo natural. Decía: «El hombre que quiere conocer la vida es estudiante hasta que se muere. Nada hay tan repugnante como la ciencia que se adquiere para obtener un título académico y ganarse un sueldo con él. No hay más

---

[540] T: admirado y divertido.

ciencia que la ciencia desinteresada, la ciencia por la
ciencia, el amor al saber, el saber que nunca se sabe bastante para cobrar dinero por enseñar lo poco que se sabe.» Y otra porción de máximas al mismo tenor. Como
no quería comprar ciencia, no se matriculaba, y asistía
por libre a las clases de diversas Facultades. De aquí que
le apodasen el Estudiantón. Vivía con extremada pobreza y vestía desastradamente; un sombrerete, con dos dedos de enjundia; un gabancillo de color café con leche,
que había estrenado al venir a la Universidad y que llevaba con el cuello subido, por disimular la ausencia de
camisa; pantalones con flecos, y botas como las consabi-
das. Se asemejaba a los muertos por el color, como aconsejó el oráculo a Zenón, el filósofo [541], lo cual, bien entendido, quiere decir que de tanto estudiar en los libros
había tomado la palidez de ellos. Era capaz de permanecer en un quietismo casi sobrehumano. Durante las
horas de clase conservaba a veces la misma postura re-
servada y atenta, sin mover un músculo, sin pestañear,
empañados los ojos por [542] una telilla opaca al modo del
segundo párpado de los lagartos. Y de aquí que le apodasen Aligator. Otras veces le acometían inquietudes
convulsivas de sabandija y retorcimientos de sibila, según la materia y el modo de explicarla el catedrático, y
en tales casos tomaba notas taquigráficas, agitando fie-
ramente el pupitre. Los estudiantes le estimaban, le res-
petaban y se aleccionaban con él. Era como el espíritu familiar de la Universidad, la Palas Atenea de aquel amu-
rallado recinto del saber; una Palas Atenea vestida de
máscara. También la ciencia oficial del establecimiento se
envestía, con harta frecuencia, disfraces de mamarracho [543].

No pudo presentarse el Estudiantón a Belarmino con
carta de recomendación más eficaz ni credencial más hon-
rosa que aquel mal llamado par de botas, pues en rigor
era un cuarto o un octavo de unas botas. Sustentaba Belarmino amorosamente en sus manos los tales residuos,

_____

[541] T: cínico.
[542] T: con.
[543] T: «estrafalarios disfraces». En medio de las digresiones
ensayísticas de la novela, no faltan las puntadas de crítica social.

que para él eran gérmenes o embriones de un flamante
porvenir, y miraba al Aligator con tierno interés, cuando
de pronto uno y otro notaron que les faltaba unos cuatro metros cúbicos de aire respirable, que era poco menos de lo que contenía el cuchitril; había entrado el Padre Alesón, desalojando el volumen de aire.

—Buenas tarde, Belarmino —habló el dominico, mo-
dulando las notas más nítidas y cariciosas de su flautín
laríngeo—. Entraba y salía. Entraba en tu aposento y
salía de mi residencia. Salía de mi distracción y entraba
en mi acuerdo —el Padre Alesón hablaba ahora en este
estilo conceptuoso y envuelto, para dar por el gusto a
Belarmino y granjearse su afecto—. Quiero decir, en lenguaje vulgar, que al salir a la calle recordé que don Telesforo Rodríguez, el profesor del Seminario, me ha pedido un libro que hace tiempo te presté: *Nicolai Garciae;
tractatus de beneficiis.* ¿Lo has leído ya? ¿Puedo llevár-
melo? Porque si no lo has leído todavía, no me lo llevo.
Tú has de sacar más provecho que don Telesforo, segura-
mente.

Belarmino descabalgó su Clavileño y entregó al Padre
Alesón un gran volumen, en cuarto mayor, aforrado en
pergamino.

—Ya lo he leído. Me ha sido muy instrumental [544].

—Vaya, me alegro. Hola, hola —exclamó el dominico, volviéndose hacia el barril en cuyo fondo rebullía y
graznaba la urraca—. Ya me ha referido Angustias...
De suerte que, ¿los versos de Selgas y los discursos de
Pidal que te has llevado era para enseñárselos de memoria a esta parlera avecilla? ¿Y qué? ¿Va aprendiendo
algo?

Belarmino respondió que había adquirido la picaza para
enseñarle a que hablase del único modo que lo entienden el común de los hombres. Pero como Belarmino, para
responder esto, no empleó el idioma que entienden el
común de los hombres, el Padre Alesón le rogó que se
explicase. Así lo hizo Belarmino. El Padre Alesón creyó
entonces entender.

---

[544] T: útil.

—Ya, ya... —dijo el dominico, sonriendo con guasa—. Has buscado en esta urraca a Diógenes; has creado tu Diógenes, el cínico, el que hablaba con claridad odiosa, y para que nada falte, le has encerrado en su tonel. Y tú, ¿qué eres: socrático, platónico, peripatético, sofista?

—Estoico —respondió con maravillosa dignidad y orgullo [545] Belarmino, a quien repentinamente se le había revelado el sentido de aquella palabra, oída de labios del señor Colignon.

El Padre Alesón se quedó frío. Pensó: «A ver si este pobre hombre posee más sindéresis de lo que yo sospechaba.» Se despidió.

—Ea, Belarmino; contra mi gusto, tengo que abandonar tu compañía. Tal es mi misión: andar, andar de un lado a otro, con una grave responsabilidad sobre los hombros.

Ya volvía la espalda el fraile, cuando Belarmino murmuró:

—Naturalmente, como usted es un dromedario...

El Padre Alesón se volvió de cara, la expresión en entredicho.

—Hombre, hombre... —tartamudeó, con voz deficiente—. Eso es ofender.

Pensaba el dominico que acaso Belarmino estaba resentido con él, porque antes le había hablado irónicamente.

—He querido decir que usted es un sacerdote —replicó el zapatero.

—Pues, peor que peor. Mientras me llamabas dromedario, a mí, en persona, podía pasar. Creí que aludías a mi tamaño. Pero ahora resulta que soy dromedario por ser sacerdote... La verdad; eso, Belarmino, es una grosería, impropia de ti.

Belarmino hizo un gesto conmiserado, resignado, como diciendo: tendré que metérselo en la boca con cuchara. Y explicó la ya conocida alegoría del dromedario y el camello, dejando boquiabierto al fraile. Concluyó Belarmino, ya en su jerga privativa.

---

[545] T: aplomo.

—Yo acaricio a los camellos y a los dromedarios, pero no los beso. Riego el tetraedro; encarcelo y parafraseo el tetraedro; pero permanezco indumentario y analfabético al tetraedro. Mi horario es el espasmódico de la intuición recreada.

Salió el dominico lleno de perplejidad y de preocupación. Froilán Escobar, el Aligator, no se había movido durante la anterior escena. Creía estar soñando. «¿Es realidad? ¿Es ilusión?» —decía para sí—. «Si no fuera por el testimonio irrecusable de ese par de botas, tan mías y tan ajenas a mí como las excrecencias callosas [546] de mis pies; si no fuera por ese hecho flagrante que me pone en contacto con la realidad objetiva, creería que lo visto y oído eran entelequias [547] de mi razón adormecida y ofuscada. Y esto sucede a doscientos pasos de la Universidad... Y yo llevo veinte años en la Universidad sin haberme enterado... Este hombre desconcertante e inaudito, ¿es un humorista? ¿Es un genio lóbrego, en bruto, como la piedra diamante escondida en el seno de la tierra? ¿Es un loco?» Y el buen Estudiantón se hacía un lío.

—¿Le enojaré, señor Belarmino —dijo al despedirse— si vengo por las tardes, de vez en cuando, a conversar un rato con usted?

—Tendré un gran espasmódico —respondió Belarmino, impasible.

Escobar no sabía qué decidir [548]. Aquel gran espasmódico que Belarmino iba a tener, caso que Escobar viniese de visita, ¿en qué consistiría? ¿Le recibiría bien, o le despediría con cajas destempladas? Volvió a probar. Belarmino le acogió con inequívoco contento y le obsequió con una larga e incomprensible disertación sobre el *tole tole* y el *tas, tas, tas*. El Estudiantón le escuchaba fascinado, sin sacar nada en limpio, pero con la esperanza cierta de llegar a dominar algún día el tecnicismo de aquel moderno [549] filósofo de portal, o estoico, como él

---

[546] T: callosidades.
[547] T: fantasmas.
[548] T: a qué carta quedarse.
[549] T: estupendo.

decía, sin saber que en Grecia tanto valía estoico como filósofo de portal.

Escobar continuó asistiendo al portal de Belarmino y tomaba notas de lo que oía. Como quiera que el Estudiantón había, afortunadamente, comenzado por oír explicar a Belarmino la sinonimia de camello y dromedario, no le cabía duda que cada una de las voces usadas por el zapatero encerraba una representación fija; que las voces se sucedían las unas a las otras con ilación gramatical y lógica; y, en definitiva, que esta ilación formal contenía un fondo de pensamiento original. Por consejo de Escobar acudieron a oír a Belarmino muchos estudiantes y hasta profesores. Los juicios y opiniones acerca del estoico discrepaban, naturalmente; los ánimos se apasionaron. Muy pronto se establecieron diferentes sectas [550]: belarminianos y antibelarminianos; entre los belarminianos había disidencia: unos sostenían que Belarmino estaba loco, y otros que cuerdo; [551] los partidarios de la cordura divergían en estimar si el lenguaje belarminiano era o no descifrable; por último, los que se inclinaban por la presunta [552] inteligibilidad de los discursos de Belarmino, disentían en lo tocante al fondo de dichos discursos: quiénes [553] afirmaban que, una vez vertidos al castellano, resultarían curiosos e interesantes; quiénes [554] que, de seguro, se trataba de [555] boberías sin interés, y que lo único curioso era la forma de expresión. Con todo esto, el portal de Belarmino estaba tan concurrido como la escuela de un filósofo de la antigüedad. Después de escuchar sus incógnitas enseñanzas, éstos, reventando de risa; aquéllos, hostigados por la comezón de averiguar una charada dificultosa, salían a la Rúa Ruera, movían airadas trifulcas, polemizaban y casi se iban a las manos. Apolonio, desde el umbral de su zapatería de lujo, en actitud estatuaria y de fingido tedio e indiferencia, presenciaba

---

[550] T: escuelas.
[551] T: por último.
[552] T: posible.
[553] T: éstos.
[554] T: y aquéllos.
[555] T: eran.

aquel vivo y animado tumulto, con la misma envidia y nostalgia con que los inmortales en el Olimpo ven a los humanos agitarse a impulsos de ideales y pasiones que hacen la vida sabrosa y digna de vivirse. Los inmortales se aburren tanto en su serenidad inacabable y de tal suerte envidian los conflictos y combates del mundo [556], que, a veces, no pudiendo resistir la tentación, descienden convertidos en nubecillas leves y fluidas a pelear entre los hombres, según cuenta Homero. Esto lo sabía Apolonio, desde Compostela. Para Apolonio, algunas disputas humanas han sido hostigadas por misteriosa intromisión [557] divina; son aquellas disputas merecedoras de la dignidad dramática y trágica. Siempre que Apolonio veía dos dándose de puñadas [558] y revolcándose por el suelo, si se levantaba alguna polvareda, decía: «Ha llegado el punto trágico; eso no es polvo blanco, son las divinidades violentas, envidiosas de la vida ligera [559] de los hombres, diluidas en el aire fino.» ¡De qué buena gana se hubiera diluido Apolonio en el aire fino para ir a mezclarse en las disputas enzarzadas a causa de su afortunado rival, como la guerra de Troya por Helena; intervenir por modo invisible y aniquilar a todos los secuaces de Belarmino!... La venganza es el placer de los dioses. Se dirá [560], ¿qué sentimiento vengativo cabe que los pobres humanos inspiren a los dioses majestuosos? Pues sí; les inspiran el sentimiento más vengativo, el de la envidia.

Belarmino era remendón de portal. Apolonio poseía un establecimiento lujoso y cobraba por par de botas hasta cinco duros, precio exorbitante por entonces en Pilares. Esto no obstante, Apolonio se hubiera cambiado por Belarmino. Apolonio contaba con una buena parroquia. Pero no le interesaba tener parroquia. Lo que él quería era tener público, gente que le escuchase, que le celebrase y aun que le rebatiese. Apolonio se relacionaba con

---

[556] T: de los hombres.
[557] T: están exaltadas por una esencia.
[558] T: Cuando se levantaba una polvareda entre personas que...
[559] T: de la violencia.
[560] T: Pero.

personas [561] distinguidísimas. La de Somavia le invitaba alguna vez a su tertulia. Por la zapatería caían de visita, periódicamente, Pedro Barquín, el cura Chapaprieta, el magistrado don Hermenegildo Asiniego, y otros claros varones de la urbe. El señor Novillo acudía a diario al establecimiento y se dilataba allí varias horas, gran parte del tiempo en el umbral, mirando con disimulo, rendimiento y rubor al balcón florido y pajarero [562] de Felicita Quemada. Pero la relación de personas distinguidas le tenía sin cuidado a Apolonio; lo que él echaba de menos era el trato de personas ilustradas, el ambiente académico y artístico. Y aquel infame Belarmino, sabía Dios merced a qué socaliñas y malas artes, le hurtaba, sin dejar una migaja siquiera, el aplauso y atención que a él en justicia se le debían, puesto que Belarmino era insensato charlatán y prevaricador de la lezna y el cerote, en tanto él, Apolonio, por don natural, componía los más primorosos artificios, así zapateriles como poéticos. «No hay justicia, ni sentido, ni plan en el mundo» —pensaba Apolonio—. «Bien lo presumía yo, aunque todavía inexperto, cuando escribí mi *Cerco de Orduña o Señor de Oña.*»

Apolonio se hubiera despeñado en la negra desesperación, a no estorbárselo, de una parte, la compañía habitual del señor Novillo, con que se distraía de los sombríos pensamientos y se le deparaba coyuntura de explayar la exuberancia del lastimado pecho, y de otra parte, más principalmente, el amor a la duquesa de Somavia, un amor cada día más exaltado, más puro, más imposible, más delicioso y novelesco. «Con estas dos vejigas —decíase Apolonio—me mantengo a flote sobre las borrascas de mi espíritu.»

Llegaba a la zapatería el señor Novillo, con su empaque reservado, catadura sombría [563] y venerable vientre de ídolo [564]; la piel bronceada, barba y bigotes pardos, entrecanos en la raíz. Había cierta similitud corporal entre Apolonio y el señor Novillo. Los dos recordaban las efi-

---

[561] T: gente.
[562] «florido y pajarero» no aparece en el manuscrito.
[563] T: taciturno.
[564] T: fetiche.

gies de Buda, por la hinchazón. Ahora, que la cabeza de Apolonio se enderezaba con cierto alarde confiado y olímpico, y, en cambio, la del señor Novillo pesaba sobre el pestorejo y el cuello, abombándolos en redor, y de los ojos se rezumaba una tristeza irracional. Apenas si hablaba el señor Novillo; de tarde en tarde se sonreía, enseñando unos dientes de blancura irreprochable, que, rodeados del hirsuto contorno, parecían una estría de carne de coco asomándose entre la cáscara pardusca y crinada; pero la mitad superior de la cara y los ojos seguían parados y tristes.

Así que llegaba, el señor Novillo se sentaba en un largo diván de piel verde, debajo de un espejo, velado por un tul, verde también, y dejaba caer el vientre entre las piernas, a que se reposase sobre el diván. Apolonio, abandonando el mostrador, donde, con ademán lento y religioso, trazaba diseños y cortaba pieles, venía al lado del señor Novillo y dejaba asimismo caer el vientre sobre el diván. Oíanse en la trastienda ahogados martillazos, alguna canción femenina y el repiqueteo de unas máquinas de coser. Apolonio, sin doblar la cabeza a mirar al vecino, rompía a hablar:

—Estoy abrumado, don Anselmo, estoy abrumado. ¿Qué me falta?, preguntará usted. Tengo un taller, montado con los últimos adelantos de la ciencia y de la industria; tres máquinas, una Wilson y otra Wheeler, para coser la caña, y una Johnson para hacer ojales, que puede que no haya media docena como ellas en toda la península. Mi clientela, la espuma de la sociedad; y todos satisfacen sus facturas a tocateja. ¿Qué más puedo pedir?

¡Ay mi amada! ¡Oh dolor! Lágrimas mías:
¿por dónde estáis que no corréis a mares? [565],

---

[565] Parece una cita de memoria. La referencia exacta, en el «Canto a Teresa», de Espronceda, es ésta:

«¡Oh Teresa! ¡Oh dolor! Lágrimas mías,
¡ah!, ¿dónde estáis que no corréis a mares?»

(Blecua: *Floresta lírica española,* Madrid, Gredos, 1957, página 369.)

como cantó el poeta. Unos amores desdichados, sí. Pero no quiero mentarlos. ¿Cúya es la culpa? ¿De ella? Jamás, jamás, jamás. La culpa es mía. Me enamoré de una beldad tan alta como la blanca Beatriz. Merecida es mi pena, y yo la acepto con júbilo infinito.

El señor Novillo oía el runrún con la [566] indiferencia con que las imágenes [567] talladas en madera de ciruelo oyen himnos y plegarias. Proseguía Apolonio, sin dignarse, por su parte, mirar a Novillo [568]:

—He pintado [569] en un poema alegórico la exacta posición de estos amores disparatados, horribles y delincuentes. Delincuentes, sí, delincuentes, porque... Pero tente, lengua liviana y maldecida. He aquí el poema: un monstruo de esos que llaman gárgolas, porque vomitan la lluvia con un ruido peculiar, de donde viene la frase hacer gárgaras [570]; digo que ese monstruo de piedra, que está en la cornisa de una catedral, se ha enamorado de la veleta, que figura una paloma, y que se asienta [571], ni que decir tiene, en lo más alto de la torre. Y ése es el destino cruel del enamorado monstruo, que soy yo; estar petrificado, a una distancia infranqueable de la amada y haciendo gárgaras. Esto último constituye un rasgo humorístico, que cierra la composición. Lo cómico es siempre chabacano y despreciable. Lo humorístico es un modo poético. ¿Que cuál es el nombre de la dama? Jamás lo declararé. Antes dejo que me desuellen vivo...

Novillo, presa de sus propias ansiedades amorosas, se levantó sin haber escuchado a Apolonio, y fue hacia la puerta, a mirar desde allí furtivamente a Felicita. Apolonio le seguía, declamando con el brazo extendido y la mirada flamígera:

—Jamás lo declararé. Antes pasarán sobre mi cadáver. Y si después de muerto lo declaro, conste que no soy

---

[566] T: con la misma.
[567] T: los ídolos.
[568] T: al ídolo.
[569] T: trazado.
[570] Como Belarmino, también Apolonio inventa etimologías fantásticas.
[571] T: está.

yo, sino un espíritu maligno que habla por mi boca.—En habiendo eyaculado [572] este apóstrofe, Apolonio, apaciguándose súbitamente, volvió detrás del mostrador y se aplicó a cortar suela.

Al cabo de media hora de vergonzante contemplación, Novillo retornó al diván, y al punto Apolonio acudió a su vera y reanudó el hilo de su palique.

—No son estos amores desdichados, no, lo que me trae mustio, melancólico y descontento. Los amores son la esencia de mi vida y los guardo en mi corazón como si fuesen una perla del Oriente. Estoy abrumado, estoy tan pronto rabioso como desmadejado, estoy que me llevan los demonios, porque, en esta ciudad, no se me comprende ni hace justicia. Por lo pronto, soy un maestro artista en zapatería. Mi clientela alaba, en el calzado que yo hago, la resistencia y flexibilidad del asiento, lo suave y duradero del material, lo cómodo y bien conformado del corte [573], y por eso, nada más que por eso, me pagan bien. Pero las dichas cualidades son secundarias. Un zapato, un brodequin, un botito son obras de arte. ¿Y quién aquí, salvo contadas excepciones, sabe apreciar el calzado como una obra de arte? ¿Quién aquí concede al calzado la enorme importancia que tiene? Se imaginan que el calzado sólo sirve para cubrir el pie, resguardarlo de la humedad, por temor a los reumas, y evitar que se lastime sobre el mal piso; todo lo que piden al calzado es que no críe callo. Pues si el calzado no cumple otro fin más que ése, mejor sería que los hombres echasen casco o pezuña, lo cual se conseguiría fácilmente por procedimientos científicos. Y no es que yo me refiera a esta localidad. Hablo, en general, de toda España. Un amigo mío muy erudito, Valeiro, estudiante compostelano, me contaba haber leído en un libro de un Fray no sé cuántos Guevara, obispo en alguna diócesis de Galicia, que los españoles, en los tiempos del gran Carlos V, cuando el tal obispo escribía, andaban en zancos por las calles, a causa de los lodos. ¡Qué barbaridad! Pues, ¿qué? ¿No

---

[572] Al editar otras novelas de Ayala he comentado la frecuencia con que emplea esta palabra.
[573] T: de la forma.

se usan todavía en nuestra península almadreñas, zuecos, abarcas y las asquerosas alpargatas? ¡Qué poco dice esto en pro de la cultura de los españoles, y cuánto de su salvajismo! Para mí la alpargata es un insulto a la divinidad, una blasfemia, porque es negar y desconocer la obra más perfecta de Dios, o sea el pie humano. ¿Por qué es el hombre superior al mono y a todos los demás animales? Porque es el único que tiene pies, lo que se dice verdaderos pies. Si el pie fuera menos humano y noble que la mano, los hombres tendrían cuatro manos [574] y los monos tendrían cuatro pies, y no que tienen cuatro manos. Por no [575] ver mujeres [576] con almadreñas preferiría vivir entre chinos, porque al menos los chinos conceden al pie de las mujeres más importancia que a ninguna otra parte del cuerpo.

Novillo salió nuevamente a la puerta, sin haber escuchado ni una sola palabra de la ingeniosa disertación de Apolonio, y éste volvió a trabajar detrás del mostrador. Al cabo de otra media hora, Novillo reincidió en reposar sobre el diván su vientre, agitado ahora por apasionado estremecimiento: era que sus ojos se habían cruzado al acaso con los de Felicita, y ella le había enviado una sonrisa arrobada y etérea [577]. Novillo se sentía feliz, expansivo, y al acomodarse [578] Apolonio a su lado le dio una palmada en el muslo al zapatero, preguntando:

—¿No dice usted nada hoy, querido Apolonio? [579]

—Le decía a usted, don Anselmo —Apolonio respondió sin mostrarse [580] herido por la ausencia mental y material de su amigo—, que los chinos conceden al pie la importancia debida. Éste es mérito común a los asiáticos. No en balde estuvo el Paraíso terrenal en el Asia. En la Grecia antigua, las cortesanas y también las castas ma-

---

[574] La frase «los hombres tendrían cuatro manos» no está en el manuscrito.
[575] T: Antes que.
[576] T: una mujer.
[577] T: amorosa.
[578] T: sentarse.
[579] Ayala muestra, en acción, cómo el lenguaje humano no resuelve, muchas veces, los problemas de la comunicación.
[580] T: sentirse.

tronas apetecían los zapatos venidos [581] del Asia, zapatos al parecer preciosos, adornados con pinturas de mucho mérito y figuras cinceladas en metal. Los antiguos, como más próximos al origen de la creación, distinguían con mayor acierto la jerarquía, utilidad y belleza de los miembros; a todos los miembros anteponían en dignidad el pie; después de éste seguía la cabeza; luego, algo que no quiero nombrar; en cuarto grado, la mano siniestra, la del escudo; en quinto, la diestra que empuña el arma; y así sucesivamente. Todos aquellos pueblos, dotados de una gran sabiduría infusa y revelada, que poco a poco se fue olvidando y desvaneciendo [582], rendían culto al pie y se excedían en fabricar con apropiado decoro el tabernáculo del pie, o sea el calzado. Entre los hebreos, el calzado era tenido en tanta reverencia que no se permitía que lo usasen sino los nobles y los levitas, y aun éstos apenas si se atrevían a ponérselo, como no fuera para entrar en el templo, sino que unos servidores especiales, a modo de acólitos, iban detrás de los sacerdotes y señores llevando el calzado sobre un cojín de terciopelo. Los egipcios colocaban en el calzado placas labradas de oro y plata. El calzado de los sátrapas persas era una joya valiosísima. Los patricios y senadores romanos usaban botas de piel encarnada, con una media luna de plata, la luna patricia. Pasemos a tiempos más próximos a los nuestros y recordemos a los papas, a los emperadores, a los duques venecianos. El calzado de estos grandes dignatarios de la Iglesia y de las repúblicas era de telas tejidas con metales preciosos y recamados de las más ricas piedras: esmeraldas, rubíes, zafiros, diamantes del tamaño de nueces casi siempre. Tengo entendido que el Santo Padre todavía usa ese calzado los días que repican gordo.

—¡Caracho, lo que usted sabe, amigo Apolonio! —exclamó Novillo, sinceramente deslumbrado.

—Pues ya sabe usted tanto como yo, don Anselmo. Y si usted desea más detalles, le dejaré unas cuartillas

---

[581] T: importados.
[582] T: disipando y perdiendo.

manuscritas, tituladas «Podotecología estética, o historia del calzado artístico», que para mí escribió mi amigo Valeiro, y que es de donde yo he tomado los datos. En media hora escasa se las aprende usted de memoria. En lo que yo insisto es en que, como español, me abochorno de que los españoles no hayamos contribuido con ninguna invención al progreso del calzado. No hay una ciencia y un arte zapateriles propiamente españoles. No habrá oído usted decir punta a la madrileña, tacón Isabel II o hechura española, como se dice punta a la florentina, zapato Richelieu, tacón Luis XV, hechura inglesa.

—Hombre, hombre... —objetó el señor Novillo, que era muy vidrioso en su patriotismo, y como apoderado local del cacique y cacique él mismo de aldea, consideraba que menoscabar el buen nombre de la patria equivalía a reprobarle encubiertamente [583] su posición [584] política—; eso que usted dice no debe importarnos un rábano. ¿Que no hemos descubierto una punta o un tacón? Pero hemos inventado cosas de más provecho y sustancia —colocando las manos extendidas sobre el abdomen—: el pote gallego, la fabada, el bacalao a la vizcaína, la paella valenciana, la sobreasada mallorquina, el chorizo y la Compañía de Jesús [585]. Y ¿dónde me deja usted el descubrimiento del [586] Nuevo Mundo? Aparte que, si no recuerdo mal, cuando estudié en el Instituto, el profesor de Historia nos decía que no sé cuál emperador romano había adoptado para el ejército el calzado que usaban los españoles.

—Fábulas —replicó, despectivo, Apolonio—. Los españoles sólo han inventado la alpargata, que es, ya lo he dicho anteriormente, un insulto a la divinidad, un sacrilegio zapateril. Yo, maestro artista, repelo [587] la alpargata con sacrosanta indignación.

---

[583] T: indirectamente.
[584] T: su gestión.
[585] Este párrafo (desde: «Pero hemos inventado...») es añadido posterior. El odio de Ayala por la Compañía de Jesús se manifiesta especialmente en su novela autobiográfica *A.M.D.G.*
[586] T: pero hemos descubierto el.
[587] T: no puedo admitir.

—No sigamos por ese camino, Apolonio, porque tendríamos un disgusto. Como presidente de la Diputación y, por tanto, representante del Gobierno legítimo, no puedo consentir que nuestra invicta bandera se ponga en tela de juicio. No le digo a usted: zapatero a tus zapatos [588], porque no quiero provocarle [589].

—Pues de zapatos estamos discutiendo, mi querido don Anselmo.

Novillo se levantó a repetir la operación [590] contemplativa, y Apolonio reanudó sus operaciones profesionales. Después de media horita, que para Novillo fue una eternidad de inefables congojas [591], porque se verificaron varios choques meteóricos de miradas, halláronse otra vez par a par el zapatero y el político.

—¿Decía usted...? —comenzó Novillo.

—Decía que aquí, en general, no se aprecia el valor artístico del calzado. Yo, se le digo a usted con toda reserva, me creo postergado. No se me hace justicia. Ni como zapatero, y no digamos como poeta dramático [592]. ¿Por qué se figura usted que soy zapatero? Porque soy poeta dramático. ¿Por qué se figura usted que soy poeta dramático? Porque soy zapatero. Los ignorantes piensan que no tiene relación lo uno con lo otro. Pues son dos cosas inseparables. Hay conflictos dramáticos entre los hombres y no entre los animales, porque los hombres observan la postura eréctil; y los hombres observan la postura eréctil, porque andan sobre los pies. Póngame a los hombres en cuatro patas, o hágamelos usted paralíticos, como los árboles; ya no hay drama. ¿Es esto claro? Pero, señor, si el drama no es más que cuestión de calzado, cuestión de ponerse en dos piezas y levantar la cabeza todo lo posible, en son de desafío, hacia el cielo, en donde se oculta el destino de los hombres... ¿Es verosímil que los hombres inventasen así, a

---

[588] Eugenio de Nora recuerda este refrán como posible inspirador de la profesión de los dos protagonistas (pág. 497).

[589] T: por no insultarle.

[590] T: maniobra.

[591] T: delicias.

[592] Nótese, a partir de aquí, el encadenamiento de las frases.

secas, el drama? ¡Qué desatino! Los hombres inventaron una especie de calzado, el coturno, que les alzaba más de un palmo sobre la tierra; pues con esto, ya estaba inventado el drama. Pues si le dice usted a cualquiera de esos estudiantillos hambrientos que yo soy zapatero y autor dramático, se reirán. En cambio, no se asombran de que un zapatero pueda ser filósofo. Yo soy el que me río... Ja, ja, ja... Filósofo lo puede ser el último gato. Todos los filósofos son unos farsantes, charlatanes de feria. ¿Para qué sirve la filosofía? Ya lo dijo Saquespeare —pronunciado así—: «la filosofía no sirve ni para curar un dolor de muelas».

—Hombre, hombre... —objetó el señor Novillo—. El arte dramático tampoco sirve para curar dolores de muelas.

—Pero el dolor de muelas sirve para hacer dramas. Todos los dolores son experiencias dramáticas.

Esta escena se repetía a diario durante largo tiempo; si bien la elocuencia ubérrima de Apolonio desenvolvía variadísimos temas. Novillo llegó a sentir curiosidad por conocer el drama que había escrito Apolonio, el cual se lo leyó una noche con tanto énfasis y pathos, que subyugó y conmovió al oyente.

—En efecto; es usted un gran artista —murmuró Novillo, enjugándose unas lágrimas; era sobremanera sentimental—. Como presidente de la Junta de abonados que soy, le prometo que haré estrenar su drama por la primera compañía dramática que venga a Pilares.

Apolonio hubiera abrazado a Novillo; pero no quería descomponer la majestad de la figura.

Por desdicha, pasaban los meses y no venía ninguna compañía dramática.

La poesía fue estrechando más y más la amiganza entre Novillo y Apolonio. Novillo celebraba mucho los poemas amatorios de Apolonio, y siempre que componía uno nuevo se lo pedía para «empaparse» en él, decía, leyéndolo a solas.

Una mañana, Felicita entró en la zapatería de Apolonio, cosa acostumbrada; pero aquel día, la solterona llevaba desencajado el rostro, con expresión que pretendía ser colérica, y, sin embargo, dejaba recelar un placer oscuro. «¿Qué tripa se le habrá roto a esta vieja vestal?» —pensó Apolonio.

—Apolonio, ¿nos oye alguien? —preguntó Felicita, inclinándose sobre el mostrador, con delgado aliento y ojos de espía.

—Si usted conserva ese tono, nadie nos oirá.

—Apolonio... Es usted un miserable, un traidor, un ingrato. Se lo digo a usted en voz baja, aunque con toda energía, porque quiero evitar espantosas complicaciones, incluso la efusión de sangre.

—Pero, señora...; digo, señorita...

—Silencio, infame. He callado hasta hoy, porque lo tomé como una locura fugitiva. Pero ha llegado a tal extremo su atrevimiento, que he decidido escarmentar a usted para siempre, para siempre —sacó del seno un montón de papeles y los despidió, con ademán repulsivo, sobre el mostrador—. Le arrojo esos anónimos impertinentes e indecorosos. Yo pertenezco a un hombre, sólo a un hombre. Todos los demás pretendientes me inspiran aversión y asco.

Apolonio examinaba los papeles escritos.

—Estos son versos míos —bisbiseó.

—Ya lo sé.

—Pero estos versos no están escritos por mí. Son copias; y la letra es de don Anselmo Novillo.

—Agua —pudo apenas articular Felicita, en tanto se desplomaba exánime sobre el diván.

De buena gana Apolonio hubiera dado unos cuantos azotes a la vieja vestal, que así venía a turbarle y ponerle ante sí mismo en ridículo, obligándole a descomponer la majestad de la figura; corriendo azariento a entornar la puerta, porque los transeúntes no se percatasen del lance; trayendo un vaso de agua a través de las frívolas oficialas, que sonreían al verle en guisa de camarero: salpicando el rostro de la desmayada e intentando desabrocharle el corsé. Afortunadamente, Felicita se recobró antes de que Apolonio recurriese a este último extremo. Sorbió el agua; pidió los papeles; los restauró al cobijo del seno, no sin antes besarlos, y dijo a Apolonio:

—Por la memoria de su madre le pido juramento que no dirá nada a nadie de esto que ha pasado. ¡Júrelo!

Apolonio, ante la prosopopeya de Felicita, ya se halló [593] en su elemento, y juró con la solemnidad y unción de un pontífice.

«En medio de todo —reflexionaba Apolonio—, qué curioso drama el de Novillo y Felicita. Es algo así como el suplicio de Tántalo. ¿Por qué no se casan? No será porque no quieran ni porque nadie se lo impida. Y, sin embargo, no se casan. Luego negarán que existe una Némesis que traba y destruye las intenciones de los hombres. Yo escribiría este drama. Pero el señor Novillo es amigo y podría disgustarse.»

Escribiría aquel drama y otra porción de dramas tomados de la realidad. Y la realidad de Apolonio, por entonces, no traspasaba los límites de la Rúa Ruera. Sin necesidad de levantar los tejados, como el Diablo Cojuelo, Apolonio adivinaba el drama oculto en cada casa, y con todos los pequeños dramas individuales formaba una gran tragedia, la tragedia de la calle, en que él era el héroe, la víctima, y Belarmino el traidor. En fuerza de imaginar luctuosas peripecias, el pecho se le colmaba de impulsos vehementes, a manera de necesidad perentoria de acción, y acción cruel. Era menester que se libertase de aquellas ansias agresivas, que cada día le hostigaban con redoblada tenacidad, o, de lo contrario, perdería en una mala hora la cabeza y haría una barbaridad. Entonces se le ocurrió una idea feliz: se dedicó a criar gallos de pelea. Como tenía dinero a mano, adquirió presto una regular gallera. Encargó buena parte de los gallos ingleses a Antequera, porque le informaron que allí cultivaban las sangres más finas y puras [594]. Se adies-

---

[593] T: estaba.

[594] Las peleas de gallos aparecen varias veces en la obra de Pérez de Ayala. El narrador era aficionado a ellas. Como nos informa Miguel Pérez Ferrero, «la gran afición del padre de Ayala eran los gallos de pelea. Constituían su pasión. Y poseía una gallera con ejemplares que encargaba a Inglaterra. También tenía otros gallos, que consideraba los mejores y que venían de Antequera» (pág. 14). Y. más adelante: «Iba por entonces con su padre a presenciar todos los domingos, después de la misa

tró en el cuido y preparación de los gallos para el combate. A todos sus animales les impuso nombres mitológicos y legendarios: Aquiles, giro[595]; Ulises, colorado; Héctor, gallino[596]; Hércules, negro; Roldán, dorado; Manfredo, cenizo; Carlomagno, negro también; etc., etc. En las otras galleras abundaban los nombres de toreros. Todos los domingos por la mañana, después de oír misa de once, porque creía en Dios y en la providencia, a pesar de que en este mundo no hay justicia, ni plan, ni sentido, Apolonio se encaminaba[597] al circo gallista, seguido de un aprendiz con los capaces en donde iban los gallos que aquel día echaba a pelear[598]. Intervenía en las diligencias preliminares del examen y peso de los combatientes, y escrutaba con tanto escrúpulo, seriedad y aparato la balanza, como si se estuviese decidiendo el porvenir de la humanidad. Luego, había que verle con qué religiosa pompa[599] y taciturno talante, sentado detrás de la pista, limpiaba las espuelas del gallo con medio limón, para mundificarlas, por si estaban emponzoñadas, y las enjugaba después con el pañuelo, y, por último, depositaba levemente el gallo sobre el ruedo, como diciendo: *alea jacta est,* y ya no hay poderío terrenal que desvíe la voluntad de los hados. Y la voluntad de los hados era, indefectiblemente, que los gallos de Apolonio quedasen muertos o malferidos. A Ulises se lo mató Lagartijo; a Héctor, Bocanegra; Mazzantini hizo papilla a Roldán; Aquiles quedó ciego de unas puñaladas que le metió Frascuelo; y un gallo de sangre mestiza y ruin, color blanco, llamado Espartero, propiedad de un ebanista, aniquiló a Carlomagno, Manfredo, Hércules y otros seis héroes desgraciados. Cosa sorprendente: Apolonio asistía sin enojo, antes con orgullo, al vencimiento de sus

_____

de once, las riñas de gallos en las que el padre participaba con algunos de los animales de su gallera» (pág. 55). Sobre ellas escribió algunos de sus primeros trabajos periodísticos.

[595] El gallo que tiene las plumas del cuello y de las alas amarillas.

[596] Gallo al que le faltan las cobijas de la cola.

[597] T: iba.

[598] T: peleaban.

[599] T: religioso continente.

gallos. Lo esencial era que nunca cantaban la gallina; morían porque debían morir, que el héroe muere siempre a la postre, y no a manos de otros héroes, sino por el vil puñal. Sus gallos daban siempre el pecho; los demás seguían una cobarde táctica de combate, simulaban huir en torno al ruedo, y cuando más confiado iba el héroe en su persecución, se volvían inopinadamente y le daban traidoras estocadas. Sus gallos, como los personajes de Sófocles, sabían morir con belleza, y por tanto, con gloria, que viene a ser lo mismo. Ajax declaró: «vivir con gloria o morir con gloria; tal es el deber de los bien nacidos», y la palabra empleada para designar la gloria es καλως, que significa también la belleza. ¡Y cómo se parecía Apolonio a sus gallos! Se les parecía en la silueta, en el aire de prestancia [600], en el énfasis, en la cresta, pero no en los espolones; se les parecía por fuera. Por dentro, Apolonio, aunque daba albergue y acariciaba con la imaginación las pasiones más destructoras, era incapaz de matar un mosquito [601], como decía de él su hijo [602]. Y así, Apolonio veía en sus gallos la incorporación de algo necesario y deficiente en su propia personalidad; eran encarnación de su personalidad frustrada, porque el dramaturgo es el hombre de acción frustrado. De aquí que Apolonio asistiese sin enojo, antes con orgullo, y aun con satisfacción íntima, al vencimiento de sus gallos. Se verificaba en su pecho la perfecta frustración de su personalidad deficiente, una especie de catarsis. Si los gallos vencieran con frecuencia, pensaba Apolonio que la confianza en sí mismo, ya que los gallos eran en cierto modo prolongación de su persona, el espíritu agresivo, la necesidad de acción ejecutiva, se le hubieran comunicado [603] fatalmente a él, y como era muy pusilánime, sólo ante la idea de cometer un gran disparate le daban escalofríos [604]. Por último, las peleas de gallos influían en la vida y carácter de Apolonio en dos opuestas direcciones:

---

[600] T: y acometividad.
[601] Otro contraste.
[602] T: su propio hijo.
[603] T: desarrollado.
[604] T: sólo ante esta idea se le ponía carne de gallina.

una favorable, y adversa la otra. Favorable, porque se iba haciendo conocido y famoso, como personaje pintoresco e improvisador de aleluyas, en la ciudad y en otros pueblos de la provincia, en donde alguna vez se concertaban riñas de gallos interurbanas. Adversa, porque en las riñas mediaban apuestas, y como Apolonio perdía siempre, se 'le iba desnivelando el presupuesto mucho más de lo prudente. Apolonio no paraba atención en los descalabros económicos mientras su actividad pública, como gallero, le sirviera para ensanchar la nombradía; prefería la ruina y la inopia a la oscuridad. Todo lo aceptaba con tal de gratificar en alguna medida su vanidad inocente, con tal que se le conociese y se hablase de él. Su obsesión era aventajar la fama de Belarmino, humillarle algún día.

Belarmino ganaba cada vez [605] más popularidad. En los periódicos se habían publicado artículos acerca de él; unos de burla, otros en serio [606], sosteniendo la tesis de que constituía un fenómeno mental, un caso de estudio, invitando al director del Hospital-manicomio a que hiciese con él experiencias científicas, y proponiendo que cuando muriese no se le enterrase sin antes haberle sacado el cerebro, a fin de analizarlo. Cuando Belarmino leyó esta halagüeña proposición, se le atragantó la saliva [607]; pero se repuso a seguida, sonriendo beatíficamente [608]. Adoptaba la propia actitud de indiferencia filosófica hacia las opiniones ajenas, mientras él conservase la vida y el pensamiento, como hacia los dolores corporales, en habiéndose muerto.

La polémica sobre si Belarmino sabía lo que se decía o, por el contrario, hablaba como un papagayo, repitiendo palabras vacías y sin trabazón, se enconaba y complicaba más y más [609], porque nadie había allegado [610] todavía prueba concluyente, de una parte ni de otra. El Estu-

---

[605] T: día.
[606] Como siempre, la doble perspectiva.
[607] T: sintió escalofríos.
[608] T: con beatitud.
[609] T: cada día.
[610] M: hallado.

diantón no desesperaba de formar el léxico completo belarminiano con su correspondencia clara [611] Tomaba notas sin cesar, había interpretado ya bastantes vocablos y entendía el sentido de algunas sentencias; pero estos hallazgos fragmentarios no convencían a todos.

Por entonces llegó a Pilares el primer fonógrafo. Lo había traído de París, en uno de los periódicos viajes de compras, un quincallero apellidado Ortigüela. El mecanismo causó gran sensación. Ortigüela dia varias audiciones en casas particulares, en el Casino y en la Universidad. Oyéndolo, al Estudiantón se le ocurrió un ingenioso proyecto, que comunicó al punto a los belarminianos y antibelarminianos. Tratábase, nada menos, que de demostrar inequívocamente si Belarmino hablaba un idioma inteligible. Todos aceptaron la presunta demostración. El proyecto era el siguiente: Se le pediría a Belarmino que viniese a una casa cualquiera y explicase en breves palabras su sistema filosófico. Convenientemente encubierto, se le colocaría al lado el fonógrafo, y se impresionarían uno o dos cilindros con la disertación de Belarmino. Al cabo de un tiempo prudencial, se le diría que estaba de paso en Pilares un filósofo forastero, al cual le habían invitado a dar una conferencia en el Casino, y si él, Belarmino, quería oírla, puesto que era el único filósofo de la localidad, que le colocarían en una habitación contigua al salón, detrás de los cortinajes, desde donde escuchase [612] sin ser visto. De todas estas diligencias se encargaría Escobar, el Estudiantón, por ser con quien Belarmino mostraba mayor confianza y estima. Nadie pensó que Belarmino pudiese reconocer su propia voz, porque, efectivamente, en aquel aparato todavía rudimentario, bien que se distinguiese con claridad las palabras, todas las voces sonaban con el mismo timbre homogéneo y ronquecino.

Cuando el Estudiantón requirió a Belarmino a que expusiese su sistema, el zapatero replicó con dulce ironía:

—¿Y qué es un sistema? Quizá lo que usted llama sistema no es lo que yo llamo sistema. Yo, gracias a Dios,

[611] T: española.
[612] T: oyese.

no tengo sistema. Lo que usted quiere decir es postema [613] Tampoco, gracias a Dios, tengo postema.

—Bien, bien, Belarmino; confieso que no le entiendo a usted todavía. Por eso, precisamente, no me sacio de oírle, y deseo que usted nos dé una especie de abreviado conjunto o resumen de sus ideas. Si yo no le entiendo, usted me entiende, porque es bilingüe, y sabe lo que le pido. ¿Acepta usted?

—Sé lo que me pide, y no tengo inconveniente en aceptar. Pero necesito una semana de meditación.

Cumplida la semana, Belarmino se presentó en el lugar designado. Dijérase que había pasado, no una semana de meditación, sino muchos meses de ayuno; la noble y aguileña faz, tan enjuta, que casi era traslúcida; el cuerpecillo, tan reducido y descarnado, que apenas gravitaba sobre el suelo. Entró en la habitación sin inmutarse, sin mecer una mirada de curiosidad alrededor; se sentó donde le dijeron; inclinó la cabeza y habló tenuemente, sin accionar ni mudar de tono; concluyó y volvió con la misma serenidad y distracción imperturbables a su cuchitril.

Pasaron otras dos semanas. Según lo convenido, fueron dos estudiantes, socios también del Casino, a invitar a Belarmino si quería oír, desde un escondite, a un filósofo de paso.

—¿De dónde es ese filósofo? —preguntó Belarmino.

—De Kenisberga [614] —respondió uno de los estudiantes, que era muy desenvuelto.

—¿Y cómo se llama?

—Cleo de Merode [615].

---

[613] Pérez de Ayala se burla del pensamiento sistemático, comparándolo con una enfermedad.

[614] La patria de Kant.

[615] En *Política y toros,* Pérez de Ayala cuenta otra broma semejante. En un examen de metafísica, un estudiante atribuye sus invenciones a «Cleo de Merode, profesor en la Sorbona», y el catedrático dice conocer a este filósofo (*Obras Completas,* III, página 1167).

Como es sabido, Cleo de Merode fue una bailarina belga, famosa, entre otras cosas, por su peinado, que le cubría las orejas, y por la presunta relación con Leopoldo III de Bélgica. Su busto, esculpido por Benlliure, está en el Casino de Madrid.

—¿Y en qué habla?

—Anda, pues en filósofo. Todos los filósofos hablan una lengua especial.

Belarmino quedó pensativo un punto. Que los filósofos hablaban una lengua especial, ya lo sabía él; pero le cabía la duda si cada filósofo hablaba una lengua distinta, inventada por él mismo, o si todos hablaban la misma. Si lo último, entonces los filósofos eran, evidentemente, seres privilegiados, que habían llegado a la verdad absoluta por medio de la revelación directa.

—¿Irá mucha gente? —preguntó Belarmino.

—Anda; y las señoras más guapas y elegantes de Pilares.

—¿Un filósofo para señoras guapas y elegantes? ¡Bueno será él! —exclamó Belarmino, decepcionado.

El despierto [616] estudiante corrigió en un periquete:

—Caprichos de la señoras... Han oído: un filósofo, y se han dicho, pues vamos a verlo; será un bicho raro.

—¡Ah, ya!

—Hay un cuartito que comunica con el salón de actos, desde donde se oye todo divinamente. A ese cuartito irán algunas personas que no gustan de mezclarse con el público, por razones dignas de respeto; por ejemplo: Escobar, el Aligator. ¿Cómo se iba a sentar él, con aquella ropa de pordiosero, al lado de las señoras? En suma: que usted viene con nosotros.

Belarmino, después de saber que el filósofo hablaría ante señoras, ya no tenía interés ninguno en oírle. Pero se dejó llevar, con resignada indiferencia.

Toda la tramoya había estado tan hábilmente desarrollada, que Belarmino, a pesar de su sagacidad instintiva, no sospechaba ser víctima de un engaño.

En el cuartito había unos veinte individuos; los más conspicuos del belarminismo y del antibelarminismo. Estaban entornadas las maderas del balcón, para que no se introdujese el ruido de la calle. Sentaron a Belarmino muy cerca de un gran cortinón de velludo, color oro viejo. Belarmino parecía sumido en completa insensibilidad,

---

[616] T: avispado.

como amputado del mundo de las cosas vivas. Si alguno le cuchicheaba al oído, él no se daba por enterado. El Aligator, por su parte, atravesaba una de sus crisis galvánicas y se estremecía convulso, dando ya por anticipado que la experiencia iba a fracasar. El estudiantillo desenvuelto se acercaba de cuando en cuando al cortinón, detrás del cual estaba apercibido el fonógrafo; abría una rendija, inmiscuía la nariz, y se volvía a decir: «Se va llenando el salón», «ya está lleno», «el filósofo sube al estrado», «monsieur Cleo de Merode va a comenzar su conferencia». Oyóse el carraspeo [617] del fonógrafo, precursor de la emisión de la palabra. El estudiantillo avispado dijo:

—Murmullos de aprobación.

Y a todo esto, Belarmino sin entrar en situación, ausente en remotos limbos del pensamiento.

Una voz metálica, ronquecina, nasal, gangosa, de beodo o de fonógrafo, rompió a decir: «Está el que come ante el Diccionario, en el tole, tole, hasta el tas, tas, tas.»

Belarmino, como si le hubieran aplicado una corriente eléctrica, saltó sobre el asiento. Palideció mortalmente. En torno a los ojos se le abrió ancho y profundo [618] foso de sombra; las pupilas se le desvariaron, abrasadas y resplandecientes.

Proseguía la voz, en un curso homogéneo, estridente, seguro, inexorable. Belarmino, casi desfallecido sobre el asiento, en arrobo, cara al cortinón, con los brazos abiertos, remedaba las imágenes de los santos que recibieron la gracia de los estigmas [619]. Jadeaba con desmayo [620] y acopiaba sus escasas fuerzas para suspirar [621] de continuo: «Claro, claro; ¿qué duda coge?» Luego, con intermitencias, como un reloj arbitrario, producía enérgicamente, al concluirse las frases del invisible conferenciante, una a manera de rítmica onomatopeya: «tris-tras, tris-

---

[617] T: ronquido.
[618] T: sombrío.
[619] Muchas veces aplica Pérez de Ayala imágenes tomadas de la mística a situaciones puramente mundanas.
[620] T: angustia.
[621] T: decir.

tras, tris-tras.» Cuando la voz catarrosa e incorpórea dijo, con la frialdad de una sentencia fatídica: «El sapo no factura la beligerancia, la inquisición, el pongo y quito de los comensales. El sapo rocía con capullos los globos y zapadas de los comensales. El sapo prohija el tetraedro. El sapo desnuda el tetraedro», Belarmino se oprimió las sienes con las manos, echó hacia atrás la cabeza, sacudiéndola con insensato y contenido entusiasmo, y murmuró entre dientes, mordiendo las palabras: «¡Qué razón tiene! ¡Qué razón tiene!»

Terminó la conferencia. Belarmino se hundió en una especie de marasmo o abstracción. El Aligator, triunfante, hacía guiños y visajes, preguntando por señas a los otros qué les había parecido la experiencia. De los demás, la mayor parte se retorcían, ahogando la risa; algunos enarcaban las cejas y fruncían el labio, remisos en aceptar el valor probatorio de la anterior experiencia.

Belarmino se incorporó, con las brumas del ensueño desparramadas [622] todavía en las pupilas.

—¿Y dicen ustedes —preguntó— que ese filósofo se llama Meo de Clerode?

—Asimismo; Meo de Clerode —respondió, con cara dura, el estudiantillo desenvuelto.

—Pues es un enormísimo sapo, mucho más grande aún que Salmerón.

Y Belarmino volvió a su cuchitril, cabizbajo y abismado en preocupaciones.

—Y ahora, ¿qué dicen ustedes? —preguntó Escobar, en un arrebato impropio de su natural modosidad.

—Que nos hemos reído la mar —respondió el estudiantillo desenvuelto.

—Ésa es una contestación festiva, y el asunto es serio —replicó severamente el Aligator.

—Sin duda —entró a decir un dentista apellidado Yagüe—, ese zapatero sabe lo que dice y emplea siempre las mismas palabras para los mismos objetos. Esto me parece plenamente probado. Pero se me ocurren dos observaciones. Primera: lo que él dice, a su modo, ¿tiene

---

[622] T: estorbándole.

alguna importancia; merece tomarse la pena de estudiar su idioma endemoniado, para averiguar lo que dice? Segunda: caso que lo que dice es de importancia, ¿qué necesidad hay de inventar un idioma ininteligible para expresarlo? Deseo que me responda a estas dos observaciones usted, señor Escobar, que es persona *périta*.

—Respondo. En cuanto a lo primero, me remito a su juicio de usted. Dice usted que yo soy una persona *périta*. ¿Qué quiere usted dar a entender con esta palabra?

—Hombre... —tartajeó, turbado, el dentista—, eso la misma palabra lo dice... *Périto* es el que conoce una cosa.

—Entonces, ¿por qué no dice usted conocedor, como la mayor parte de las personas?

—Hombre, me pone usted en un aprieto. *Périto* es también el que conoce mejor una clase de cosas. Yo soy *périto* en odontología...

—Entonces, ¿por qué no dice usted especialista, como la mayor parte de las personas?

—Me envuelve usted, en lugar de aclarar mis dudas. Yo he dicho *périto* porque he querido dar a entender varias cosas con una sola palabra.

—Justamente, eso es lo que pretende Belarmino; dar a entender varias cosas con una sola palabra. Y como las palabras que él sabía únicamente expresaban cada cual una cosa, ha inventado un nuevo idioma en que cada palabra indica varias cosas, por lo menos la serie de cosas que producen la cosa más particularmente designada por cada palabra.

—Bien; pero no ha contestado aún a mi primera observación.

—Allá voy. Tengo ya reunido un número considerable de vocablos belarminianos y entiendo algunas de sus sentencias. Por ejemplo: en la conferencia de hoy, la frase «está el que come ante el Diccionario, en el tole tole, hasta el tas, tas, tas», significa: «está el hombre ante el universo, mientras vive, hasta que muere». Ésta es la versión literal.

—Bueno; pues esa frase es una perogrullada, y no merece la pena perder el tiempo en estudiar el idioma del zapatero, para, en definitiva, venir a averiguar eso. ¿De manera que el diccionario es el universo? ¿Y qué necesidad hay de mudarle el nombre?

—Perfectamente. Ése es un reparo que cabe oponerlo a los más grandes filósofos. Un escritor francés, Stendhal, escribió que él se había fatigado con larga asiduidad en desentrañar el sistema de Kant, para hallar, al cabo, que no encerraba sino lo que todo el mundo sabe por sentido común. Y en cuanto a variar la acepción usual de las palabras, le diré a usted que todos los sistemas filosóficos deben comenzar necesariamente por esto. Usted cree saber al dedillo lo que significan las palabras intuición, idea, espíritu, voluntad, extensión... ¿no es verdad?

—Desde luego, para satisfacer las necesidades de mi pensamiento.

—Pues bien; cada una de esas palabras tiene en los diferentes filósofos un significado distinto y tal vez opuesto, y todo porque estos filósofos querían, lo mismo que usted, satisfacer las necesidades de su pensamiento.

—Saco en consecuencia que la filosofía no sirve para nada, como no sea para remendar zapatos y andar mal vestido.

—Por lo menos, a Belarmino su filosofía le ha servido para ser un santo. En esto estaremos todos conformes.

—Pues para hacerse uno santo —replicó el dentista, con aire avieso, pensando que la objeción que ahora se le había ocurrido era irrefutable— no es menester inventar un idioma distinto [623] e ininteligible.

—Los santos —respondió el Aligator—, oralmente y en acción, hablan un idioma distinto, que no entienden los que no son santos. Cada hombre que es una cosa de veras, habla un idioma distinto, que no entiende el que no es esa cosa, porque tienen alma distinta [624]. El chalán habla su idioma, el contrabandista el suyo, el suyo tam-

---

[623] T: nuevo.

[624] Éste es el principio básico de los juegos lingüísticos de la novela: el lenguaje es la expresión de la singularidad del individuo.

bién el político, y el artista, y el ferretero, y el soldado y el dentista. El mundo es como una gran lonja, llena de sordos que aspiran a verificar sus transacciones; todos gritan; hay un horrendo rebullicio; pero como no se oyen los unos a los otros, no se concluye ningún trato.

Cuando hubo salido el Aligator, el estudiantillo travieso declaró en voz alta lo que todos pensaban para sí:

—Ese hombre desarrapado está tan loco como el zapatero.

Pero en el aire quedaba flotando una verdad difusa y pesada: que Escobar había triunfado; que Belarmino hablaba un idioma inteligible para él y un tanto para Escobar, y que uno y otro eran personas de especie distinta y acaso de naturaleza superior.

A oídos de Apolonio llegaron las nuevas de lo sucedido. La envidia es clarividente [625], pero mira con vidrios de aumento. Apolonio valoró clarividentemente el suceso como un triunfo de Belarmino, pero dándole proporciones desmedidas. Para Apolonio, aquello había sido la consagración suprema de Belarmino como filósofo, y que de allí al acatamiento universal no había más que un paso. Apolonio paseaba, nervioso y tremante, zapatería arriba, zapatería abajo, erguida la cresta, amenazador continente, transido de funesta cólera. No [626] le faltaba sino [627] que le nacieran espolones. No podía resignarse a la humillación. Era imprescindible y apremiante demostrar al mundo que su cerebro aventajaba en altitud al de Belarmino, como el cedro al hisopo. En esto entró Novillo.

—¿Qué le ocurre a usted, amigo Apolonio? Parece usted febril.

—Don [628] Anselmo, yo le digo: ya la ocasión es llega-

---

[625] Recuérdese lo que dice Ayala en un poema:

«Hendiendo la apariencia oscura,
por la envidia conseguirás
mirar con mirada aquilina.»

(Obras Completas, II, pág. 237.)

[626] T: Lo que.
[627] T: era.
[628] T: Amigo.

da que me cumpla como amigo una promesa sagrada [629].

—A ver, a ver...

—En esta zapatería, y lo juro por mi dama, me prometió usté que haría que me estrenasen el drama.

—Y sostengo la promesa. Pero es el caso que no ha venido ninguna compañía dramática.

—A pesar de los pesares, el tiempo corre que vuela. Ahora hay una aquí, en Pilares.

—Cierto; pero es de zarzuela —Novillo ya replicaba en verso.

Apolonio respondió que a él no le importaba. La cuestión era que le estrenasen el drama. El señor Novillo, como presidente de la Junta de abonados, lo podía exigir. Novillo prometió que lo exigiría. Llevó consigo el mamotreto, debajo del brazo, y aquella noche, en un entreacto, entre *El monaguillo* y *Las campanadas,* fue al cuarto del bufo Celemín, director y primer actor de la compañía, y le dijo, a tiempo que le entregaba el manuscrito:

—Es preciso que se estrene esta obra. Los abonados lo exigimos. Es de un autor de la localidad. Se trata de un drama, pero la compañía puede representarlo lo mismo.

Celemín se quedó con la obra para leerla y dar respuesta cumplida al día siguiente. Espíritu superficial, como todos los hombres consagrados exclusivamente a dar que reír a los demás, Celemín vio al punto que la obra, representada convenientemente en tono de farsa, sería el mayor éxito de risa [630]. Al siguiente día dijo a Novillo que la obra se pondría inmediatamente en ensayo.

Apolonio se hinchó hasta un punto inverosímil e incompatible con la elasticidad de la piel humana. Asistía a los ensayos, como Dios a la obra cotidiana y turbia de

---

[629] Con la agitación, Apolonio vuelve a hablar en verso.

[630] «El que las cosas resulten serias o risibles no depende más que de un simple efecto de perspectiva. Esto se ve claro en *Belarmino y Apolonio* cuando Novillo lleva el drama de Apolonio al bufo Celemín, director de una compañía de zarzuela. Mudada la perspectiva, con sólo un desplazamiento de la misma, una tragedia se convierte en farsa; el llanto se trueca en risa» (Baquero Goyanes, págs. 214-215).

la creación, con aparente inconsciencia. Dejaba hacer a Celemín, como Dios deja hacer a los déspotas y tiranos, sabiendo que la voluntad y autoridad de ellos son inútiles, y que la providencia, el designio providente del autor, reside dentro de cada uno de los personajes que juegan el drama, a modo de ley fatal o ineluctable norma de acción [631].

A todo esto, instigada por el malicioso Celemín, había cundido por todo Pilares la voz de que se correría la gran juerga el día del estreno. Y llegó la sonada ocasión.

Muchedumbre de estudiantes estaban distribuidos en localidades estratégicas. Llevaban coronas de cebollas, ajos, puerros y otras hortalizas de aroma desagradable y violento; dos lechuzas, varios murciélagos y otros avechuchos temerosos y repulsivos, a fin de arrojar las coronas sobre el autor y soltar sobre la sala las nocturnas aves, en la coyuntura propicia.

Los estudiantes habían determinado que lo más divertido era fingir grandes extremos de entusiasmo. Desde los primeros versos comenzaron a aplaudir catastróficamente. Apolonio, entre bastidores, escuchando el estruendo, se cernía serenamente sobre los aplausos, como Zeus olímpico sobre los truenos.

El malicioso Celemín había preparado varios trucos grotescos. Había vestido a los actores de mamarrachos, con percalinas chillonas. Cada vez que salía uno, estallaba un escándalo de risas y palmoteos. En el acto segundo había un desafío entre el Señor de Oña y Estoiquiz, el tuerto, Señor de Orduña [632]. Celemín dispuso el desafío de manera que uno de los combatientes diera la espalda al foro y el otro al público, y arregló, por medio de inge-

---

[631] En *Las máscaras* y en *Troteras y danzaderas* explica Pérez de Ayala que las auténticas tragedias justifican suficientemente los móviles y la conducta de *todos* los personajes. (Frente al melodrama, que divide tajantemente el mundo en «buenos» y «malos»). Lo característico de la auténtica tragedia es que todos son «buenos» y que el conflicto surge de modo inevitable.

[632] Este episodio es comparable a la parodia del drama poético que vemos en *Troteras y danzaderas*. Pérez de Ayala es maestro en estas caricaturas.

nioso expediente, los calzones del que daba la espalda al público, para que en un momento dado se le descosiesen por la parte más prominente y rotunda y dejasen al aire ciertas interioridades. Y así fue. Cuando se abrió el pantalón, resonó un aplauso cerrado. En haciéndose el silencio, un escudero, que presenciaba el desafío, gritó:

> ¡Aquí! ¡Ayuda a mi Señor!
> Traigan en seguida un mulo;
> que se le está viendo el dolor [633],
> a pesar del disimulo.

No pudo el escudero concluir la cuarteta, porque antes de acabar el tercer verso, el coro de estudiantes interrumpió, injiriendo un consonante de su cosecha. A la segunda vez, el escudero dijo la cuarteta de corrido [634].

¡Bien calculó el maligno Celemín lo que había de ocurrir, y cómo la caballeresca escena cambiaba de carácter y adquiría torpe sentido con sólo disponer los combatientes en la forma antedicha y rasgar oportunamente la trasera de unos gregüescos! Las más sublimes escenas de Shakespeare se hubieran descompuesto en esta piedra de toque.

En el tercer acto, un personaje decía:

> Para conquistar a Orduña,
> aunque con gente bisoña,
> no faltó al Señor de Oña
> sino el negro [635] de una uña.

---

[633] T: «muy bien se le ve el dolor». La versión primitiva tenía mejor ritmo.

[634] T: Prosiguió con otra cuarteta:

> Loygorri, trae en seguida
> un maestro cirujano,
> que se le sale la vida
> por el tajo de la mano.

Y se repitió lo de la vez anterior. Los estudiantes, a coro, introdujeron un consonante original al cabo. Dijo una voz: «maestro cirujano, na; maestro sastre, o una costurera». Aplausos del tercer verso.

[635] T: grueso.

Insistentes aplausos obligaron a recitar media docena de veces la anterior cuarteta, y después requirieron al autor que saliese al proscenio. Cuando Apolonio progresaba hacia las candilejas, doblando a tiempo la espina, pero sin perder, no obstante, su maravillosa prestancia y pontificia dignidad, una voz[636] emitió clamorosa solicitud: «¡Que nos enseñe el negro de la uña...!» Truculentos aplausos. La voz pertenecía a un estudiante de veterinaria; pero Apolonio, sonriendo por dentro con fruición, pensó: «Eres Belarmino, el reptil. Bien conozco tu silbo venenoso. Los aplausos efusivos que han asfixiado tu glosa intempestiva, sírvante de lección y correctivo. Esta noche, el dolor de mi triunfo te asesina. ¡Muérete, muérete, miserable!» Dígase, en honor de la verdad, que en aquellos mismos instantes, Belarmino, el reptil, practicaba peregrinos arpegios con su silbo, pero era en el lecho, durmiendo y roncando a pierna suelta, a par de Xuantipa, y soñando que sostenía un coloquio exquisito, sentados entrambos sobre las nubes, con Meo de Clerode, el distinguido filósofo de Kenisberga.

Al concluir el drama, aclamaciones y ovaciones levantaban humo. Apolonio, frente a la concha del apuntador, recibía el homenaje de la multitud, henchido de vanagloria, pero indiferente en el gesto. Cayeron a sus pies varias coronas de cebollas, ajos y puerros, adornadas con cintas de colorines. Él las recogió y aceptó, antes con resignada benignidad que con solicitud y apresuramiento, figurándose, porque no se había dignado mirarlas detenidamente, que estaban formadas con tubérculos de plantas odoríferas. Y en este momento, los estudiantes dieron suelta a las repulsivas aves nocturnas, las cuales, deslumbradas con la luz del petróleo, revoloteaban de uno a otro lado, chocando en el rostro de los espectadores. Inenarrable tremolina. Las señoras lanzaban alaridos de parturienta; de parturienta, sí; pues dos señoras, que se hallaban encinta, abortaron; lo mismo que sucedía con las tragedias de Esquilo[637].

---

[636] T: la voz que había pedido el maestro sastre o la costurera.

[637] El mismo recuerdo clásico, con finalidad humorística, lo

208

Apolonio, con aquella su portentosa ineptitud para percibir la realidad externa, volvió a su casa convencido de que no había habido, en los anales de la dramaturgia, triunfo como el suyo. Ya en calzoncillos, antes de sepultarse en el camastro, dijo entre sí, fijando el dedo índice en medio de las cejas: «El [638] derrotero está trazado. De aquí en adelante, mi ocupación preferente será dar forma poética a los dramas que se agitan aquí» [639]. Consecuencia de tan hermosa determinación: que comenzó a descuidar el negocio zapateril, a cumplir mal con la clientela, a enajenársela poco a poco, porque, acosado por las deudas, a causa de las pérdidas en el reñidero de gallos, acosaba él a su vez a los parroquianos, intentando en ocasiones, por descuido y olvido, cobrarles dos veces la misma factura.

Fue por entonces cuando Martínez, antiguo oficial de Belarmino, abrió, en la Rúa Ruera, hacia la cual parecían sentir querencia todos los zapateros, un establecimiento de calzado mecánico, «La Solidez», con género de Mallorca, de Almansa, de Barcelona, y anunciaba una remesa de los Estados Unidos.

Apolonio consideraba un par de botas como una obra de arte, no de otra suerte que los príncipes del Renacimiento consideraban un libro como una obra de arte [640]. Para aquellos exigentes catadores de Belleza, un libro, aunque en sus partes secundarias se empleASE con tiento el troquel, debía estar escrito a mano, aforrado en telas ricas y sellado con joyeles a guisa de broches. Para Apolonio [641], un par de botas, aunque la máquina interviniese en algunas costuras accesorias, debía estar, en sus articulaciones esenciales, cosido a mano. Cuando los emisarios del cardenal Besarión vieron en casa de Constantino Lascaris el primer libro impreso, burláronse riendo

---

utilizó Ayala para reírse de *La leona de Castilla,* en su libro de crítica teatral *Las máscaras (Obras Completas,* III, pág. 75).

[638] T: Mi.

[639] Otro paralelismo con Belarmino, que descuida la zapatería para escuchar a su Inteleto.

[640] Pérez de Ayala fue un notable bibliófilo, que logró reunir notables ejemplares.

[641] M: «Belarmino». Es un error, corregido luego.

de la estúpida invención, y dijeron: «Entre [642] los bárbaros tenía que nacer [643] la ocurrencia, y en una villa de Alemania. Federico de Urbino se hubiera cubierto de rubor y vergüenza si poseyese un libro tan feo como éste.» Cuando Apolonio vio el primer par de calzado yanqui, exclamó: «Ésta es invención de salvajes. Prefiero la alpargata, que al menos está hecha a mano. Esa nueva tienda debe llamarse *La Estolidez,* en lugar de *La Solidez.*» Y aventuró esta profecía, que hasta ahora ha resultado válida: «La base de la zapatería de lujo es y será siempre el cosido a mano.» Pero no se le ocultaba a Apolonio que «La Solidez» o «Estolidez» le amenazaba con una competencia, quizá ruinosa.

Martínez llenaba las planas de los peródicos con llamativos reclamos, cosa que Apolonio consideraba indigna del arte verdadero. Además, Martínez, que representaba la ciencia pura y la aplicada, había inventado una crema para dar lustre, «la crema Zenitram», anagrama obtenido con el apellido del inventor, colocando en orden inverso las letras. En uno de sus reclamos periodísticos, el dueño de «La Solidez» anunciaba: «Todas las cremas conocidas hasta el día están compuestas conforme a las fórmulas siguientes:

Aceite de ballena, blanco o rubio ...	45	partes.
Aceite de linaza	30	»
Sebo	20	»
Materia colorante	3 a 5	»
Cera blanca	2	»
Alcohol	2	»

Y daba hasta otras ocho fórmulas. Proseguía: «En el establecimiento *La Solidez,* del conocido industrial Claudio Martínez, hay quinientas pesetas, ¡quinientas pesetas!, a la disposición de quien demuestre que alguna de las cremas conocidas en el mercado no están compuestas conforme a ninguna de las fórmulas anteriores, y otras quinientas, ¡mil!, a quien pruebe que la *crema Zenitram,* no es distinta ni superior a las otras cremas. Con la

[642] T: De entre.
[643] T: venir.

crema Zenitram el calzado se mantiene fresco y lucido **eternamente**. Invitamos a los competidores a que ganen las **mil** pesetas rebatiendo nuestro aserto.»

Un día entró la duquesa de Somavia en la zapatería de Apolonio, y le habló así, reservadamente:

—En la carta que mi hermano Deusdedit me escribió antes de morir, y ya hace de esto nueve años, me decía que eras un ganso. No aprietes las cejas... Ya sé que eres un artista; pero eso no impide que seas también un ganso. Mira, Apolonio; vivimos en tiempos de negociantes, y no dé artes ni de filosofías; en tiempo de Martineces, y no de Apolonios y Belarminos. Belarmino, ahí está de remendón [644]. Sé, por fuente fidedigna, que vas mal. A ti te pasará lo que a Belarmino, si no afilas la uña y te sacudes la mangana y la sandez. Soy amiga del hablar claro. Despierta o, desde luego, te auguro que terminaréis, Belarmino y tú, en un asilo de caridad [645].

---

[644] T: ya ves lo que le pasó.
[645] Intencionadamente se aleja Pérez de Ayala del tipo de novela cuyo interés reside en averiguar qué sucederá al final.

Capítulo VI

El drama y la filosofía [646]

Es tradición milenaria que en el equinoccio de septiembre el seráfico y mansueto pastor San Francisco se siente malhumorado por una vez; descíñese el cordón, lo blande sobre [647] el cielo a guisa de honda, acuden los rebaños de nubes, revientan los odres donde se guardan los vientos, rómpense las esclusas de las aguas celestes, se embravecen los mares, zozobran las barcas pescadoras, huyen las aves trashumantes, corren las bestias a sus cubiles, guarécense los hombres en el hogar y el corazón se empapa en una tristeza que es como el llanto de las cosas perecederas.

Llevaba ya lloviendo un cuarto de luna. Entre el bosque innumerable de menudos y apretados chorros de agua, desde la tierra al cielo, y cuya tupida y abovedada ramazón eran las nubes grises y cárdenas, el tembloroso lamento de las campanas basilicales se extraviaba y desfallecía.

Era un domingo, noche ya. Apolonio mensuraba la longitud y la latitud del comedor, paseando y sollozando el «Spirto gentil», de *La favorita*. Con el ímpetu ascen-

---

[646] Azaña: «un capítulo que es lo mejor que Ayala ha escrito hasta hoy como novelista» *(Obras Completas,* I, págs. 1115-1119). Y Sara Suárez corrobora: «Creo que hoy, concluida la labor novelística de Ayala, pueden seguir suscribiéndose estas palabras (pág. 83).

[647] T: en.

dente del musical deliquio, las pupilas habían subido a esconderséle detrás de las bambalinas de los párpados superiores; mostraba unos ojos blancos como los de las estatuas · antiguas, y el alma en blanco también, al modo de página virginal que espera recibir con trazo indeleble los conceptos más sublimes. Apolonio, en aquellos instantes, flotaba sobre la tristeza del mundo y sobre las nubes luctuosas, como el espíritu melodioso de Jehová sobre el caos primieval [648].

—Señorito, que las alubias se pasan [649] —rezongó con acritud la asistenta, asomando el morro por una puerta—. Son ya las diez de la noche.

—¿Qué habla usted ahí, incivil criatura? —replicó Apolonio, con sobresalto.

—Digo que son las diez, y que si se cena hoy...

—No se cena hasta que no venga don Pedrito.

—Pero es que don Pedrito no cena hoy en casa.

—¿Quién se lo ha dicho a usted?

—Mira qué caracho, él mismo; y ainda mais le dejó a usté una carta.

—¿Una carta? ¿Dónde está esa carta?

—Delante de sus mesmas narices, en la mesa y sobre su plato.

Apolonio leyó la carta. Decía: «Padre, perdón. No he nacido para cura. Me voy con la mujer a quien adoro. Nos casaremos, y confío que, *a pesar de todo,* usted bendecirá nuestra unión.—*Pedro.*»

Y ahora sí que Apolonio quedó como una estatua, no ya en los ojos, sino en todos sus miembros, y con el alma pálida y vacía. Cuando al fin le volvió la sangre a circular, dijo a la fámula:

—No se cena hoy. Tú puedes marchar ya a tu casa. Dame el impermeable.

Se dirigió a casa de la duquesa de Somavia, que había vuelto el día anterior a Pilares, huyendo de la inclemencia, melancolía y tedio de la aldea. Llevaba la carta en la mano, sin protegerla de la lluvia.

---

[648] T: primigenio.

[649] Nótese el contraste con el párrafo anterior: es la ley general de esta novela.

—¿Qué te sucede, Apolonio? —preguntó la duquesa, alarmada ante aquel hombre como de piedra—. ¿La catástrofe, la quiebra, el embargo? Me lo presumía.

—¡Pluguiera a Dios! —murmuró cavernoso Apolonio. Y tendió la carta.

—Chico, este papel es una sopa. Se ha corrido la letra y no puedo leer.

—¡Pluguiera a Dios cegarme, antes de haberla yo leído! Pero ya, ¿qué he de hacer? ¡Ah! Resignarme y perdonar [650] la mano que me ha herido [651]. Apuraré esta copa hasta las heces, y leeré la carta por dos veces.

Y leyó la carta a la duquesa. En el fondo, tan en el fondo que ni él mismo se daba cuenta, Apolonio se sentía orgullosísimo, creyéndose en aquellos momentos un personaje trágico de verdad e imaginando inspirar a la duquesa fuerte interés patético.

—¡Bah! Temí, al verte, que se trataba de algo grave. Siéntate. Aunque hay que resolver de prisa, para resolver de prisa hay que pensar despacio. Siéntate.

«Siéntate»; que fue lo que le dijo Napoleón a la reina de Prusia, en ocasión que la soberana, por conseguir un tratado menos infamante, quiso conmover al corso, representándole una escena dolorosa y teatral.

Bien sabía Apolonio que la tragedia exige hablar en pie y con coturno. Al sentarse, comprendió que estaba peor que en ridículo, humillado [652], como un ídolo al que derriban [653]. Dejó caer la cabeza, vergonzoso.

—Vamos por partes. Tú, de seguro, no sabes quién es la mujer a quien adora el desmandado don Pedrito —Apolonio denegó con la cabeza—. ¿Qué has de saber

---

[650] T: bendecir.

[651] Vuelve a hablar en verso Apolonio, en un momento de apasionamiento.

[652] T: vilipendiado.

[653] Pérez de Ayala toma esta observación de *La risa,* de Bergson (Baquero Goyanes, pág. 164). Ortega la había utilizado ya, en 1914, en sus *Meditaciones del Quijote.* Es idea que recogen muchos autores. Por ejemplo, hace poco, José Pla: «No he visto representar ninguna tragedia pero supongo que, en la tragedia, el público está de pie. Ante un público sentado, sólo se deben poder representar, decentemente, comedias» *(El cuaderno gris,* Barcelona, Destino, 1976, pág. 109).

tú, si no vives en la tierra? Ni sospecha tendrás —nueva denegación—. Pues chico, te lo voy a decir yo: es la hija [654] de Belarmino.

—¡Eso no, eso no! Antes la muerte —rugió Apolonio, poniéndose en pie, ahora realmente enfurecido— Yo ya estaba dispuesto a perdonar, a bendecir. Hasta pensaba [655] en los nietecitos... Pero eso, ¡jamás!

—A buena parte vas... Que ya pensabas en los nietos, en seguida te lo calé. Pero, siéntate. Claro que no sabes ni sospechas cómo, cuándo, a qué hora y por dónde se han fugado, ni se te ocurre el medio de [656] averiguarlo —denegación muda—. De modo que yo soy quien tengo que hacerlo todo. Discurramos con calma. Que Angustias es la raptada, no me cabe duda. Sé que al pícaro don Pedrito le gustaba la niña, que se veían a menudo en vacaciones, y hasta que le escribía desde el Seminario; pero, la verdad, no creí que iba a perder el sentido hasta ese punto. ¡Cosas de chicos! ¿Quién les pudo ayudar en la fuga? A mí no se me ocurre sino una persona: Felicita, la Consumida.

—¡Infame alcahueta!

—No digas palabras malsonantes. Eso de la alcahuetería es cosa muy relativa. Todas las mujeres, en llegando a cierta edad, si son amorosas todavía, como no están en sazón de que las amen y ellas no aciertan a vivir sino en la atmósfera del amor, se perecen [657] por proteger y concertar amores ajenos. Es una debilidad disculpable, y más en el caso de Felicita, que, aunque acecinada, ama, la aman, pero no se le logra la satisfacción de sus deseos. Angustias iba a cada paso de visita a casa de la solterona, y, si no iba, la solterona enviaba a buscarla. Es público en la calle. Tu hijo iba de visita a casa de la solterona. ¿Tampoco sabías eso? —negativa [658] muda—. Pues, átame esos cabos. La idea de la fuga ha sido inspirada, alentada y en resolución favorecida por la solterona. Ella lo

654 T: hijastra.
655 T: ya.
656 T: como.
657 T: mueren.
658 T: asentimiento.

sabe todo. ¿Cómo sacárselo? Antes de responder, es preciso que declares cuál es tu propósito y voluntad. Si te avienes con lo ocurrido, y consientes en el matrimonio.

—¡Jamás! ¡Jamás! ¡Jamás! —interrumpió Apolonio, poniéndose en pie.

—Siéntate, hombre, siéntate. Soy de tu opinión. El alocado don Pedrito tiene por delante un hermoso porvenir. Sería una estupidez echarlo a rodar de esa manera. ¿Qué iba a hacer él, sin oficio ni beneficio, casado con una pitusa, hija de un remendón que no tiene sobre qué caerse muerto? Yo no podría aprobar semejante desatino. Queda la cuestión de conciencia, la moral. Yo me río de lo que la gente suele entender por moral. Eso de la moral debe de ser cosa de herencia, como la escrófula y el herpetismo; yo, por más que me palpo, no encuentro haber recibido con la sangre de mis antepasados esa moral gazmoña de que otros hacen gala. Reconozco que la chica va a quedar en situación molesta por algún tiempo, ante los ojos de la gente. Pero vendrá el olvido, y vendrá muy pronto. El tiempo borra [659] más de prisa los surcos de la memoria qne las cicatrices de la carne. Si vamos a medir con cuidado, más pierde tu hijo en su reputación que la hija de Belarmino en la suya. Pero existe una consideración, de la cual debemos hacernos cargo. Impidiendo el matrimonio, ¿decretamos que Angustias sea una desgraciada? Yo digo que no; eso es pan de todos los días. Sobre todo, si es desgraciada será por culpa suya, por no tomar la cosa naturalmente [660]. Pero, aun así y todo, estoy convencida que mucho más desgraciada sería casándose en tales circunstancias, y que diría infinitas más veces: «¿por qué me habré casado?», de las que ha de decir: «¿por qué estorbaron que me casase?» Con eso, mi conciencia se queda tranquila, y no tengo inconveniente en desbaratar ese desatentado casorio. Ahora vamos a sacar a Felicita todas las noticias necesarias. Hemos discurrido despacio, y es ya tiempo de proceder de prisa.

---

[659] T: cierra mucho.
[660] La defensa de una moral natural, frente a los imperativos sociales, no anda lejos de las convicciones de Ayala.

La duquesa tiró de un cordón de la campanilla y movilizó la servidumbre. A un criado le ordenó que enganchasen al punto el landó, para ir de jornada, quizá toda la noche; a otro le envió a la fonda del señor Novillo a buscarle, que viniese apercibido con saco de viaje, a fin de ponerse sin dilación en camino (la duquesa sabía que Novillo era hombre inútil si no llevaba consigo los tintes y adobes de tocador); a Patón le dijo que se vistiese; a otro criado le pidió recado de escribir, y en escribiendo una esquela sucinta (decía: «Muy señora mía: por informes indubitables y reservados, sé que no es usted ajena a la fuga de Pedrito Caramanzana y la hija de Belarmino. Don Anselmo Novillo sale ahora mismo a la captura de los prófugos. No dudamos que usted nos proporcionará los detalles imprescindibles. Si usted, debido a otras preocupaciones, no recordase [661] estos pormenores que necesitamos, tendremos sumo gusto en requerir al juzgado para que, sin pérdida de momento, le refresque la memoria. Suya afectísima, *Beatriz, duquesa de Somavia*»), le despachó con la misiva a casa de Felicita. Este criado volvió antes que ningún otro, con la respuesta. Estaba escrita con letra vacilante y temblona, y rezaba: «Ilustre señora: Pedrito y Angustias salieron en un coche para Inhiesta, a las cinco de la tarde de hoy. Se idolatran. Quieren casarse. Yo creí ejecutar [662] una acción generosa ayudándoles. Llevan cincuenta duros que les presté; y no es que los reclame. Perdónelos y perdóneme, si nos equivocamos, por haber amado tanto. Su sierva, *Felicita Quemada*.»

—¡Qué tía chiflada! —exclamó la duquesa—. Ese Cupido es el gran enredador. Si yo pudiese, hacía con él lo que se hace con los gatos y con los bueyes... —y soltó un ajo enérgico.

Llegó Novillo cuando la duquesa se hallaba en aquella disposición antitaurina y antiamorosa; llegó el criado anunciando que el coche estaba dispuesto; llegó Patón, vestido de jornada, con botas altas y capote.

---

[661] T: conservase en la memoria.
[662] T: hacer.

—¿Qué dispone mi señora? —preguntó Novillo, inclinándose ceremoniosamente, en la mano un saquito que contenía impenetrables secretos de alquimia cosmética.

—¿Que qué dispongo? Estaba diciendo que si de mí dependiera, dispondría que no hubiese más novillos y todos fuesen bueyes; son más útiles a la agricultura. No pongas en vibración el hocico. No había reparado que te apellidas Novillo. No se trata de una alusión personal, sino de una apreciación de orden general. Tú eres un novillo inofensivo y adorable. Y ahora, en marcha a Inhiesta. Iréis, Apolonio, como padre, y Novillo, en representación de mi autoridad. Como el don Pedrito es mozo de empuje y más fuerte que vosotros dos, y además, se hallará demasiado [663] encalabrinado y consentido para que le separen del pesebre cuando apenas se ha acercado a él, con vosotros va Patón, que es más bruto que un mulo, y le sujetará si se desmanda. Conque derechos a Inhiesta, y me traéis aquí al fugitivo; yo le tendré a buen recaudo los pocos días que restan hasta que comience el curso en el Seminario. Y, cuidado, Apolonio; nada de amonestaciones ni reprimendas. Eso me toca a mí. Andando, antes que los fugitivos tomen el tren que pasa mañana por Inhiesta.

Partió la cuadrilla, como dispuso la duquesa. Llovía, llovía. En el pescante iban el cochero y Patón. Dentro, Novillo y Apolonio, tiesos, sin cambiar palabra, como dos fetiches llevados [664] a extender el culto a nuevos territorios. Así transcurrió una hora; una hora prolongada, estirada, adelgazada en una hebra interminable y perezosa, como si estuviese hilada con ritmo lentísimo por las yemas de unos dedos rígidos y entumecidos: los [665] cascabeles de las yeguas. Tras, tras, tras, sonaban los cascabeles, con lento giro, consumiendo [666] en forma de hilo moroso [667] la abultada y sucia madeja de las horas nocturnas, que forzosamente había que hilar y devanar.

---

[663] T: muy.
[664] T: que iban.
[665] T: que eran los.
[666] T: sacando.
[667] T: fugitivo.

Después de lo que Apolonio calculó como una eternidad de silencio, se atrevió a decir:

—No conozco la topografía de la provincia, porque no soy indígena. Ignoro a qué distancia está Inhiesta.

Novillo sacó el reloj y encendió un mixto.

—Son las doce. Llegaremos a Inhiesta a las siete de la mañana.

—Tan lejos... Pues es cosa que nos acomodemos para descabezar un sueño.

—Estoy inquieto, amigo Apolonio. La humedad y el frío me sientan malísimamente. He olvidado traer una manta de viaje. Pero, ¿qué le hemos de hacer? Procuremos dormir.

Novillo, a tientas, abrió el maletín; extrajo de él un tarro que había sido de aceitunas y que estaba lleno de agua clara; se sacó con disimulo la dentadura postiza y la metió en el tarro. No podía dormirse con aquellos dientes ajenos, porque le mordían, a pesar suyo, la lengua, como si el antiguo propietario viniese, a favor de las tinieblas del sueño, a vengarse [668] del macabro usufructo. Es decir, Novillo se figuraba que, así como los pelos de su peluquín pertenecían, sin duda, a un difunto, que otro tanto acontecía con los dientes. A veces, bajo el influjo de una gran contrariedad, o acongojado por la timidez amorosa, estaba cierto, puesto que recibía la sensación, de que se le erizaban los cabellos del peluquín. ¿Qué podía ser esto, sino que el espíritu del difunto montaba en cólera contra el profanador de sus restos mortales? Pero Novillo, con ánimo decidido y corazón entero, afrontaba estas escalofriantes escaramuzas con lo sobrenatural y suprasensible, con tal de no aparecer calvo y desdentado a los ojos de Felicita.

Despojóse Novillo también del peluquín; extendió por la cara [669] un «Ungüento pompeyano», para preservar la piel sin arrugas, y se dispuso a dormitar. Adormiláronse Apolonio y Novillo sobre el traqueteo y el cascabeleo.

---

[668] T: tomar venganza.
[669] T: piel.

Despertóles un silencio, como si de un tirón les hubiesen arrancado la almohada.

—¿Qué pasa, que se ha parado el coche? —preguntaron entrambos a la vez, y tendieron el oído.

—¿Quién eres, chacho? —gritaba el cochero.

—Soy Celesto, el zagal de Cachán —respondió una voz. Este Celesto había sido oficial de Belarmino años atrás.

—¿De dónde vienes, hom? [670]

—De Inhiesta.

—¿A quién llevaste?

—A dos amigos míos.

—¿Puede saberse quiénes son?

—No se puede saber. Conque adiós, y arrea palante. Y oyóse un revuelo de cascabeles, que se dividían en dos bandadas, y cada cual volaba en dirección opuesta. Novillo y Apolonio recobraron la almohada de ruidos y vaivenes, y se adormecieron de nuevo. El primero en despertar fue Novillo. La luz de la mañana se deslía ya en el agua turbia [671] de la lluvia. Novillo, antes que Apolonio despertase, retrajo a su lugar correspondiente las apócrifas excrecencias capilares y óseas. Un escalofrío se le difundió entre cuero y carne: «Malo —pensó—; he cogido un resfriado. Tanto como me afectan...» Estornudó, y al ruido del estornudo Apolonio abrió los ojos.

Llegaron a Inhiesta a las ocho de la mañana, y detuvieron el carruaje en la única posada del pueblo.

—Esos palomos estarán en lo mejor del sueño —dijo Novillo—. Se me parte el corazón, considerando que tengo que cortar un idilio en flor. Pero yo no soy la voluntad; soy el brazo que ejecuta. Hay que concluir cuanto antes y volver a Pilares sin tardanza. Yo acabo de atrapar un resfriado y no quiero que pase a mayores.

Una criada de la hospedería, acompañada de Patón, subió al cuarto [672] de los novios. Llamó en la puerta con los nudillos.

---

[670] Asturianismo: hombre.
[671] T: trasparente.
[672] T: a la habitación.

—¿Quién va? —preguntó el seminarista.

—Señorito; alguien le espera abajo.

—Que espere; yo no bajo.

La criada insistió. Después de un rato, el seminarista, a medio vestir, salió a la puerta, a fin de despedir airadamente a la criada. Patón lo trincó, le tapó la boca, y, en vilo, lo bajó y lo metió en el coche. Novillo pagó la cuenta a la posadera; y no hubo más. Arriba esperaba Angustias. Apolonio no quería pensar en ella. Novillo, con su resfriado, no podía pensar en ella.

A las cinco de la tarde, la cuadrilla cazadora, con el cautivo, estaban de vuelta en el palacio de Somavia. Novillo fue derecho a su fonda, con un fuerte dolor de costado. La duquesa hizo encerrar al seminarista, diciéndole previamente con cierto dejo irónico:

—Aquí te estarás a buen recaudo, hasta que comience el curso. Medita, hijo, medita, en quietud y a la sombra, la burrada que ibas a cometer, dejando el servicio de Dios y su pingüe soldada, por el servicio de una criatura mortal, hija de un zapatero remendón, que ni tú ni ella tenéis para llevaros un mendrugo a la boca.

Don Pedrito, deshecho en amargura [673], se atrevió a murmurar:

—Pero en el Seminario no querrán admitirme.

«Vaya con el monigote —pensó la duquesa—. Eso no se me había ocurrido a mí. ¿Que no te admitirán? Te admitirán, o yo no soy Beatriz Valdedulla.» Avisó que no desengancharan el coche, y se hizo conducir al palacio episcopal. Al llegar la duquesa a la portalada, salía el Padre Alesón. «Esos mastuerzos se me han adelantado.»

Se le habían, en efecto, adelantado los padres dominicos, a cuya Orden pertenecía el obispo.

—Pero a mí no se me encoge el ombligo —murmuró en voz audible la duquesa, según subía las escaleras, par a par de un familiar de Su Ilustrísima, clérigo bisoño y doliente, el cual, oyendo esta expresión extraña y para él inexplicable, fue víctima de un ataque de turbación

---

[673] T: de dolor.

tan intenso, que tropezó en un peldaño y a poco cae de bruces.

«¿Qué habrá pasado aquí? ¿De qué talante encontraré a ese Facundo, tan estrecho, el infeliz, de mollera?»

Angustias, al huir, no atreviéndose a dejar cuenta de sí a Xuantipa, por temor, ni a Belarmino, por amor, había usado de subterfugio y largo rodeo, adoctrinada por Felicita. El día de la fuga, Angustias dijo a Belarmino y Xuantipa que cenaría con la solterona y se quedaría en su casa a dormir, como otras noches. A la mañana siguiente, el Padre Alesón, sin saber cómo ni de dónde, recibía un anónimo, escrito en caracteres que simulaban letra de imprenta. El anónimo era creación literaria de Felicita; pintaba [674], con recargada sensiblería, los amores desgraciados de don Pedrito y Angustias, hasta el instante en que la pasión avasalladora les arrebataba en un torbellino y les impelía al rapto; refería que unos perseguidores desalmados iban a los alcances de los amantes evadidos, con propósito de destruir su felicidad; esbozaba, con trazos al carbón, el cuadro venidero de una doncella sin honor, de todos despreciada, y de un sacerdote indigno, caso que no se les permitiese casarse; y, por epílogo, suplicaba de los padres dominicos y de los marqueses de San Madrigal que intercediesen con el obispo, con el cual tenían notorio metimiento, para que obligase al descarriado seminarista a cumplir como hombre cabal [675] con la chica. Un sacudimiento vertiginoso y profundo, a modo de terremoto, recorrió la vasta humanidad del Padre Alesón. Angustias era algo de la casa; vivía a la sombra de la robusta Orden dominicana, como las rosas a la sombra de los cipreses, en los claustros conventuales. Las órdenes religiosas conservan la clausura, ese fuero interno de paz egoísta, muro defensivo, inexpugnable fortaleza; gozaron un tiempo el sagrado derecho de asilo, que era como el foso exterior de la clausura, universalmente respetado, y no se resignan a reconocer que lo han perdido, que ya no son inviolables cuan-

---

[674] T: describía.
[675] T: honrado.

tos se acogen a su protección y amparo. Para el Padre Alesón no tanto había sido raptada Angustias cuanto la Orden de Santo Domingo; y, más señaladamente, los miembros de la residencia pilarense habían sido violados y escarnecidos. Se imponía la justa sanción, la reparación adecuada, que no podía ser otra sino que don Pedrito perdiera la carrera y se casase con Angustias. El voluminoso dominico, con el anónimo de manifiesto, fue a ver a don Restituto y doña Basilisa, que, en su sentir, también habían padecido una pequeña violación. Los señores de Neira habían hecho poderosas dádivas a la diócesis, y el obispo les estaba obligado. De común acuerdo, el matrimonio y el fraile determinaron pedir al obispo, con humildad, pero con energía, que obligase al seminarista a cumplir la ley de Dios y la ley de los hombres. Hasta la hora de comer, Belarmino y Xuantipa no supieron nada de la fuga. Xuantipa, que se había convertido en una beata rabiosa, venía de pasar tres horas en la iglesia de San Tirso. El Padre Alesón les contó el suceso y les infundió esperanza en el desenlace feliz. Belarmino se llevó las manos al corazón, dobló la cabeza y sollozó. Xuantipa, con alegría diabólica en el semblante, dio libertad a la hiel que tenía almacenada:

—La hija del pecado vuelve al pecado, que es su elemento. A mí tanto se me da que se case como que no se case. Es más: digo que Dios no querrá que se case.

—Calla, lengua de escorpión —dijo, irritado, el fraile—. ¿De qué te aprovecha la frecuentación del templo?

—Aprovéchame —respondió Xuantipa, descarada— para conocer la justicia de Dios.

—Aviados estaríamos —replicó el fraile— si los fallos divinos se ajustasen a tu jurisprudencia.

Esto de la jurisprudencia fue como una losa de plomo que cayese sobre la lengua de Xuantipa.

Por la tarde, el Padre Alesón visitó a Su Ilustrísima. El obispo se mostró en todo conforme con el dictamen de su hermano en religión. El fraile salió radiante. Cuando él salía, la duquesa entraba.

—¿A qué debo el honor de ver a mi señora la duquesa por esta humilde casa? —dijo el obispo [676], con galantería, haciendo un paso de pavana, que le sentaba muy mal.

—Por lo pronto, que se retire este joven cacoquimio [677], que no quiero testigos de vista —dijo, nerviosa, la duquesa, señalando al tímido y doliente familiar.

—Manolín, auséntate. Y ahora, ¿a qué debo en esta humilde casa...?

—Déjate de resabios de fraile y lugares comunes. ¿Qué hablas ahí de humilde casa, si es una de las mejores de la ciudad?

—Bien, pero la humildad la habita.

—Eso lo veremos bien pronto.

—¿A qué debo la honra...?

—¿Y tú lo preguntas? ¿No lo adivinas? Pues debieras saberlo, puesto que acaba de salir de aquí ese cachalote...

—No sea usted cruel, señora; el pobre Manolín un cachalote...

—No te hagas más tonto de lo que eres; me refiero al Padre Alesón.

—¡Ah!

—¡Ah! Te has quedado boquiabierto. Pues yo vengo a lo mismo que el fraile. ¿Qué habéis hablado?

—Señora, no olvido mi pasado, mi niñez. En lo que yo pueda servirla, como hombre, la serviré. Como pastor, como prelado, cumpliré con mi deber, con entera independencia. Si usted me pregunta cosas de mi vida, le responderé; si cosas de mi ministerio, me veré obligado a desairarla, y la culpa no es mía.

—Pide el báculo y dame cuatro palos; ya no te falta más que eso. Pastor naciste y pastor eres, ¿gracias a quién?

—Al duque, su esposo; no lo niego.

---

[676] Según Pérez Ferrero, su modelo real es Ramón Martínez Vigil. «El obispo se distinguía por cacique y presumido. Le protegía la familia Pidal, que le había sacado de las brañas y enviado a Filipinas.» El novelista descubrió y publicó que plagiaba las pastorales de Baudrillart, arzobispo de Burdeos, lo que produjo un gran escándalo (pág. 71).

[677] Persona pálida y melancólica.

—Como pastor te conduces, y todos, al parecer, para ti somos borregos. ¿No quieres decirme lo que has hablado con el fraile? Te lo diré yo, que a mí no me duelen prendas, Facundo. Habéis hablado de don Pedrito y Angustias. Queréis casarlos. ¡Qué monstruosidad, qué aberración, qué... —y soltó un ajo mondo, lirondo y sonoro—. Lo que no podrás negarte es a darme razones.

—Mi señora duquesa: las razones son clarísimas. De una parte, ese mancebo ya no está en condiciones de ser un buen sacerdote. De otra parte, una muchacha honesta ha sido seducida, deshonrada, ha perdido su virginidad, y el que se la arrebató debe devolverle la honra.

—Voy a contestarte por lo último, que es lo que me hace más gracia. ¡Qué risa! Hablas de la virginidad como los niños hablan de las hadas o como las personas mayores hablan de tesoros escondidos. Tú que eres un sabio naturalista, ¿qué me dices de la virginidad de los insectos? ¿Qué me dices de la virginidad del *draco furibundus?* ¿No se llama así?

—No se trata de insectos, sino de cristianos.

—¡Ay, Facundo! Tú, como vives en las Batuecas, no te has enterado de que el mismo valor tiene la virginidad entre cristianos que entre insectos [678].

—¡Ave María Purísima! No desvaríe, señora.

—Afirmas que a esa muchacha le ha sido arrebatada la virginidad. ¿Lo jurarías? ¿La has examinado tú, antes del rapto? ¿Has presenciado el despojo?

—Calle, calle, señora; se lo ruego.

—Qué he de callar... Me gustan las cosas claras. ¿Es que la verdad te asusta?

La duquesa aguardó. El obispo no supo qué contestar. Comenzaba la dama a dominar al prelado. La táctica era la de siempre; aturdirlo, aturullarlo. Fray Facundo miraba a la señora, con pupilas recelosas y enconadas, resuelto a no entregarse.

—¿Quién ha empleado primero esa palabra? ¿Has sido tú o he sido yo? Tú has dicho que a esa chica le ha-

---

[678] La escasa importancia de la virginidad física la leyó en Buffon (Pérez Ferrero, pág. 80).

bía sido arrebatada la virginidad. Y lo has dicho con tanto aplomo y firmeza como si hablases de un timador a quien hubieses visto robando la cartera a un transeúnte. ¿Y si resultase que no hay tal timador ni tal robo, sino dos amigos, y que uno, del todo libre y con la mejor voluntad, le da la cartera al otro? ¿No se te ha ocurrido esto?

—Se me ha ocurrido, señora, lo que se le habrá ocurrido a toda persona pura y religiosa: que se han ido solos un hombre y una mujer, y que, en consecuencia, el hombre ha deshonrado a la mujer.

—Los que la deshonráis sois vosotros, las personas puras y religiosas. De manera que vuestra pureza se acredita mediante la facilidad con que inventáis actos impuros; vuestra religiosidad se cifra en la aptitud maliciosa para imaginar el pecado[679]. ¡Qué grosero materialismo! ¡Qué cabezas tan atormentadas y lúbricas debéis de tener las personas puras y religiosas! Parecerá uno de esos reservados que hay en las barracas de feria, con figuras de cera, para hombres solos. De manera que en vuestra cabeza no tiene cabida la idea de que un hombre y una mujer viajen juntos muy limpiamente y muy decorosamente. Ya me libraré de que me acompañes tú en un viaje. ¡Qué horror!... Te estoy viendo[680] como un sátiro...

—Señora duquesa... —suplicó el prelado, casi con lágrimas en los ojos.

—No te atortoles, Facundo. He ido demasiado lejos; pero era en chanza. Ya sé que se te puede dejar impunemente en el serrallo del Gran Turco o en el coro de las once mil vírgenes. Vamos al grano. Quiero concederte que esa chica ha sufrido cierta modificación, y que después del viaje no es la misma que antes del viaje. Pero, ¡hombre de Dios!... Ésa es una modificación insignificante. Si le[681] hubieran cortado el pelo se le notaría más. Y luego, y es por lo que no paso, a esa ligera modificación la llamas deshonra. ¡Qué exageración y qué absur-

---

[679] Aunque todo sea una trampa de la duquesa, el narrador está de acuerdo con este argumento.

[680] T: ya te veo.

[681] M: «la». Pérez de Ayala es laísta.

do! Mis antepasados poseían el derecho de pernada, y aquellas doncellas sobre las cuales ejercían el derecho lo tenían a mucha honra. Y tus antepasados, quiero decir los obispos de entonces, sancionaban aquel derecho, sin escandalizarse ni hacer melindres.

Fray Facundo se tapó los oídos y exclamó en un arranque de coraje:

—Con todo respeto, señora duquesa... Yo no puedo oír tales cosas...

Aguardó la señora a que el obispo descubriese las orejas, y dijo:

—No me vengas, Facundo, con escrúpulos de monja. Si no quieres oírme, rebáteme con razones sensatas, y yo me callaré. De lo contrario, tendré que pensar que eres un estúpido o que estás obcecado.

—Señora: reconozco que usted es mucho más lista que yo y que pone las cosas de manera que no acierto a responder; pero, como la respeto y la estimo, estoy seguro que usted, en su conciencia, reconoce que yo tengo razón y que usted defiende, con mucha habilidad, una mala causa.

—¡Adiós con la colorada! Zahorí me saliste, Facundo. Chico, no he venido a que me echases las cartas y me adivinases el pensamiento. He venido, óyelo bien, a impedir ese matrimonio. Por todos los medios; por las malas, si no lo logro por las buenas.

—¿Por las malas, señora? ¿Qué puede temer un siervo de Dios?

—Si tú fueras solamente un siervo de Dios, quizá no tendrías nada que temer. Pero eres también siervo de tu vanidad y de tu ambición, y, por tanto, eres siervo de los demás, sobre todo de mi marido y mío [682].

La duquesa esperaba ver inquietarse a fray Facundo; por el contrario, el obispo respondió con calma:

—Es verdad; siervo, esclavo, en tanto no se me ordene algo contra mi conciencia.

—Quieres que tu sobrino salga diputado. Eso no va

---

[682] Pérez de Ayala aprovecha el episodio novelesco para hacer una crítica implacable de los clérigos ambiciosos.

contra tu conciencia. Pues no saldrá. Y agárrate bien la mitra, que corre peligro de caérsete, o, si te parece mejor, te enviaremos a que la escondas en la República de Andorra, o en una diócesis *in partibus,* en donde estarás como Quevedo, o como el alma de Garibay.

La duquesa llevaba la de perder, habiendo perdido ya la serenidad.

—No concibo que la señora duquesa sea capaz de tomar esa venganza mezquina, máxime cuando al negarme ahora a complacerla, estoy evitando que la señora duquesa se haga responsable de una acción indigna.

—Chico, te desconozco. Me has atacado ahora por el punto vulnerable. Tienes razón. Yo sería incapaz de tomar una venganza mezquina; mezquina por lo que a mí respecta, que, en lo que te atañe, tú no la considerarías mezquina. También creo que siempre que está en tu mano te tomas la venganza. Yo no. En eso nos diferenciamos los nobles de los que no lo son. Pero no tienes razón en calificar de acción indigna el impedir ese matrimonio. Lo he pensado bien. Es lo más conveniente, para él y para ella, que el matrimonio no se realice. Es lo más conveniente en todos los sentidos, incluso el religioso. Dijiste al principio que el muchacho ya no está en condiciones de ser un buen sacerdote. En eso estás equivocado. Ahora sí que está en condiciones; ahora, que ha gustado el dulzor y el dolor de la vida. Dios prefiere a los pecadores arrepentidos. Recuerda a San Pablo, a San Agustín. ¿Quién te dice que, cooperando a ese matrimonio disparatado, no destruyes en germen un futuro padre de la Iglesia? Y ahora se me viene a las mientes una gran idea. ¿No podríamos meter a la chica en un convento? ¡Qué solución tan santa daríamos al conflicto!... En tu mano está, Facundo, un gran beneficio o un gran daño. Decide.

—Qué gusto me da, señora duquesa, oírle razones que yo entiendo. Me hace usted vacilar...

El prelado permaneció pensativo. La duquesa dijo entre sí: «Esta pieza está cobrada. Cuidado que me dio guerra. La amenaza fue el balín que le hirió en mitad de la pechuga.» El prelado meditaba, bajos los ojos, dando vueltas con una mano a la cruz de topacios que pendía sobre su morado pecho. Cuando alzó los ojos, pronunció estas palabras:

—Ese matrimonio tiene que consumarse. Si no es conveniente, Dios lo impedirá.

—¿Es tu última palabra, Facundo?

—Es mi última palabra.

—Buen chasco me has dado... Salgo volada.

—Ya se presentarán ocasiones sobradas de complacerla.

—¡Quia! Beatriz Valdedulla no te volverá a pedir un favor. No te incomodes en salir a despedirme.

En medio de su contrariedad, la duquesa experimentaba una sensación aplaciente y alegre. «Esta visita —iba pensando al bajar las escaleras del palacio episcopal— me ha servido para apreciar mejor a Facundo. Es un hombre de voluntad y obra conforme a su conciencia. Lástima que tenga tan poca sal en la mollera. Antes, le compadecía; ahora, casi le admiro.» De todas suertes, la duquesa estaba resuelta a no consentir el matrimonio, convencida de que resultaría desdichadísimo. Entretanto, mantuvo prisionero a don Pedrito, y dio tiempo al tiempo.

Angustias, al verse sola y desamparada en Inhiesta, escribió a su padre: «No te dejé porque no te quisiese, padre. Escapamos sólo para estar seguros de casarnos, padre. Queríamos que usted viniese luego a vivir con nosotros, padre. Pedro le quiere a usted tanto como yo le quiero, padre. Padre, me lo robaron. No sé lo que me pasa, padre. Quiero volver con usted, padre»[683]. Esta carta se cruzó con otra que Xuantipa había escrito a Angustias de sobremesa, fresca aún la noticia de la fuga y en el primer impulso de la iracundia: «No vengas a manchar esta santa casa. Esconde tu vergüenza en donde nadie te encuentre ni te conozca ni nos conozca.» Cuando Belarmino recibió la carta de Angustias, rompió a llorar y a reír. Besaba el papel con ahínco, y sollozaba: «Hija

_____

[683] Nótese el lirismo, con la repetición emocionada e infantil de la palabra «padre» al final de cada una de las frases. Es típica de Ayala la alternancia del lirismo con la ironía escéptica o la digresión ensayística.

de mis entrañas, hija de mis entrañas», como las madres. Subió a ver al Padre Alesón, a preguntarle si vendría Angustias.

—¿Pues no ha de venir? Viene a casarse. Mañana mismo, a primera hora de la mañana, iremos a buscarla yo y otro padre de la comunidad.

—Vendrá, vendrá —sollozaba Belarmino sin dejar de sonreír y con los ojos mojados [684].

Al llegar los frailes [685] a Inhiesta, Angustias había desaparecido. La dueña de la hospedería les entregó un papel que la niña había olvidado en la habitación. Era la carta de Xuantipa.

—Si esa mujer está aquí —dijo el Padre Alesón después de leer la carta—, le juro a usted, Padre Cosmén, que la estrangulo entre mis manos; tanta es la cólera a que me mueve su infame proceder. ¡Pobre niña, pobre criatura; perdida ya para siempre! Y esto mata a Belarmino, a nuestro loco inofensivo y seráfico. Tendremos que inventar un engaño caritativo. Dios no nos lo tomará en cuenta, en gracia a la buena intención [686] —y en el rostro de aquella mole ingente, que era el Padre Alesón, se difundía una ternura húmeda, lacrimosa, así como el sol derrite la nieve en la cima de las altas montañas.

El engaño caritativo del Padre Alesón fue decirle a Belarmino que Angustias, por el bien parecer, se alojaba en un convento hasta el día del desposorio, y que, por lo pronto, para evitar situaciones difíciles, lo más prudente era que no se viesen padre e hija.

El Padre Alesón llamó a Xuantipa a solas, la hizo sentarse e, inclinándose sobre ella, para amedrentarla por la masa y como si fuese a anonadarla, le dijo:

—Mujer infernal, está usted condenada sin remisión. No le ha bastado a usted martirizar sin piedad a su ma-

---

[684] T: húmedos.
[685] T: Cuando los buenos padres llegaron.
[686] Algún crítico ha visto en esto una censura de las mentiras piadosas de los frailes. No lo veo yo así. Me parece que, para Pérez de Ayala, la figura del Padre Alesón cobra en este momento rasgos muy positivos.

rido. Ahora ha precipitado [687] usted en el abismo a una criatura inocente. ¡Gócese usted en su alegría satánica! Está usted condenada sin remisión.

Al Padre Alesón, para ser todo lo imponente que él pretendía, le faltaba la voz tonante. Pero como la Xuantipa tenía tanto miedo al infierno, oía la voz de flautín del fraile como si fuese una trompeta del juicio final [688].

—Señor, perdón... —balbucía temblorosa.

—Cállese usted, boca sulfúrea. Para que su gran delito le sea perdonado, tendrá usted que hacer firmísimo propósito de enmienda y prometerme que nunca, nunca, con ningún motivo, dirá usted a Belarmino una palabra desabrida ni le mentará la hija, más que hija, aunque no lo sea de la carne, que usted le ha hecho perder.

Xuantipa salió, en efecto, anonadada, con el espanto metido en el cuerpo para lo que le restaba de vida.

Y llovía sin cesar en la vieja ciudad de granito, y había pesadumbre, lágrimas y duelo hasta en las almas empedernidas. Conque, ¿qué sería en las almas tiernas y sensibles? [689]

Felicita llevaba ya tres días sin ver a su adorado Novillo; los tres únicos días seguidos de ausencia en muchos años. Por mucho que lloviese, Novillo no dejaba de venir a la Rúa Ruera bien provisto de chanclos de goma, polainas de cuero, un impermeable con capucha y, además, un paraguas abierto. Se guarecía en un portal, y allí montaba la centinela a la soberana de su corazón. ¿Qué habría sucedido ahora? Felicita, arropada en una toquilla de estambre y con zapatillas de orillo, se pasaba horas y horas, del día y de la noche, inmóvil, reseca, ósea, color de cera [690], en el mirador de cristales; parecía una momia en la vitrina de un museo, entre flores ajadas, como de trapo, y pajarillos inmóviles por el frío, como diseca-

---

[687] T: empujado.

[688] Otro contraste llamativo, nacido del juego de las perspectivas.

[689] Párrafo de transición hacia el lirismo melancólico del siguiente episodio.

[690] T: amarilla.

dos [691]. De vez en vez transitaba una mujeruca, con el refajo de bayeta amarillo limón levantado, a modo de mantellina, sobre la cabeza, calzada con almadreñas, que levantaba en las losas un eco funerario, como si caminase sobre tumbas vacías. ¿Qué le sucedería a Anselmo? ¿Estaría enojado? ¿Sería contrario al matrimonio de don Pedrito y Angustias? ¿Habría averiguado que el anónimo al Padre Alesón era obra de Felicita? ¡Dios mío, Dios mío, qué incertidumbre congojosa! Felicita lloraba silenciosamente, deseando la muerte. No dormía, no comía.

—Coma algo, siquiera un huevo pasado por agua —le decía Telva, la sirvienta—. Mire que ya está demasiado flaca, y si no come los huesos le agujerearán la piel.

—Ojalá me lo agujeren como criba y el alma se me salga como trigo pasado. ¿Para qué quiero el alma en el cuerpo? ¿Para qué me ha servido? ¿Quién ha querido comprarla, como buena simiente?

Estas retóricas desoladoras dejaban a Telva perfectamente fría. Decía para sí: «La señorita está más loca que un vencejo.»

Al cuarto día de ausencia, Felicita no pudo resistir más y envió a Telva a la fonda del Comercio, a que averiguase [692] discretamente qué era de don Anselmo Novillo. Al volver, soltó de sopetón y sin preámbulos lo que sabía:

—Pues don Anselmo está muy malito con pulmonía.

Felicita cayó con un soponcio. Al recobrar el sentido, aunque casi sin fuerzas para sostenerse, pidió el abrigo, la mantilla, las botas...

—¿Qué va usté a hacer, señorita?

—Volar a su lado.

—Repare que es un hombre soltero y usté una mujer soltera, y lenguas ociosas murmuran si ustedes tienen o no tienen.

—Es mi prometido. No reparo en el qué dirán. El corazón tiene sus fueros, por encima de todos los respetos

---

691 Desde «entre flores ajadas», no aparece en el manuscrito.
692 T: se informara.

humanos [693]. No puedo dejar al hombre a quien amo morirse solo y abandonado en la triste habitación de una fonda.

—Si es por eso, no se moleste. Don Anselmo está bien atendido. Tiene una sierva de Jesús, y la señora duquesa y el señor Apolonio no se separan de su lado. Además, no se trata de morirse, por lo que yo pude entender. Siéntese, sosiegue, tome algo; una taza de tila.

Felicita se tendió, desmadejada, sobre un sofá; los ojos, dilatadísimos, clavados en el cielo raso.

—Telva.

—Señorita.

—Anda a ver cómo sigue.

—Señorita, si acabo de venir de allí...

—Obedece. Vete a ver cómo sigue. Pregunta todos los detalles.

Telva se fue, refunfuñando.

—¿Qué ruido es ése? —murmuró Felicita, incorporándose estremecida—. Parece que clavan un ataúd. Parece que cavan una fosa.

Pero eran unas almadreñas en la calle. Felicita se tendió nuevamente en el sofá [694].

—¿Qué ruido es ése? —murmuró Felicita poniéndose en pie, transida de terror—. Parece que moscardonea [695] un enjambre de espíritus. Parece que se oyen voces del otro mundo.

Pero era el viento en las rendijas. Felicita volvió a acostarse en el sofá.

—¿Qué ruido es ése? —murmuró Felicita, cayendo de rodillas, desvariada—. Se oye murmullo de preces. Se oye chisporrotear de cirios. Rezan la recomendación de un alma. Anselmo ha muerto. Anselmo ha muerto [696].

---

[693] Posible eco de la famosa frase de Pascal: «El corazón tiene sus razones, que la razón no conoce.»

[694] T: diván.

[695] T: vuela.

[696] Frances Wyers Weber cita estas frases como ejemplo de acciones mecánicas y gestos automáticos (pág. 30). No me parece que sea así, sino un medio poético de expresar la intensidad del sentimiento.

Pero era el ruido de la lluvia en los cristales.

Al entrar Telva, Felicita oraba, de rodillas.

—Don Anselmo sigue un poquito mejor.

Felicita palpaba a la sirvienta:

—¿Sueño? ¿Eres tú? ¿Soy yo de carne? ¿No somos fantasmas?

Telva respondía mentalmente: «¿Tú de carne? Puro hueso, y ya muy duro. ¿Pantasmas? No [697] estás mala pantasmona...»

Felicita proseguía:

—¿Has hablado? ¿Me figuré oír una voz? ¿Qué me has dicho?

—Que don Anselmo sigue un poquito mejor.

—Trae aceite, todo el aceite que haya en la cocina...

—Al fin se decide usted a comer algo.

—Trae una gran fuente. Trae la caja de lamparillas. Trae las velas que haya en casa.

Encima de la cómoda había una imagen de la Virgen de Covadonga. Felicita encendió una gran iluminación delante [698] de la imagen. De rodillas, rogaba:

—¡Señora, sálvalo! Tú fuiste virgen sin mancha, pero te casaste. ¡Sálvalo, Señora! ¡Señora, tú estuviste casada y tuviste un hijo! ¡Sálvamelo, Señora, para que nos casemos, aunque yo continúe virgen y no tenga ningún hijo!

Felicita sintió que el pecho se le llenaba de confianza. Volvió al sofá. Inclinó la cabeza, pensando: «La Señora me lo salvará, y nos casaremos. Es una bobada que continuemos así» [699]. Pausa mental. «He ido demasiado lejos al decir a la Virgen que no me importa no tener hijos. Me gustaría mucho tener hijos. La verdad es que lo que se dice prometer, no le he prometido a la Virgen no tener hijos. La Señora me habrá entendido.»

—Telva, vete a ver cómo sigue don Anselmo.

—Señorita, si acabo de venir de allí...

---

[697] T: Sí que no.

[698] T: frente.

[699] La vida se ha impuesto a los esquemas mentales. Felicita se ha «convertido» (recuérdese la teoría novelesca de René Girard) a los auténticos valores vitales. Así, el personaje gana en humanidad compleja.

—Obedece. Vete a ver cómo sigue.

Telva partía ya, refunfuñando.

—Telva, no te vayas, no me dejes sola. Tengo miedo.

Después de una pausa:

—Vete, sí; Telva; vete. Sacaré fuerzas de flaqueza... No te vayas. Tengo miedo, tengo miedo...

—Bueno, ¿qué hago? Como no me parta en dos.

Felicita se echó a llorar.

—Yo qué sé, yo qué sé. Párteme en dos a mí; deja una parte muerta aquí, y lleva la parte viva contigo. Llévame en brazos, escondida, como una criatura...

—Señorita, está usté perdiendo la chaveta. Vaya, tranquilícese. Llore, que el llanto le hará bien.

Era ya de noche. Felicita, llorando, cada vez con desconsuelo más dulce, resignado e inconsciente, se adormeció como un niño [700]. Estaba tumbada en el sofá. Telva no quiso disturbarle el sueño, y la dejó a solas, rezongando: «Cuando despierte, ya se meterá en la cama. ¡Jesús con el señorío, y qué afición a los pantalones!...»

Felicita despertó de madrugada. Por el balcón se efundía una claridad lívida e inanimada, como aurora de ultratumba. Las velas sobre la cómoda se habían consumido. Las pocas lamparillas que todavía alumbraban se extinguían con un estremecimiento incorpóreo, al modo de leve recuerdo dorado.

Felicita sintió que una mano invisible le apretaba el corazón. No podía respirar. Cantó un gallo. Una voz de timbre increíble [701] resonó en la cabeza de Felicita: «Es la hora en que Lucifer cae al averno y las almas de los justos vuelan a Dios.»

Felicita lanzó grandes alaridos. Acudió Telva, a medio vestir.

—De prisa, de prisa, acompáñame.

La sirvienta dudó si sujetar por la fuerza a su ama; pero era tal el brillo [702] que fosforecía en los ojos de Felicita, que Telva obedeció.

---

[700] T: los niños.
[701] T: Una voz inmaterial.
[702] T: la lumbre.

Salieron a la calle. Llovía reciamente. Iban resguardadas bajo un enorme paraguas aldeano, de color violeta.

—Pero, ¿adónde vamos a estas horas? Es pronto aún para misa de alba.

Felicita no la oyó. Telva insistía. Felicita dijo, como hablando para sí:

—Anselmo está agonizando.

Llegaron a la fonda del Comercio. Estaba abierta y había un camarero de guardia.

—Don Anselmo se muere —dijo Felicita.

—Sí, señora, espicha sin remedio [703] —respondió el camarero.

—Voy a su habitación. Enséñeme el camino —ordenó Felicita.

—Es el caso que no se consiente que entre nadie. No está el horno para bollos.

—Yo entró porque tengo títulos para [704] entrar. No hay quien tenga más derecho que yo. Enséñeme el camino. O no me lo enseñe. No necesito guía. Iré derecha a su lado.

—Aguarde, señora. Voy con usté, para avisar y anunciarla. ¿Quién digo que es usté?

—Felicita, nada más que Felicita.

Novillo [705] se hallaba en las últimas. De una parte, a la cabecera de la cama, permanecían en pie Apolonio y Chapaprieta, el capellán de la casa de Somavia, en la mano, y con un dedo entre los folios, el libro donde había leído la recomendación del alma. De la otra parte, una monja le enjugaba el sudor que resbalaba a hilos de la frente y de la calva. El peluquín se veía suspendido en un boliche de la cama. La dentadura postiza estaba sumergida en un vaso de agua, sobre la mesilla de noche. Sin dentadura ni peluquín, la piel flácida, verdosa, ne-

---

[703] El lirismo de Felicita se refuerza, como es habitual en Ayala, con estos contrastes: la actitud de la criada, el lenguaje del camarero.

[704] T: derecho a.

[705] T: en efecto.

gruzca [706], color de corambre [707], los ojos soterrados, barba y bigote blancos, Novillo no conservaba traza de su pretérita fisonomía. Lo único que le quedaba del añejo esplendor era el abultado abdomen, enarcándose [708] bajo las sábanas. Aquel hermoso corazón, tan trabajado por el amor contenido, no quería seguir rigiendo. Novillo se asfixiaba. Un practicante, junto a la monja, le daba a respirar de un balón de oxígeno, y, en verdad, no se sabía si el balón estaba inflando a Novillo o si Novillo estaba inflando al balón. Novillo no había perdido la conciencia. De tiempo en tiempo levantaba los brazos y los dejaba caer pesadamente. Otras veces entreabría con esfuerzo los carnosos párpados y enviaba de sus ojos, profundos y tristes, miradas de agradecimiento a los que le rodeaban.

Cuando el camarero repicó a la puerta, la duquesa buscaba una medicina entre los frascos del tocador. Había tomado en la mano un pomo que decía: «La onda del Leteo. Tinte indeleble para el cabello» [709], y pensaba: «Voy a probar yo este tinte. Probablemente se lo ha enviado el carcamal de mi marido.» Al oír el repique en la puerta, hizo un ademán a los otros para que no se movieran, y salió a abrir.

—¿Quién es?

—Felicita —respondió el camarero.

La voz con el nombre llegó a oídos de Novillo. Le acometió un temblor intenso. Con movimientos torpes e inútiles tendía las manos hacia el peluquín y la dentadura postiza. La duquesa, que había cerrado de golpe la puerta, observaba a Novillo.

—Que no me vea así... —tartamudeó Novillo, con soplo delgado y apenas perceptible.

Entonces, la duquesa salió, cogió por un brazo a Felicita, la arrastró lejos, hasta una habitación vacía, le hizo sentar de golpe y dijo:

—Usted se está quieta aquí.

---

[706] T: casi negra.
[707] *Corambre:* cuero o pellejo de algunos animales.
[708] T: irguiéndose.
[709] Contraste humorístico, en un momento trágico.

237

—Mi puesto es a su cabecera, para recoger su postrer suspiro [710]. Que nos casen *in artículo mortis* [711]. Se muere.

—Por desgracia, así es. Y si usted le quiere, lo menos que puede hacer es dejarle morirse en paz.

—No morirá en paz si no me tiene a su lado.

—Se engaña usted. Anselmo no quiere que usted le vea en este trance.

—¡Falso! ¡Calumnia! ¿Lo ha dicho él?

—Él lo ha dicho.

—Imposible, imposible... —gritó [712] Felicita con frenesí—. *Articulo mortis. Articulo mortis.*

—Señora, no levante usted escándalos, que están durmiendo los huéspedes; ni me haga perder más tiempo. Ya le explicaré más tarde.

Y salió la duquesa, dejando encerrada a Felicita.

Novillo murió una hora después. Antes de morir, llamó por señas a la duquesa, y ya con lengua moribunda, dijo:

—Felicita..., perdón no casarme..., amado, amo..., muero..., amo... ella.

Cerraron los párpados a Novillo, le sujetaron la mandíbula con un pañuelo, le entretejieron los dedos de las manos y, todos de rodillas, condolidos, tocados de lástima y simpatía, rezaron brevemente. La duquesa, con acento profundo y unción de responso, pronunció lentas palabras, como si meditase en alta voz:

—El duque no volverá a encontrar un servidor político tan humilde y, al propio tiempo, tan osado. Parece mentira que este hombre temible en las elecciones, que a todos sacaba ventaja en maquinar un chanchullo y sacarlo adelante por redaños, fuese, en el fondo, la criatura más simple, candorosa, sentimental y asustadiza [713]. ¡Cosas de la vida... —y, después de una pausa, añadió—: y de la muerte! ¡Descansa en paz, Novillo bueno, Novillo fiel, novillo amante!

La duquesa fue a comunicar la triste nueva a Felicita.

---

[710] T: se muere.
[711] T: mortis causa.
[712] T: exclamó a gritos.
[713] Otra vez el contraste entre apariencia y realidad.

238

En ausencia de la duquesa, una idea singularmente brillante y afilada se había hecho presente, con viva luz y penetrante dolor, en el alma de Felicita: «Anselmo ha atrapado la pulmonía, o mejor dicho, la pulmonía ha atrapado a Anselmo...», y aquí la imaginación de Felicita se figuraba materialmente la pulmonía como un vampiro o ave nocturna que volaba en la tiniebla, entre lluvia y viento. Proseguía pensando: «La pulmonía ha atrapado a Anselmo cuando iba a Inhiesta en persecución de don Pedrito y Angustias. Si éstos no se escapan, la pulmonía no sorprende a Anselmo. Yo les preparé la escapatoria. Luego yo soy la culpable de la muerte de Anselmo. Yo soy la asesina; yo le he matado a traición. Yo misma... Debo presentarme al juez. Yo le he matado; sí, le he matado...»

Acercóse [714] la duquesa y, antes de que abriese la boca, Felicita se le adelantó:

—Ya sé lo que me va a decir, señora duquesa. Lo sé y no quiero oír de fuera la acusación. Estoy convicta y confesa. Llévenme a la cárcel, denme vil garrote. Yo le he matado...

—No delire, pobre mujer. Revístase de fortaleza para escucharme. Le traigo un manjar amarguísimo, pero con un granito de dulzura y de consuelo.

—No hay consuelo para mí. Yo le he matado y él me acusó del crimen; por eso no quiso recibirme antes de morir.

—Si Anselmo no quiso recibirla, fue por amor a usted, porque deseaba que usted guardase [715] de él un recuerdo grato y atractivo, y no la imagen deplorable y triste a que la enfermedad le había reducido. Esta fue la razón. Antes de morir me confió [716] para usted un mensaje [717]: que le perdonase por no haberse casado, que la había querido siempre y que moría en el amor de usted. Estas fueron sus últimas palabras.

Unos instantes de estupor. Felicita quedó como conge-

---

[714] T: Presentóse.
[715] T: conservase.
[716] T: dio.
[717] T: un encargo sagrado.

lada, yerta. Perdió voluntad y continencia. La carne, tan flaca y reseca, se le agrietó y, por las hendiduras, se derramó [718] en clamorosos raudales lo más secreto del alma, lo que rara vez se escapa [719] del misterio de la conciencia: el tuétano del espíritu, que tiene miedo a la luz y a las palabras.

—Me apetecía, y yo le apetecía... [720] —gritó Felicita, desbaratando el peinado y dando suelta al cabello, caudaloso y negro, lo único joven y hermoso que poseía—. ¿Por qué no habló? ¿Qué hablar? Un gesto, un solo gesto, un movimiento de ojos, el ademán de un dedo, la seña más leve, y yo me hubiera arrojado en sus brazos, me hubiera entregado a él, me hubiera abrasado y anonadado de amor, me hubiera deshecho en besos apasionados...

—Felicita, repare usted que en las habitaciones vecinas hay huéspedes y le están oyendo a usted.

—Lo proclamo a la faz del mundo. Que me oigan los cielos y la tierra; Dios y Satanás. Enviaré un comunicado a los periódicos. Todo, todo, todo; la vida, la fortuna escasa que tengo de mis padres, el bienestar, la honra, todo lo hubiera dado por un segundo, nada más que un segundo, de amor. ¿Para qué quiero la vida? ¿Para qué la fortuna? ¿Qué bienestar es el mío? ¿De qué me sirvieron la honra y la doncellez?

La duquesa meditó [721]: «Felicita piensa de modo distinto que el obispo acerca de la doncellez. Me gustaría que el pobre Facundo la oyese.»

—Repórtese, Felicita —amonestó [722] la duquesa—. Tiene usted razón; pero nada se enmienda [723] con lamentaciones tardías.

Felicita cayó en una especie de alelamiento, que duró poco.

---

[718] T: salió.
[719] T: abandona.
[720] El intelectualismo de Ayala (como el de Clarín, su maestro) no excluye momentos en que estalla el vitalismo, como este «planto».
[721] T: pensó.
[722] T: aconsejó.
[723] T: adelanta.

—Quiero ver a Anselmo —dijo, poniéndose en pie.

—No apruebo el capricho —comentó la duquesa—. Recibirá usted una impresión demasiado desagradable.

Obstinóse Felicita, y la duquesa cedió. De camino, Felicita iba diciendo:

—El suelo huye bajo mis plantas. Las paredes ondulan. El mundo se descuartiza y los trozos van rodando por el aire.

Estos raros fenómenos o alucinaciones en que Felicita se veía envuelta, a causa tal vez de la debilidad, se exageraron cuando entró en el cuarto mortuorio. Parecióle que la descomposición y descuartizamiento de que era víctima el mundo se verificaban con mayor saña [724] y absurdidad, como obedeciendo a un designio diabólico, en el cadáver de Anselmo Novillo. El cabello se le había despegado del cuero y se balanceaba sobre un boliche de la cama. Los dientes, parejos y pulquérrimos, habían saltado, con encías y todo, desde la boca hasta un vaso de agua. El vientre, enorme y pavoroso, ascendía, a punto ya de romper las amarras que le unían al resto del cuerpo.

Felicita dejó escapar un ¡ay! desgarrado y se cubrió los ojos. Como el duque de Gandía [725] ante el cadáver de la emperatriz [726], Felicita decidió allí mismo no volver a enamorarse [727] de imágenes [728] mudables, perecederas, y consagrar a Dios su doncellez.

El alma humana es grande porque, como todo lo grande, se compone de pequeñeces sin número. Por eso, en las crisis de dolor, en que el alma gira necesariamente sobre sí misma, sucede acaso que el eje de rotación es una pequeñez ridícula [729]. Felicita, a los pocos días de su doncellil viudez, fue a visitar al Padre Alesón, a fin de

---

[724] T: vehemencia.

[725] El que luego será San Francisco de Borja.

[726] Es un tema tratado muchas veces en literatura. Por ejemplo, en «El solemne desengaño», del Duque de Rivas.

[727] T: amar.

[728] T: cuerpos.

[729] Desde «El alma humana» hasta aquí, no aparece en el manuscrito. Esta reflexión no es —me parece— del hipotético narrador sino del propio Pérez de Ayala.

instruirse en lo atañedero a la regla monástica de las diversas órdenes religiosas femeninas, y también de una ridícula pequeñez, que era para ella [730] extremo de suma importancia: los hábitos que visten cada cual. Felicita sabía que algunos hábitos eran preciosos, y aun elegantísimos, si es lícita esta expresión profana. De estos dos puntos, la regla y el hábito, dependía la elección de Felicita.

Al entrar en casa de los Neira, extrañó no ver a Belarmino en su cuchitril.

¿Dónde estaba Belarmino?

El Padre Alesón había dicho a Belarmino que Angustias viviría, hasta el día de la boda, en el convento de las Carmelitas, en las afueras de Pilares. Belarmino solicitó permiso para ir por las tardes a pasear en torno al convento.

—Siempre que usted me prometa no intentar ver a su hija, yo le concedo permiso.

Belarmino prometió y cumplió. Los primeros días llovía irremisiblemente [731]. Belarmino llegaba chapoteando en las charcas, cubierto de lodo [732], se guarecía en el porche del convento y allí, encuclillado, como filósofo, dejaba pasar las horas. Oíase el trémolo de un harmonium. El sonido descendía y luego llegaba a lo largo del silencioso pavimento hasta él, a menudos y leves saltos, como los pájaros cuando caminan por la tierra. Oía los cantos monjiles. Belarmino se aplacía en el canto religioso: *ne impedias musicam,* dice la Escritura. «Quizás Angustias canta también; le habrán enseñado», pensaba Belarmino. Y hacía esfuerzos por desenredar la voz azul [733] de Angustias de entre la madeja polícroma del coro [734]. No, no cantaba Angustias. Si cantase, el rayo único de su voz hubiera penetrado en el alma penumbrosa de Belarmino co-

[730] «Una ridícula pequeñez, que era para ella» no aparece en el manuscrito.

[731] T: con reciedumbre.

[732] T: enlodado.

[733] Lamb halla en esta expresión un eco de Juan Ramón Jiménez (pág. 134).

[734] T: del cántico coral.

mo penetra un solo haz de los rayos del sol a través de la ojiva en una iglesia.

Luego, serenóse el tiempo. Era la sazón otoñal, de color de miel y niebla aterciopelada y argentina, a manera de vello, con que la tierra estaba como un melocotón maduro. Por encima de las tapias del huerto conventual asomaban los negros y rígidos cipreses, que eran como el prólogo del arrobo místico, el dechado de la voluntad eréctil y aspiración al trance; y los sauces anémicos y adolecientes [735] —en la región los llaman desmayos—, que eran la fatiga [736] y rendimiento, epílogo dulce del místico espasmo; y los pomares sinuosos y musculosos, las ramas, de agarrotados dedos, mostrando rojas y pequeñas manzanas, que no sugerían la imagen del pecado, sino a lo más de un pecadillo. Para los ojos, todo era paz en el huerto conventual; para el oído, la querellosa algarabía de los gorriones vespertinos.

Belarmino se sentaba al pie de las tapias y contemplaba las praderas, de velludo amarillento, que vahaban un aliento tenue y opalino. También él tenía un alma rasa y suave de pradera, esfumada en neblina [737]. Entre la neblina interior pensaba y sentía, sin usar ya [738] de palabras ni signos representativos. Sentía que su hija no había estado antes en el convento, que le habían querido engañar, por caridad. Es decir, no le habían engañado; se había engañado él mismo, y se habían engañado los demás. Pero, ahora, su hija estaba ya en el convento. ¿Cómo así? Fuera de él —pensaba— no existía nada. El mundo era una ilusión de los sentidos, un espejismo de la imaginación. El mundo de fuera era creación aparente y engañosa del mundo de dentro. Belarmino, entonces, resolvió poner en orden de paz y hermosura su mundo interior, y, por tanto, el mundo exterior, que no es sino eco o imagen sensible del otro. Ahuyentaría o ignoraría los espec-

---

[735] T: flojos.
[736] T: como el cansancio.
[737] Fernández Avello ha estudiado la importancia del tema de la niebla en la obra de Ayala. Aquí va unido al lirismo asturiano.
[738] T: siquiera.

tros recónditos [739], que, de vez en cuando, se entrometen a perturbar el buen concierto de las potencias del alma y anublar la cálida luz del corazón; esos espectros que, aunque ofuscaciones de la imaginación, se proyectan sobre el mundo exterior en forma de figuras odiosas y agresivas, como si de veras existiesen en carne y hueso, y son sólo alucinaciones. Belarmino resolvió que Xuantipa ya no existía; que no existía Bellido, el usurero; que no existían Apolonio, ni su hijo el seductor de Angustias; que no había existido el rapto [740] —¡cuánto trabajo le costó suprimir de su alma esta pretendida alucinación o realidad ilusoria...!—. Angustias, ésa sí que existía; como que la había concebido y creado él; era la hija de su alma y de sus entrañas: ¿no había de existir? Existía y estaba, por libérrima y unánime voluntad, suya y de su padre, recoleta en las Carmelitas, adonde la habían conducido el desprecio del mundo exterior y aparente, en el cual ella tampoco creía, y el ansia de una absoluta y perfecta serenidad. Por algo Angustias era hija de Belarmino.

Y Belarmino acudía todas las tardes a pasear alrededor del convento de las Carmelitas, a comunicarse, por vías misteriosas e inefables, con su hija imaginaria, enteramente engendrada por él, en su alma paternal, tierna y creadora.

Entonces fue cuando Belarmino abandonó la profesión filosófica, y ya no remendó más zapatos. Antes, cuando se veía a Belarmino, había que pensar: San Francisco, el de Asís, debía de ser una persona semejante, en el rostro. Ahora, Belarmino era cabalmente el remedo animado del San Francisco, de Luca de la Robbia [741]; puras y pueriles facciones, ojos vitrificados, anchas las sienes. También Platón tenía las sienes anchas [742]. Los frailes y

---

[739] T: íntimos.

[740] Hay en esto algo de burla del idealismo filosófico, pero también comprensión positiva, nacida de la necesidad de alcanzar la armonía y la paz consigo mismo.

[741] Un caso más de visión del mundo a través de modelos artísticos.

[742] Desde «Antes, cuando se veía», no aparece en el manuscrito.

244

los señores de Neira dejaban a Belarmino en libertad, c̣
viviese a su gusto, como inocente criatura de Dios q
no podía hacer daño a nadie. Una de sus últimas ens͜
ñanzas consistió en un a manera de apólogo, muy breve,
que confió a Escobar, el Aligator, y que éste tuvo la
suerte de poder traducir en lengua vulgar. Dice así: «Una
vez era un hombre que, por pensar y sentir tanto, hablaba escaso y premioso [743]. No hablaba, porque comprendía tantas cosas en cada cosa singular, que no acertaba a
expresarse. Los otros le llamaban tonto. Este hombre,
cuando supo expresar todas las cosas que comprendía en
una sola cosa, hablaba más que nadie. Los otros le llamaban charlatán. Pero este hombre, cuando, en lugar de ver
tantas cosas en una sola cosa, en todas las cosas distintas
no vio ya sino una y la misma cosa, porque había penetrado en el sentido y en la verdad de todo; al llegar a
esto, este hombre ya no volvió a hablar ni una palabra.
Y los demás le llamaban loco» [744].

[743] M: un hombre que no hablaba.
[744] El capítulo concluye con un apólogo filosófico: es uno de
los géneros que más convienen a Ayala. Toda la crítica ha subrayado la importancia de éste como almendra o meollo de la
novela. El problema del conocimiento y de la expresión alcan-
zan en él una formulación claramente mística.

Capítulo VII [745]

Pedrito y Angustias [746]

Después del largo sermón de las siete palabras, la noche del Viernes Santo, don Guillén tenía la voz tomada, hendida, un poco estridente. Había sido actor, durante dos horas, y ante un auditorio de reyes, infantes y demás tropa palatina, en el drama de los dramas: la pasión y muerte del Hombre-Dios. Su rostro no se había despojado aún de la persona o máscara trágica [747]. No quiero dar a entender que don Guillén fuese un histrión, y que, después del gran esfuerzo hipócrita sobre el proscenio, al volver entre bastidores, fingiese hallarse dominado todavía por el espanto y rigidez patéticos, y no poder recobrar [748] la elasticidad y movilidad de los músculos de la expresión. Polus [749], actor griego, cuéntase que, representando *Electra,* de Sófocles, sacó a escena la urna con las cenizas [750] de su propio hijo, porque el sentimiento [751] de

---

[745] En este capítulo, «la narración se divide en cinco partes cortadas por tres ensayos, cada uno de ellos después de una parte unitaria de la vida del protagonista, que medita y saca deducciones de su propia experiencia» (Sara Suárez, pág. 90).

[746] T: «Don Guillén y la Pinta», igual que el título del primer capítulo.

[747] Recuérdese que su padre, Apolonio, era autor dramático.

[748] T: corregir.

[749] T: Hubo un.

[750] T: el cadáver.

[751] T: las manifestaciones.

su dolor fuese sincero y comunicativo [752]. De seguro don Guillén, al representar aquella tarde el drama del Calvario, había conducido [753] en la urna recóndita del corazón las cenizas de su propia vida; cenizas ardientes aún. Horas después, todavía los ojos, las mejillas, la boca, la posición de cabeza, torso y brazos, eran como signos gráficos de fácil interpretación, en donde se podía leer un traslado de las divinas palabras: *Tristis est anima mea usque ad mortem;* triste está mi alma hasta la muerte [754].

Yo pensé que si don Guillén perseveraba en aquel modo de espíritu, no proseguiría narrándome la interioridad de su vida. Recordé lo que él me había dicho la noche anterior: que su padre, Apolonio, creía, de conformidad con la sapiencia búdica, que cada hombre lleva su destino escrito en la frente, con caracteres invisibes. Acaso, pensaba yo, los caracteres que don Guillén lleva escritos en la frente no son por entero invisibles, y la diversidad de sus nombres bautismales indica correspondiente diversidad de personalidades [755]. Y así, esperé [756] que, pasado un lapso de tiempo prudencial, la personalidad del hombre sereno y expansivo se sobrepusiese a la del hombre apasionado, triste y taciturno, y que don Guillén reanudase su cuento. Le hablé, por favorecer el tránsito, de cosas indiferentes a su preocupación actual, pero no tan indiferentes que resultasen frívolas o necias. Advertí que la cerrazón de la máscara trágica se abonanzaba. Se insinuó una sonrisa. Era el advenimiento del hombre efusivo.

—Anoche —dijo al fin don Guillén— comencé a contarle innumerables futesas, sin interés o de muy escaso interés. Pero este asomo de interés se desvanecerá si dejamos truncada la historia. Anoche me despedí de usted desde las puertas del Seminario conciliar de la diócesis

---

[752] T: verdaderamente sinceras.
[753] T: llevaba.
[754] Son las palabras de Jesús a Pedro y a los dos hijos de Zebedeo en Getsemaní (San Mateo, XXVI, 38).
[755] Confirmación del carácter significativo de sus nombres.
[756] T: confié.

de Pilares. Ahora, le invito a entrar conmigo [757]. Doce añitos de estancia; pero, no se asuste usted. Comprimiremos estos años hasta dejarlos reducidos al volumen de un cuarto de hora. La consideración del tiempo por venir mete miedo; y, sin embargo, el tiempo no ocupa lugar; pero no nos damos cuenta de que no existe hasta que ha pasado. Nos afanamos por apoderarnos de prisa, de prisa, trozo a trozo, del gran bloque del tiempo venidero, y estamos en la situación de un avaro que no hiciese sino guardar onzas de oro en un arca, y que cada onza se le desvaneciese sin llegar al fondo. Fíjese usted en la impropiedad del lenguaje, en lo que respecta al tiempo y a la edad de los hombres. Se dice: «Este niño tiene muy pocos años», o «este viejo tiene muchos años». ¡Qué disparate! El niño es el que tiene muchos años y el viejo el que tiene pocos años, poquísimos, quizás meses, quizás días, quizás horas, porque el tiempo pasado ya no existe.

Aquellas consideraciones, aunque sutiles y originales, no me parecían pertinentes [758]. Lo que yo quería conocer no eran las ideas de don Guillén, sino su vida y sentimientos. Le atajé, con cauta ironía:

—Tiene usted razón. No presumía que en los seminarios enseñaban a discurrir de esa manera sintética y plástica, por paradojas.

—¡Qué han de enseñar...! —exclamó don Guillén, riéndose alegremente—. Comprendo, comprendo... Quiere usted darme a entender que le he metido en el Seminario para un cuarto de hora solamente y que no desea usted dilatarse en este lugar ni un minuto más de lo imprescindible. Pues ya se ha cerrado la puerta a nuestra espalda. En las narices, en los ojos, en los oídos, en la lengua, en el tacto, en el alma, recibe usted una impresión de verdín, lo que en Pilares llaman verdín; ese moho fofo y viscoso que nace, junto con las lombrices de tierra, en los rincones húmedos, sombríos y silenciosos. Es-

---

[757] Esta descripción de la vida en el Seminario conserva, en muchos aspectos, el tono anticlerical de *A.M.D.G.*

[758] Pérez de Ayala se anticipa a la posible objeción de su lector.

taremos en uno de esos rincones un cuarto de hora justo; viviremos luego cien años, y no se despegará de nuestros sentidos aquella sensación de verdín, de cardenillo vegetal, de frío en los tuétanos y de contigüidad con exangües lombrices, dúctiles y ondulantes cirios de cera amarilla. Estos cirios eran, claro está, mis compañeros. Los más provenían de extracción humildísima, de las breñas y entrañas del terruño labriego; pertenecían a familias de aldeanos pobres, con el peculio preciso para pagar a uno de los varones la modicísima pensión del Seminario, por entonces poco más de una peseta diaria; eran de una raza intermedia entre la pura animalidad y un rudimento de especie humana. ¡Qué facies y qué cogote, señor...! Había colodrillos perfectamente planos y obtusos, en cuya intimidad no era posible que cupiese un cerebelo. Otros colodrillos eran exageradamente apepinados y piramidales. Yo me preguntaba: «¿Dónde se les va a situar a éstos la tonsura, si no tienen espacio? Algunos de los dueños de estos colodrillos se sientan hoy a mi lado en el cabildo catedral; todos ellos están revestidos de autoridad e imperan, en alguna medida, sobre el régimen privado de las familias y el régimen público de la sociedad. Lo curioso es que aquellas selváticas y fornidas criaturas, de frente angosta, cejas unidas, ojos montaraces y piel bronceada, apenas entraban en el Seminario adquirían el color incoloro y exangüe de la lombriz y de la cera. Y lo cierto es que, aunque muy mal (garbanzos agusanados, lentejas entreveradas con guijas, sebáceos pendejos de carne, queso ratonado, avellanas y nueces vanas), comían mejor que en sus casas. ¡Inexplicable fenómeno! Éramos unos doscientos. Entre tantos, por de contado que había hijos de familias mejor paradas de hacienda; de menestrales prósperos, de tenderos y tal cual de la clase media. De estos últimos había un Estanislao Correa, hijo de un procurador de los Tribunales, tímido y delicado como una virgen o como un lirio, al cual llamaban, groseramente, por mofa, San Estanislao de Cuesco [759], y le amargaban de continuo la vida. ¡Qué bárbaros!

[759] Fernández Avello censura el chiste fácil (*El anticlericalismo de Pérez de Ayala*, pág. 28).

También yo pasé mis malos ratos. Lo que señaladamente les molestaba era que yo no perdía los buenos colores. Siempre fui tan coloradete como ahora soy. Los más cerriles y pobretones caían sobre los que teníamos algún dinero, nos lo ordeñaban por las buenas o por las malas, y después de sobornar a los criados, les encargaban sustancias de comer y de beber, sobre todo vino blanco. Eran aficionadísimos al vino blanco. Como estaba prohibido el vino en el Seminario ni se consentía tener botellas, servíanse para guardar el vino de un expediente repugnante: lo metían en orinales, y de ellos bebían a modo de cuenco. Dormíamos en grandes dormitorios comunes, que casi nunca barrían. El suelo estaba sembrado de mondas de castaña, naranjas y otros frutos, según la estación. Agunos de los medianos y aun de los mayores, por la noche se escapaban «de mozas», como allí se decía. Solíamos asistir los demás a la escapatoria; quiero decir, al acto de escaparse. El Seminario, por la parte de los dormitorios, caía sobre un profundo barranco, ya en las afueras de la ciudad. El prófugo tenía que ser mozo recio y de cabeza firme contra el vértigo. El instrumento de la evasión se aparejaba con no menos de veinte sábanas, que algunos de los seminaristas, procedentes de pueblos costeros, unían por medio de nudos de marinero. Cuáles veces, por embromar al juerguista, le retiraban la escala de sábanas y no se la echaban sino de mañana, con el tiempo preciso para que se presentase a la primera inspección, haciéndole pasar varias horas de congoja en el barranco, entre maleza e inmundicia, acaso bajo la lluvia. Pues en aquel ambiente se estaban incubando los futuros ministros de Dios. ¿Cuántos tenían vocación? ¿Cuántos se habían encaminado al Seminario siguiendo una voz interior persuasiva, una estrella ineludible? Yo les oía contar chascarrillos de curas de aldea, de lo mucho que tragaban, de lo majamente que vivían, de los amores con que se distraían, del respeto y obediencia que se les tenía, y se refocilaban de antemano con la esperanza de arrastrar una existencia a lo regalado y holgón en una parroquia rústica, con el ama y la sobrina, pues casi todos profesaban, teórica y cínicamente, la poligamia.

¿Tenía yo vocación? ¿No sé si por reacción y enojo contra mis compañeros, llegué a estar convencido de sentir una gran vocación. A ratos soy muy sentimental. Entonces, lo era mucho más. Los oficios canónicos, las ceremonias del culto, el canto del órgano, el resplandor de las luces, el misterioso recato de las imágenes; todo esto me enternecía y agitaba hasta los posos del alma, y tanto más en la medida que iba entendiendo el latín. Verdaderamente, la liturgia de la Iglesia católica es muy bella, muy bella, muy sensual, a propósito para temperamentos delicadamente voluptuosos. Leyendo vidas de santos, y sobre todo de santas, se observa que los arrebatados fervores y movimientos místicos del alma coinciden con las edades críticas: la pubertad y la menopausia. A este fenómeno, un materialista le daría un sentido bajo y torpe; diría que el sentimiento religioso es una emoción sexual disfrazada. Para un espiritualista, el fenómeno tiene una explicación más natural y profunda. Puesto que en esas edades críticas el cuerpo, con infatigable tenacidad, impone su hegemonía sobre el alma, es natural que en los seres de fina textura espiritual, el espíritu intente divorciarse desesperadamente de la materia y oponer a las precarias y fugitivas apetencias de la carne un objeto absoluto e incorruptible, adonde se concentren los anhelos elevados y de él extraigan los más puros e inefables deleites. Se me dirá que esto no acontece sino a las naturalezas enfermizas y anormales. Concedo. Pero es que la inteligencia extraordinaria, los sentimientos nobilísimos y fuera de lo común, la peregrina aptitud para producir belleza, ¿no son anormalidades, enfermedades, como la perla es una enfermedad de la ostra? La materia en equilibrio, en inercia, es realidad a medias. La materia en transformación, en descomposición, es realidad íntegra, porque está creando vida[760] y nuevas energías. Y la energía es el elemento espiritual del universo. Yo, sin jactancia, ¿qué jactancia puede caber en esto?, soy un hombre bastante normal y equilibrado. Pero mucho más equilibrados eran mis cerriles compañeros. Yo asistía a los

---

[760] «vida» no aparece en el manuscrito.

oficios con emoción, aunque sin subir al deliquio ni al arrobo; ellos estaban como los perros en misa. Durante los cuatro primeros años de seminario, en los cuales se estudia con preferencia el latín, me apliqué a dominar esta lengua; ellos concluyeron los cuatro cursos sabiendo menos latín que un toro de Miura. Yo tenía afición a los idiomas. El francés había comenzado a enseñármelo la duquesa. Luego, por mi cuenta, perfeccioné su conocimiento. Me inicié también en el inglés. Mis únicas distracciones eran el estudio y la lectura, cosa inexplicable para mis compañeros. Mi lectura favorita, los himnos del Breviario.

Disquisición de don Guillén acerca de la poesía del Breviario [761]

Ahora tiene usted que perdonarme si le hablo con alguna extensión del Breviario. ¡Sus hismnos han influido de tal suerte en mi vida...! Me sé muchos de memoria, y he traducido algunos en lengua castellana. ¡Lástima que yo no sea un buen poeta! Los españoles no conocen la poesía cristiana. Los grandes poetas franceses, Corneille, Racine y otros, han vertido los himnos del Breviario en deliciosos versos franceses. En la manera de amar y preferir decláranse espontáneamente las personas y desnudan su alma. El ardiente Corneille traduce siempre al ardiente San Ambrosio; Racine, más cerebral y refinado, traduce a Prudencio, meticuloso artífice de la poesía litúrgica. En la segunda estrofa del himno a Laudes, de la quinta Feria, dice Prudencio: *Volvamus obscurum nihil,* y en la tercera estrofa: *Ne noxa corpus inquinet.* Racine, en estos dos versos, creyó ver

---

[761] Este titulillo no aparece en el manuscrito. Sara Suárez insiste en que ésta no es una digresión impertinente, como parece a primera vista: «En efecto, en el curso de este ensayo intercalado, vamos viendo el proceso paralelo que unas veces establece don Guillén, y otras puede establecerlo sin esfuerzo el lector, entre la historia de los himnos del Breviario, la de la Iglesia, la de Angustias y la de don Guillén mismo» (páginas 177-178).

un como remoto antecedente de la estética de Boileau, y tradujo, respectivamente: *Et que la vérité brille en tous nos discours,* y *qu'un frein legitime — Aux lois de la raison asservisse les sens.* Yo no sé de ningún gran poeta español a quien se le haya ocurrido ungirse con el óleo denso y aromoso [762] de la poesía cristiana [763]. Los himnos más primitivos y arcaicos eran los que con más dulce violencia me movían los afectos. Ya desde aquellos primeros años de seminario [764] me he atrevido a pensar que la Iglesia cristiana, en el curso de los siglos, fue mudando de condición: de potencia espiritual y apostolado de caridad social, se trocó en potencia política. Con esta mudanza, lo que ganó en poderío e influencia lo perdió en eficacia y estabilidad, porque todas las potencias políticas son perecederas, por ser odiosas. Aquellos himnos originarios e infantiles correspondíanse con las almas simples e inflamables [765] que los cantaban a coro en los humildes templos. Aquellas almas inocentes y piadosas consideraban decoroso y prudente que los clérigos viviesen con mujer, y la Iglesia consentía el concubinato eclesiástico. ¿Por qué la Iglesia, pensaba yo entonces, no ha de permitir el matrimonio de los clérigos? ¡Cuántos daños se evitarían!... Y lo pensaba, no porque yo sintiera deseos ni estuviese enamorado de mujer alguna, sino porque miraba y compadecía a mis compañeros. El enamoramiento vino después; y el Galeoto, el Breviario [766]. El primer cantor cristiano fue San Ambrosio de Milán, cuyo corazón era como un grano de incienso entre brasas. Un autor dice que San Ambrosio enseñó a la lengua latina a orar. En el himno *Æterna Christi munera,* que se canta a maitines el día de los Apóstoles, se expresa así San Ambrosio:

---

[762] T: perfumado.
[763] Hasta el final de sus días, Ayala buscará consuelo a sus desengaños en la poesía latina y cristiana.
[764] T: desde entonces.
[765] T: y ardorosas.
[766] Alusión a la historia de Paolo y Francesca, en el Canto V del Infierno, de la *Divina Comedia:* un libro les sirve también de estímulo para su pasión amorosa.

Devota sanctorum Fides,
Invicta spes credentium,
Perfecta Christi charitas
Mundi triumphat principem.

«En vosotros la fe religiosa de los santos, la esperanza invicta de los creyentes, la caridad perfecta de Cristo, triunfa sobre los príncipes del mundo.» ¿No es admirable de sencillez y de claridad? Nada de autoridad ni potencia política. Fe, esperanza y caridad, esto es, amor gracioso y no debido. Estas tres virtudes teologales le bastan al cristiano para triunfar sobre los caducos principados de la tierra. Tal era la misión social y espiritual de la Iglesia primitiva, de la Iglesia apostólica [767]. El día de los apóstoles San Pedro y San Pablo, consta en el Breviario un himno compuesto por Elpis, siciliana, mujer del filósofo Boecio. Este himno se canta en el Vaticano, con música de Palestrina, por un coro numerosísimo, sobre la tumba de San Pedro, bajo la cúpula de Miguel Angel. Dice la última estrofa:

O felix Roma, quae tantorum Principum
Es purpurata pretioso sanguine:
Non laude tua, sed ipsorum meritis
Excedis omnem mundi pulchritudinem.

«¡Oh, Roma afortunada!, estás enrojecida con la sangre preciosa de aquellos mártires (príncipes cristianos). No por tus esplendores, sino por sus méritos (los de ellos), excedes la hermosura de todo el mundo.» ¿No está aquí claramente acusada la contraposición de la Iglesia primitiva, como potencia espiritual, frente al fausto de las potencias temporales y caedizas? Sin duda, debe de ser magnífico, imponente y maravilloso el aparato y circunstancias de contorno con que actualmente se canta este himno en Roma; pero, ¿qué dirían Boecio y su mujer si levantasen la cabeza? No se impaciente usted, que

---

[767] El sentimiento religioso de Pérez de Ayala armoniza bien —creo— con el Cristianismo primitivo y con el erasmismo que intenta volver a él.

vuelvo en seguida a mi historia [768], pero estos preámbulos son esenciales.

Prosigue la narración [769]

No le hablaré a usted de las diferentes recensiones, refundiciones y manejos que el Breviario padeció a manos de sucesivos pontífices, porque esto, probablemente, no le interesa y, aun cuando le interesase, aquí estaría fuera de lugar. Sólo quiero decirle que la segunda edición tipo del Breviario fue publicada bajo Clemente VIII, con el concurso y dirección del cardenal Belarmino. Recordará usted, anoche se lo referí, otro Belarmino, zapatero y filósofo, padre de una chiquilla amiga mía, Angustias. Pues bien: yo no podía por menos de ver en el cardenal Belarmino algo así como la paternidad putativa o adoptiva del Breviario. El nombre de Belarmino aparece con frecuencia, y no me era dado eximirme de esta idea caprichosa. Por otra parte, yo me había enterado que Belarmino, el zapatero, no era padre, en la carne, de Angustias, sino padre putativo o adoptivo [770]. Él decía profesar la filosofía, pero yo digo que tenía mucho de poeta; así como mi padre, Apolonio, que decía profesar la dramaturgia, tenía mucho de filósofo. Extraña y misteriosa asociación de ideas y sentimientos se fue operando poco a poco en mi espíritu; la poesía del Breviario, la esencia indecible, penetrativa, mareante, que brota de sus melodías y se adhiere para siempre en el corazón donde se derrama, eran la misma poesía y esencia que se exhalaban del alma de Angustias, la niña que en su candor y pulcritud parecía una rosa [771] dilecta del Hacedor Supremo. El Breviario me traía, no ya la presencia espiritual de Angustias, sino también la presencia sensible. El Breviario

---

[768] La advertencia parece dirigida al lector, más que al narrador.
[769] Este titulillo no aparece tampoco en el manuscrito.
[770] Por eso ha elegido el novelista este nombre para su personaje.
[771] T: flor.

abunda en locuciones e imágenes de extremada visibilidad y plasticidad, y lo que no residía en la virtud plástica y evocadora del Breviario, lo suplía mi imaginación adolescente. Además, los melodas litúrgicos, enamorados congojosos de la castidad, hacen a menudo grandes gestos de conjuro para ahuyentar las visiones impuras. Estos recios conjuros son, sin duda, de sumo provecho para lustrar y aquietar las almas donde se encierran recuerdos de la propia experiencia impura, en las cuales las imágenes torpes son, o recuerdos materiales, o fragmentos de recuerdos, aderezados y embellecidos por la fantasía. Pero en las almas blancas, vírgenes de experiencias y recuerdos, los tales conjuros, lejos de ahuyentar visiones turbadoras, que no existen[772], las suguieren[773]. Como ya le he indicado más arriba, los himnos del Breviario nacieron en diferentes períodos de la vida de la Iglesia: unos, al período infantil y mozo, que son los de la Iglesia primitiva; otros, al período adulto y de madurez, y otros, poquísimos, al período senil, que es un período estéril. Como quiera que la sustancia de la poesía es, necesariamente, el amor, así también los himnos litúrgicos son expansiones de amor, de un amor sobremanera copioso y ambicioso, puesto que aspira a un objeto absoluto e incorruptible. Se advierte que los himnos de la Iglesia primitiva y moza están inspirados en un amor concebido en el corazón, y los de la Iglesia ya madura, en un amor concebido en la cabeza. Contra lo que piensan y dicen las inteligencias superficiales, es más natural en el mozo ser inclinado al pesimismo y a la desesperación, que no en el hombre maduro[774], como lo prueban los suicidios, que la mayoría son de personas jóvenes. Chamfort[775] habla de un joven que, a pesar de no tener edad para conocer el mundo, estaba tan triste como si ya lo conociese todo. Liviana observación; pues por eso precisamente es-

---

[772] «que no existen» no aparece en el manuscrito.
[773] Paradoja irónica, típica de Pérez de Ayala.
[774] De hecho, las novelas juveniles de Pérez de Ayala son más pesimistas que las de su edad madura.
[775] Chamfort, autor francés del siglo XVIII (1740-1794), del que hoy se recuerdan sólo sus *Maximes, caracteres et anecdotes*.

taría tan triste. Para el joven inteligente y sensitivo, el mundo es un caos sumido en lobreguez [776]. El joven posee deseos vastos, quiere poner orden y luz en las cosas, un orden suyo, a la luz que de su propio corazón dimane. Esta luz, luz y lumbre, claridad y ardor, es el amor. Si alguien de fuera, el espíritu malo, extingue esta luz, el mundo se ha derrumbado irremisiblemente. Tal era la psicología de la Iglesia primitiva; tal era la mía, en los cinco primeros años de seminario. Miedo a la tiniebla, al frío caos, al soplo del espíritu malo; deseo desesperado de luz, de calor, de amor. Todos los primeros himnos del Breviario son un clamor continuo y angustioso hacia la luz. Cada vez que yo leía, con el corazón en suspenso: *claritas, lux lucis, lux refulgens sensibus, lucis aurora rutilans;* claridad, luz de luces, luz que ilumina los sentidos, rutilante luz auroral..., veía en presencia la imagen de Angustias, y exclamaba, con San Ambrosio: *os, lingua, mens, sensus, vigor — confessionem personent;* que resuene mi confesión de amor en mi boca, en mi lengua, en mi mente, en mis sentidos, con todas mis fuerzas. Cuando leía: *Virgo super omnes speciosa, flos, dulcedo;* doncella más gentil que todos, flor, dulcedumbre; o como decía Prudencio, aquel esteta de la Iglesia antigua: *Thesaurus et fragans odor — Thuris Sabaei ac myrrheus;* tesoro, aroma fragante del incienso sabeo y de la mirra..., veía en presencia la imagen de Angustias. Otras veces, cuando leía el conjuro de San Gregorio el Magno a la concupiscencia: *Absint faces libidinis — Ne foeda sit vel lubrica — Compago nostri corporis;* lejos de mí las antorchas de la libidinosidad; que la sucia lubricidad no se asiente en las articulaciones de mi cuerpo..., la imagen de Angustias se me presentaba más linda, cándida y adorable que nunca, y mis brazos, involuntariamente, se tendían para asirla contra mi pecho. Y cuando leía en San Fortunato: *Membra pannis involuta — Virgo mater alligat — Et manus pedesque et crura — Stricta cingit facia;* de cómo la Virgen madre envuelve en pañales los

---

[776] Recuérdese el título de su primera novela, de la serie autobiográfica: *Tinieblas en las cumbres.*

torpes miembros del recién nacido y le ciñe con vendas las manos, los pies, las piernas..., veía también a Angustias, con un hijo; y mi corazón se derretía de ternura. Preguntábame, en la soledad de mi conciencia: ¿son éstas malicias de Satanás, que me induce a imaginaciones impías? ¿O son, por el contrario, insinuaciones divinas con que se me hace patente que debo servir al Señor antes como buen casado que como sacerdote melancólico? Consulté con el confesor, el cual respondió afirmativamente a la primera pregunta; eran malicias de Satanás que yo vencería sin esfuerzo. Sin esfuerzo... Mi confesor era un santo varón, albino y adiposo, que no tenía ni sospecha de lo que fuese un esfuerzo. Sin embargo, me atuve al consejo y parecer del confesor, sabiendo qce la voz de Dios busca a manera de instrumento en donde articularse esas almas huecas y limpias, que son como albogues de madera sana, no obstruidos, resecos, ni agrietados; y me esforcé, ¡con qué frenético ahínco!, en rechazar de mi frente y de mi pecho imágenes y blanduras amorosas. Pero cuanta mayor era mi diligencia, con tanta más insidia, suavidad y mimo me perseguían, me cercaban, me penetraban. Alcancé el ápice doloroso de este estado de espíritu cuando cursaba el quinto año de Seminario y primero de filosofía. Acentuóse el malestar a medida que se acercaban las vacaciones. En las vacaciones posteriores a los dos primeros cursos, y aun en las del tercero, Angustias era todavía una chiquilla, y yo, aunque prematuramente apersonado con mi terno de paño negro, un mozuelo. Nada tenía de particular que reanudásemos [777] cada estío la añeja amistad, si bien no tan asidua, porque nos faltaba Celesto, el aprendiz, el cual, al pasar Belarmino a zapatero remendón, había entrado de zagal en una cochera de carruajes de alquiler. A pesar de la separación, el zagal conservaba mucho afecto a Belarmino, a Angustias y a mí. Mi trato con Angustias era del todo inocente. Mi pasión no se me hizo patente hasta el cuarto curso de seminario. Aquel año, al salir del seminario, hallé a Angustias hecha ya una mujercita. La

---

[777] T: comencásemos.

primera vez que nos cruzamos en la calle, me sentí tan turbado que no acerté a moverme ni a hablarle. Comprendí que me ponía pálido como un muerto. En todo aquel verano no nos dirigimos la palabra. Siempre que nos veíamos, yo me ponía pálido y ella encendida. Y así llegó el quinto año de Seminario, nueve meses de martirio; y salí nuevamente de vacaciones. Me espantaba tener que volver a ver a Angustias. Estuve tentado de rogar a la duquesa que me permitiese pasar las vacaciones en su casa de campo, aunque fuera como fámulo; pero desistí en un principio. Y ocurrió que una solterona, llamada Felicita Quemada, que vivía dos puertas más abajo de mi padre, y que cuando [778] niño me solía llevar a merendar a su casa, un día que nos tropezamos en la calle me dijo: «Querido don Pedrito, estás hecho un guapo mozo, un hombre hecho y derecho. Ante todo, no te enojará que te siga tratando de tú. Para mí siempre serás un niño, aunque te hagan obispo de la ínsula de Barataria. Pero, vaya, que eres un mozo garrido. Lástima que vayas para cura, que si no, las niñas andarían detrás de ti despepitadas. Y aun así y todo..., ¿quién sabe? Es decir..., yo creo saber... Pero cambiemos de palique. No sé por qué no has de venir por mi casa, como otros años, como siempre. Cierto que yo soy una mujer soltera y tú un guapo galán, y hay lenguas de avispa; pero esto no debe importarnos, porque quien a mí me importa sé que no lo toma a mal, y además eres ya medio cura, y los curas tienen vía libre en todas partes. Conque mañana te espero a merendar...» Y fui al día siguiente. Aquella mujer era víctima de un amor imposible, y no pudiendo dar feliz término a su amor, se perecía porque todas las demás criaturas del universo se confundiesen en estrecho e indisoluble abrazo amoroso. Su charla era bastante para marear a cualquiera, pero aquella tarde, lo que realmente anduvo a pique de hacerme caer sin sentido no fue la forma, sino el fondo y asunto de su charla. Aunque muy velado y desmenuzado en minúsculas [779] alusiones,

---

[778] T: desde.
[779] T: en mil veladas.

que entreveraba y envolvía entre vanas parrafadas, vino a decirme que Angustias estaba locamente enamorada de mí y que no podía vivir sin mí. Yo no ignoraba que Angustias venía con frecuencia por casa de la solterona, y que a veces dormía allí. Volví por la casa. A cada merienda, la solterona se clareaba más. Un día me propuso que me reuniese allí mismo con Angustias; ella lo prepararía bien y nadie lo sabría. Me negué en redondo, Dios sabe a costa de cuánto esfuerzo y agonía. ¡Y mi confesor me persuadía que cercenar las inclinaciones amorosas no cuesta ningún esfuerzo! La solterona me replicó: «No te apures, don Pedrito; estoy convencida que tienes verdadera vocación de cura.» Harto comprendía ella mi amor y mi dolor. Prosiguió: «No había mal en lo que te proponía, ni peligro, ya que es tan firme tu vocación religiosa. Era una caridad, una limosna que harías a la pobre Angustias. Sólo con verte de cerca, por última vez, quedaría dichosa para el resto de su vida. Hasta podías inculcarle la vocación y que se meta [780] monja...» Insistí en mi negativa. Dijo la solterona: «Sea. Cada cual es dueño de sus actos.» ¿Yo, dueño de mis actos...? «Pero lo que hemos hablado no será obstáculo para que de vez en cuando me visites. Yo procuraré que no coincidáis aquí ni por casualidad. ¿Cuándo volverás? ¿El jueves próximo?» Aquel jueves, al salir de mi casa para ir a la de la solterona, vi que entraba en ella una mujer. No es que la viese. Sólo alcancé a ver el vuelo de una falda y un pie que subía de la losa al umbral. Me bastaba. Era Angustias. Salí huyendo, fuera de la ciudad, aldea adelante, andando, andando varias horas, y me encontré en casa de la duquesa. Cuando llegué, me duraba todavía el aturdimiento, la insensatez. Dije a la duquesa que no me hallaba [781] bien de salud y que iba a la aldea a reponerme. La señora me preguntó si había tenido algún disgusto con mi padre. Por el gesto de mi respuesta, la duquesa, que era un lince, presumió la oculta [782] causa. «Pobre Pedrín, hijito —dijo, dándome una palmada en el cogo-

<hr />

[780] T: haga.
[781] T: encontraba.
[782] T: verdadera.

te—; ahora, a pasear, a pasear, a cazar; distráete, embrutécete. No des excesivo valor a las cosas de poca monta. Ya se te pasará esa pequeña enfermedad.» Pero no se pasó. Transcurrió un mes. Iba de vencida el verano. El cielo estaba ya desvaído y triste. En veinte días escasos debía entrar en el [783] Seminario. No pude resistir más. Volví a Pilares y a casa de Felicita. Antes de que ella hablase, me adelanté a decir: «Quiero ver a Angustias.» Respondió la solterona: «Lo esperaba. Tienes un corazón de oro. Vuelve mañana a la hora de la merienda, como de costumbre.» Llegué al día siguiente. Felicita me condujo a su gabinete, cerró la puerta y me dejó dentro. Estaba Angustias en pie. Yo, en pie, a tres pasos de ella. Nos mirábamos sin decir palabra. Brillaban sus ojos con lágrimas; se empañaban los míos. Y nos mirábamos sin decir palabra. ¿Cuánto tiempo? No lo sé. Ni sé cómo la hallé ya entre mis brazos; las bocas unidas. ¿Cuánto tiempo? Tampoco lo sé. Había en el gabinete una cómoda; sobre la cómoda, una imagen de la Virgen de Covadonga, con una lamparilla ardiendo. Nos arrodillamos ante la imagen, tomé la mano de Angustias y dije: «Ante la reina de los cielos, te prometo casarme contigo.» Entró Felicita: «Niños, loquines [784], que ya es tarde. Cada mochuelo a su olivo y cada pollo a su corral.» Yo no quería separarme de Angustias ya en la vida. «Qué súbito es don Pedrito —comentó Felicita—; claro, tiene hambre atrasada. Tonto, ¿de quién es la culpa? Ya lo arreglaremos todo, y de prisita, para que no te consuma la impaciencia.» Sin embargo, yo no quería separarme de Angustias sin llevarme [785] por lo menos un retrato que contemplar en las horas de ausencia. Por fortuna, Angustias tenía en casa un pequeño retrato. Quedamos que se lo traería a Felicita y que ésta me lo enviaría al punto. En días contados (y todos los días nos veíamos), Felicita ideó, maduró y dispuso el plan de lo que habíamos de hacer. Angustias y yo no poníamos nada de nuestra par-

---

[783] T: volver al.
[784] T: «locuelos». El sufijo -ín, para el diminutivo, es el característico asturiano.
[785] T: tener.

te; nos dejábamos llevar por Felicita, y en verdad que si grande era nuestro gozo no era menor el de la pobre solterona. Sólo de rato en rato se detenía a murmurar, con acento de quejumbre: «¡Qué envidia me dais, tortolines...! Pero no caigais en soberbia o egoísmo, que no sois solos en el mundo. También a mí me llegará mi hora; y quizá muy pronto. Cuando Anselmo y yo nos casemos, seremos amigos los dos matrimonios, aunque vosotros pertenezcáis a una clase humilde [786]. Yo no reparo en eso, y no reparando yo, Anselmo no reparará tampoco.» Felicita era de opinión que por las buenas y siguiendo los trámites usuales no llegaríamos a casarnos. Por lo tanto, era menester apelar a un procedimiento rápido y enérgico; nos escaparíamos, pediríamos luego, por carta, perdón y consentimiento a nuestros padres, y a la postre, para evitar el escándalo, todo se arreglaría a pedir de boca. Angustias, por no causar una pena a Belarmino, repugnaba la idea de la escapatoria. «¿Por qué hemos de escaparnos? Se escapan los que han hecho una cosa mala, y nosotros no la hemos hecho. ¿Qué pensará mi padre?», decía Angustias, con angelical mansedumbre. Yo, por la violencia de mi amor, me sentí violento en la lengua: «Nos escapamos, porque es el único camino que se nos abre, y si tú no lo sigues conmigo, es que no me quieres.» «No digas eso», suspiró Angustias, con lágrimas nacientes, que yo acudí a evitar con mis labios. «¡Jesús! ¡Jesús! —chillaba la solterona, en tono burlesco—. Niños, no os pongáis pecaminosos, que me ruborizo y se me alargan los dientes...» ¡Pobre mujer; alma jugosa y generosa, como la vid buena, revestida de un tronco sarmentoso [787] y casi momia! [788] No había inconveniente u obstáculo a nuestra presunta evasión que ella no saliese al paso con el adecuado remedio. Ella nos facilitó el dinero, que yo luego entregué a Angustias; ella nos sugirió la idea de avisar a nuestro fiel amigo Celesto, para que nos proporcionase el carruaje y nos sirviese de

---

[786] Después de presentárnosla como personaje conmovedor, Pérez de Ayala insiste ahora en los ridículos prejuicios de Felicita.
[787] M: pero encerrada en un cuerpo apergaminado.
[788] Un nuevo contraste entre lo interno y lo externo.

mayoral; ella apercibió todos los pormenores; ella, por fin, desinteresada sacerdotisa del amor, vetusta vestal, nos bendijo enternecida, cuando partíamos. ¡Cómo llovía el día de nuestro éxodo feliz! ¡Cómo sonaba el agua a cristal, a campanas de gloria! Era un nuevo diluvio, que anegaba a la humanidad entera; nuestro coche, como el arca de salvación [789]; sólo nosotros sobrevivíamos [790] al universal naufragio, destinados a ser origen de una humanidad nueva. Pronto brillaría el arco de la alianza [791]. A la mañana siguiente, temprano, repicaron con los nudillos a nuestra puerta. Me incorporé. Angustias, blanca y dulce, con el cuello en escorzo, dormía como una paloma. Decía la sirvienta de fuera del postigo, que unos señores me esperaban abajo. Venían, sin duda, en nuestra persecución, a quebrantar nuestra dicha. Yo estaba resuelto [792] a dejarme matar, antes que entregarme. No tenía armas. Miré en torno. Nada había que pudiese servirme de arma eficaz. La sirvienta insistía desde fuera. Lo que yo más temía era que Angustias se despertase. Me vestí de cualquier modo. Salí a la puerta con intención de sobornar a la sirvienta. Unas manos de hierro, las de aquel bárbaro Patón, el criado de la duquesa, me amordazaron, me sujetaron cruelmente los miembros, me tomaron en vilo, me descendieron a un zaguán, en donde estaban mi padre y el señor Novillo, el cortejador de Felicita, me metieron en un coche... Y, entretanto, Angustias dormía como una paloma, y acaso soñaba que era feliz. Aquellas manos de hierro no rebajaron un punto su salvaje presión hasta que llegamos a Pilares. Yo era como un inválido, como una cosa inútil y paralítica. El bárbaro Patón me conducía como liviano fardo. Y yo conducía mi pobre vida, mi pobre alma, como otro fardo, pero insostenible, abrumador. Según íbamos en el co-

---

[789] T: de la alianza.

[790] T: nos salvábamos.

[791] Son frecuentes los recuerdos de la Biblia en la obra de Pérez de Ayala; fue gran lector, hasta el fin de su vida, de las Sagradas Escrituras. En este caso, le sirven para dar dimensión mítica, universal, a la anécdota de la huida.

[792] T: dispuesto.

che, pensé: «Si yo pudiera morderme con disimulo una arteria y dejarme desangrar, calladamente...» Todo era inútil. Sentía el corazón tumefacto, insensible. Lloré, lloré entonces como flaca mujer, por mi tesoro, que no había sabido defender como hombre; lloré todo el viaje. De camino, mi padre ni el señor Novillo no desplegaron los labios. La duquesa me encerró en cuarto oscuro, y allí me tuvo la semana que faltaba para volver al Seminario. No podía yo imaginar que me admitiesen en el Seminario, después del escándalo. Mientras estuve encerrado, nadie me enteró de nada. El día primero de curso, la propia duquesa me llevó en su coche al Seminario. ¿Qué había pasado? Andando el tiempo, lo supe. El señor obispo, bajo la influencia de los dominicos y de los marqueses de San Madrigal, quería casarme. La duquesa de Somavia se oponía tenazmente y pretendía que yo continuase mi carrera. Como Angustias había desaparecido, sin dejar vestigio ni presunción de su paradero, finalmente triunfó la voluntad de la duquesa y yo volví al Seminario; otros siete años...

Don Guillén apoyó los codos en las piernas, la frente en las palmas. Hubo un largo silencio. Irguióse y enhebró la interrumpida hebra del discurso:

—Siete años... La almendra del árbol de la Iglesia: Sagrada Escritura, Teología dogmática, Teología moral. Siete años de triple martirio, no ya en el corazón, como los años anteriores, sino en la carne y en la conciencia. Ya no eran las tentadoras imágenes de antes, fingidas por la humareda que se elevaba del corazón; era la experiencia de la carne, el recuerdo de lo pasado, que, no obstante haber pasado, permanecía actual sobre mi piel, como la cicatriz de las heridas. El contacto de Angustias había impregnado mis nervios ya para siempre: la sensación estaba de continuo sobre mí, me erizaba el vello con un calofrío placentero. Angustias seguía formando parte de mi ser y me dolía como un miembro amputado. Martirio del corazón, martirio de la carne y martirio de la conciencia, acaso más desesperado que todos.

A diferencia de mis compañeros, yo continuaba leyendo y estudiando. Ninguno se preocupaba de que yo leyese, ni de los libros que leía. Y lo que yo leía eran obras francesas e inglesas, y traducciones alemanas al francés y al inglés, sobre crítica bíblica. Me apliqué a meditar sobre el problema de los Evangelios sinópticos. Era evidente, ¡ay!, era evidente. Los Evangelios no poseían valor histórico; no eran testimonios personales de la vida y enseñanza de Jesucristo; habían sido urdidos muchos años después, casi [794] un siglo. Las piedras angulares sobre que se asentaba la Iglesia eran otros tantos fraudes. El profesor de Sagrada Escritura [795] se llamaba don Salomón Caicoyas. Salmón, el hijo de David, se había posado [796] brevísimo tiempo en la inteligencia de este otro su homónimo. ¡Hombre más ignorante, soberbio y poseído de sí...! Llevaba el manteo terciado, la teja al bies, y tenía todo el empaque de un majo. En el Seminario se murmuraba que era muy galanteador y que se introducía [797] siempre entre la muchedumbre y en lugares muy concurridos, por disfrutar de apreturas con las mujeres. Su voz era como el estridor de un cuchillo contra un plato [798]. Yo no podía oírle sin sentir dentera y malestar de estómago. Además, no sé por qué, me tenía franca ojeriza [799] y no perdía oportunidad de recordarme en público la grave falta que yo había cometido. Pues este hombre era quien debía disipar los negros vapores que ensombrecían mi conciencia... ¡Figúrese usted!... Yo mismo hube de procurarme la salvación; yo mismo, con la ayuda de Dios y de la mano de

---

[793] Tampoco aparece este titulillo en el manuscrito.
[794] T: más de.
[795] T: Teología Dogmática.
[796] T: detenido.
[797] T: metía.
[798] Otra vez la voz como elemento caracterizador de un personaje.
[799] T: aversión.

San Pablo, el apóstol de los gentiles, que no conoció a Cristo. Las epístolas de San Pablo son los documentos más antiguos y fehacientes del cristianismo; son propiamente obra de la fe, de la voluntad de creer. San Pablo no exigía virtudes heroicas; antes bien, virtudes moderadas. Hay un oportunismo de la virtud, que es la verdadera doctrina paulina. La religiosidad sincera, para San Pablo, se cifra en algo más importante que los hechos probados y la rigidez de conducta. En la segunda epístola a los Corintios, San Pablo dice: *o Khirios to pneuma estin;* el Señor es el espíritu [800]. Los griegos, aunque espiritualistas, no habían acertado a sutilizar el alma humana sino asimilándola y, por ende, denominándola con la palabra *psique,* mariposa, que para ellos era imagen de la levidad suma. ¡Qué milagroso avance en la espiritualización del alma desde la *psique,* material todavía, hasta el *pneuma,* materia inmaterial, sustancia etérea, soplo divino!... El Señor es el espíritu; Dios reside en nuestra alma. Todo el resto, documentos, testimonios y dogmas, es secundario. No hay sino robustecer y exaltar el elemento espiritual de nuestro ser. Tal es el deber religioso primordial y único. El cristianismo enriqueció la historia de la conciencia humana con un acto de creación: la creación del espíritu. El espíritu es algo más fino y elevado que el alma. Los egipcios creían ya en el alma. Pues el espíritu es el alma en libertad. El espíritu, sobre la tierra, existe con conciencia de sí propio —pues antes existía a ciegas— desde hace diecinueve siglos; desde San Pablo. Acaso un psicólogo experimental me replicará con sorna: «pero, si el espíritu sigue sin existir... Yo no he tropezado con el espíritu en mis experimentaciones». Responderé yo: «tanto peor para usted, pues es señal de que usted no tiene espíritu y no puede ser cristiano». El espíritu es superior a la *psique* y no se puede llegar hasta él por la mera psicología [801]. San Pablo fue también el apóstol áspero de la castidad. Más vale casarse que abrasarse; pero la castidad es madre de la fortaleza.

---

[800] Cap. III, vs. 17.
[801] Desde «El cristianismo enriqueció...», no está en el manuscrito.

Una noche de insomnio, meditando y cavilando sobre lo que habría sido de Angustias, creí oír una voz interior, una voz que resonaba con misteriosa certidumbre: «Esa mujer está perdida. A esa mujer la has perdido tú. Esa mujer no puede pecar, porque es inocente de su caída. Los pecados de esa mujer pesan sobre tu conciencia. Tanto pecarás tú cuanto ella peque, y ella permanecerá limpia, porque no es suyo su pecado. Todo le será a ella perdonado, por haberte amado tanto. Haz tú que tantas culpas te sean perdonadas, compensando con severa castidad la cadena de pecados que tú mismo hubiste de forjar y remachar, y que llevas asida al tobillo y a las muñecas.» Y con resolución que arrancaba del tuétano de mis huesos, exclamé: «Así lo haré.» Y lo cumplí. Creo en el espíritu y soy continente: todo el resto es secundario. Ya más sano en mi alma, volví a bañarme en la onda tépida y vigorizante [803] del Breviario. Ahora, tres himnos se alojaron en mi pecho y ardían de modo inmarcesible, como lámpara de tres lenguas iguales: los tres himnos a María Magdalena, uno precisamente del cardenal Belarmino, otro de San Gregorio, retocado por Belarmino, el tercero de San Odón de Cluny, retocado también por Belarmino. Dice San Odón:

> *In thesauro reposita*
> *Regis est drachma perdita;*
> *Gemmaque lucet inclita*
> *De luto luci reddita;*

el dracma perdido es repuesto en el tesoro del rey, y la perla luce nuevamente sacada desde la tiniebla hasta la claridad.

Y dice San Gregorio:

---

[802] Como siempre, este titulillo no está en el manuscrito.
[803] T: refrigerante.

Nardo Maria pistico
Unxit beatos domini
Pedes, rigando lacrymis
Et detergendo crinibus;

con nardo machacado María unge los santos pies del Señor, regándolos de lágrimas y enjugándolos con los cabellos.

Y dice Belarmino:

Amore currit saucia
Pedes beatos ungere,
Lavare fletu, tergere
Comis, et ore lambere;

herida de amor, corre a ungir los santos pies, a lavarlos con llanto, a enjugarlos con la cabellera, a acariciarlos con la boca. Y un día, vendrá así la mujer a quien perdí; en su inocencia, me pedirá perdón, y yo le diré: «Levántate, mujer. Tú eres quien debe perdonarme. Heme aquí a tus plantas.» Así pensaba yo entonces..., y luego..., muchos años. Y he llevado siempre conmigo la imagen de la mujer, la imagen anterior a su desdicha y a la mía; y no pudiendo hacerla mi amada, hice de ella mi hermana.

Después de breve pausa, prosiguió don Guillén:

—Mi primera misa la dije en la casa de campo de la Somavia. La duquesa fue mi madrina. Me regaló una rica casulla, bordada en oro. Entre sus arabescos, muy disimulado, hay un corazón estrujado por una mano; del corazón cae un hilo de sangre, que, retorciéndose, describe una *A* equívoca. En lo alto de la capilla enarbolaron una gran bandera blanca. Ofició conmigo el señor obispo, por exigencia de la duquesa; pero Su Ilustrísima, que no me había perdonado la antigua calaverada, me envió, apenas ordenado de mayores, a una parroquia rural inhospitalaria: San Madrigal de Breñosa. Allí tenían una hermosa finca los señores de Neira, de donde tomaron pie para el título; pero jamás iban, por lo muy apartado y fragoso de la comarca. Sucedió que a los dos años de estar yo en aquellos andurriales falleció don Restituto; doña Basilisa, la viuda, fue a guardar el luto en las soledades de

San Madrigal, y como era muy devota, y oía, antes del desayuno, misa diaria, me nombró su capellán. Era una señora rechonchita, nada fea, en buena edad todavía, muy blanca, y simple que no cabía más. Sus ideas religiosas eran caprichosas, y aun cómicas. Creía que el cielo de los bienaventurados era un teatro, con su escenario y localidades para el público. Su marido, don Restituto, según ella, se había adelantado a entrar en el teatro, para coger buen sitio y reservárselo a su mujercita. Ello es que, olvidándose en seguida de que su marido la esperaba, con un sitio acotado, dio en enamorarse de mí y en dármelo a entender con palmarias manifestaciones. Otra matrona de Éfeso [804]. La cosa no tenía nada de particular, si se tiene en cuenta que el único hombre de traza humana que allí veía era yo; que su marido había sido mucho más viejo que ella; que poseía un corazón muy tierno y dadivoso, y, por último, que el verme vestido con ropa negra y larga, a modo de falda, como ella, le infundía confianza y atrevimiento para manifestarse, a pesar de su natural tímido y cuitado. Ella sabía de mi fuga con Angustias, y debía de calcular que me rendiría fácilmente al amor. Pero yo me di excelente maña para disuadirla. Con fervor y unción retóricos, lo confieso, me las arreglé para convencerla de que fijásemos nuestra mutua relación en un terreno puro y espiritual. No le prohibía que me amase, pues Dios no pide de sus flacas criaturas lo imposible, e imposible es desarraigar los afectos profundos por un mero movimiento de la voluntad; pero le vedaba declararse paladinamente, pues Dios exige que nos sobrepongamos a la flaqueza y a la pasión, y esto sí le es posible a la voluntad. Le hablé yo mismo de aquel gran pecado de mi atropellada mocedad, de lo arrepentido que estaba y de cuán firme era mi propósito de la enmienda. Le di a entender, fingidamente y por proporcionarle algún alivio a sus afanes, que correspondía a su afecto, pero que mi estado sacerdotal me obligaba a poner una venda sobre los ojos de la carne. Yo

---

[804] Así se titulaba en el manuscrito (luego lo tachó) el capítulo VIII de *La pata de la raposa,* refiriéndose a Pía Octavia Ciorretti. (Vid. mi edición, pág. 83).

sería su padre espiritual; ella, mi hija. En confesión, de penitente a sacerdote, podría confiarme las cuitas de su pecho; de mujer a hombre, jamás. Estaba maravillada de aquello que ella reputaba fortaleza y virtud mías, y que no era sino deseo de tranquilidad y de que no me molestara [805]. «Es usted un santo, un santo de veras; el único santo que he conocido», me decía de cuando en vez, mirándome con adoración, las manos en actitud de rezo. Yo comía siempre con ella. Tal vez me contemplaba con ojos lacrimosos de oveja, interrumpiendo la deglución. Tal vez, de sobremesa, alejado ya el sirviente, lanzaba terribles suspiros, pero no pasaba de ahí. Dormía yo también en la finca; pero elegí una estancia holgada y desnuda, como celda, de luz permanente y plateada, mirando al Norte, al extremo de la casona, y más allá de los dormitorios de la servidumbre, por evitar maledicencias. Era señor de mi tiempo, y me pasaba horas y horas estudiando, ya en la gente del campo, ya en los libros. Allí, en contacto con los esclavos de la gleba, se me reveló la gran tragedia de la sociedad humana [806]. Me aficioné entonces a las ciencias sociales las cuales siguen siendo mi preocupación.

Don Guillén siente la vocación de reformador social. Disquisición sobre la felicidad [807]

Yo he nacido para reformador social. Que la sociedad está mal organizada y ha de cambiar, es evidente. Los hombres tienen derecho a la felicidad; todos los hombres; pero tienen derecho aquí mismo, en la tierra. El estímulo más vehemente y constante, el móvil más poderoso y activo que ha puesto Dios en la conjunción humana de alma y cuerpo, es el deseo de felicidad. Luego si lo primordial humano, por designio divino, es el deseo de fe-

---

[805] Un caso más del juego de perspectivas, esta vez al servicio de la ironía que es típica del narrador.

[806] Esta frase, desde «Allí, en contacto...», no aparece en el manuscrito.

[807] Este titulillo tampoco aparece en el manuscrito.

licidad, el hombre tiene derecho a la felicidad. Todas las grandes actividades conscientes (y no digamos de las reflejas e inconscientes) se engendran de aquel móvil fatal e ineluctable, el deseo de felicidad: la religión, la moral, el derecho [808], el arte, la ciencia. Todas estas actividades conspiran desde su origen a perfeccionar la sociedad con el fin de alcanzar últimamente el máximo de felicidad para el máximo de individuos, si bien, por deficiencia humana, todos los ensayos de organización, hasta ahora, se han hecho a base de una manera de felicidad limitada y mediante uno solo de aquellos grandes órdenes [809] de actividad consciente, con preferencia y preterición de los otros. La Iglesia nació como un ensayo de organización para la felicidad. En las epístolas de San Pablo vemos, sin posible interpretación en contrario, que el apóstol se creía inmortal, que cuantos profesasen en la fe de Cristo se harían inmortales, y que el Salvador volvería a establecer el reinado de la felicidad sobre la tierra para sus fieles, lo que él llamaba la *Parousia;* y como lo predicaba el apóstol así lo creían los secuaces. Pero sucedió en Tesalónica que algunos de los convertidos se murieron, con lo cual los cristianos tesalonicenses movieron grandes motines, llamándose a engaño; y lo mismo los de Éfeso. El apóstol vio al cabo que él y todos los cristianos tenían que morirse; pero como no podía renunciar a la felicidad, decidió que no se moría sino el cuerpo, y que el espíritu, inmortal, penetraba en el reinado de Cristo, en la Gloria. Así, la Iglesia de los primeros siglos fue una dulce y baldía anarquía, un ensayo de organización para obtener la felicidad después de la muerte. En aquel ensayo de organización para la felicidad fueron menospreciados o preteridos los órdenes de actividad consciente distintos del religioso: el científico, el artístico, el político, y muchas veces el moral. Nuestra organización social al presente, esto que dicen la sociedad capitalista, es otro ensayo de organización para la felicidad, a base de dos órdenes de actividad, el político y el científico, con menosprecio y preterición de los otros. Es un estado

---

[808] T: la política.
[809] T: órganos.

de anarquía cruel y productiva, así como la Iglesia primitiva era un estado de dulce y baldía anarquía. El socialismo, mayorazgo del capitalismo, pretende ser un ensayo a base solamente de actividad científica. Todos los ensayos de organización para la felicidad, hasta ahora, han sido ensayos fracasados; aunque todos diferentes, tienen de común entre sí que en el fondo de todos ellos late una anarquía disimulada, vergonzante, cohibida. Aunque parezca paradoja, ¿no será tal vez la anarquía la única organización posible para la felicidad? El día que todos los órdenes de actividad consciente, incluso el político y jurídico (por el cual yo no entiendo el arte de gobernar, sino el de vivir en comunidad, sin estorbarse ni dañarse mutuamente), alcancen su plenitud y autonomía, y entre sí se armonicen sin menoscabarse ni lastimarse, ¿no resultará una organización espontánea de perfecta anarquía, libertad absoluta e insuperable felicidad terrena? Bien. No es pertinente que le exponga aquí todas mis ideas sociales.

Prosigue la narración [810]

Ello es que allá, en San Madrigal, pensaba yo a veces: «si yo tuviera medios de fortuna, hacienda bastante, para ensayar una comunidad de hombres felices, en lo posible, una experimentación social, como otras que se han hecho, pero aleccionado por los errores de los demás». Cuando he aquí que, un día, la viuda me suelta, como ducha de agua fría [811] que tiene la intención de dejarme heredero universal; cerca de dos millones de duros. Desde luego no supe qué decir; pero, a poco, Dios me concedió bastante serenidad y reflexión para responderle: «Señora: le agradezco, con emoción no traducible en palabras, su generosidad; generosidad que no acepto, ni aceptaré, no tanto por mí, cuanto por usted y su buena memoria. Se pensaría que la índole de nuestras relaciones me había acarreado esta prueba póstu-

---

[810] Este titulillo tampoco aparece en el manuscrito.
[811] T: como escopetazo.

ma de su amor de usted hacia mí.» Y doña Basilisa, tan bobalicona siempre, habló, excepcionalmente en aquella ocasión, con cierta elocuencia y buen sentido: «Lo que digan los juzgadores temerarios, allá ellos con su conciencia. La mía está tranquila y confiada ante Dios, que ve el secreto de mis intenciones. No es esto dádiva de amor, no; ni siquiera premio a su santidad y virtud, sino muestra débil del agradecimiento con que usted me ha obligado, por haberme persuadido a guardar mi virtud y servido de guía en el áspero sendero del bien. Cuando me junte con mi Restituto, en el celestial coliseo, estoy segura que lo primero que me va a decir es: no creas que ahora aplaudo la afinación de los divinos'coros; lo que hago es aplaudirte por lo que has hecho.» Sin embargo, yo me negué a aceptar la herencia, a no ser con una condición: que constase en el testamento que me dejaba su fortuna al modo de fideicomiso [812] para que yo la emplease en aquellas empresas y obras de utilidad y beneficio del prójimo que yo juzgase conveniente. Y en eso quedamos. A los siete años de estar yo en San Madrigal murió la duquesa de Somavia. La asistí en sus últimos momentos. Hasta el mismo punto de morir no perdió la alegría ni el desparpajo. En medio de la pena y el llanto que nos causaba verla morirse nos hacía reír con sus salidas. Yo siempre había creído que tenía el pelo muy ensortijado, y era que se lo rizaba todas las noches, mechón a mechón, enroscándolos en unos rollitos de papel, que luego extendía a entrambos cabos, a modo de blanca mariposa. Todas las noches, en su lecho de muerte, hacía que la doncella le aderezase el cabello, poniéndole aquella especie de mariposas, que al día siguiente conservaba durante todo el día. Hacía un efecto muy chusco. Pues así se murió: con la cabeza cubierta de mariposas de papel. Como yo la mirase con sorpresa, al verla por primera vez en aquella guisa, ella, con sus graciosas despachaderas, me dijo: «¿Qué miras ahí, papanatas? ¿Es que nunca has visto una mujer en la cama y sin vestir? ¿O es que te parece mal que las viejas cuidemos de sostener y

---

[812] «al modo de fideicomiso» no aparece en el manuscrito.

realzar los restos de belleza que nos quedan? [813] Y no vayas a figurarte, ya que como cura serás malicioso, que sois como mulas resabiadas, y los resabios del mal pensar los habéis adquirido en el confesonario, en donde de la gente no aprendéis sino lo malo y lo feo, y eso que no os lo dicen todo; no vayas a figurarte que me pongo estos moños por vanidad; ¡a buena hora...! Lo hago por decoro y por algo más. El primer deber de los decentes y bien nacidos es atender al decoro de su persona. Y además lo hago, y lo he hecho toda mi vida, por imponerme una obligación molesta, ya que ninguna otra tenía; un acto de paciencia y disciplina, una mortificación, como vosotros decís. Quiero morirme con los *papillons* sobre mi cabeza, y cuando el alma se escape de mis labios, que todas estas mariposas la lleven revoloteando, más ligera, al regazo de Dios Padre, que me crió Beatriz Valdedulla, y me sostuvo toda la vida Beatriz Valdedulla, y me aceptará en su eterna misericordia como Beatriz Valdedulla; porque ¿yo qué culpa tengo de ser Beatriz Valdedulla? [814].» Sólo con recordar estas palabras me conmuevo. Una mañana, el día antes de entregar su alma a Dios, en presencia del duque, me dijo: «Don Pedrito, hijo mío, te quiero casi casi como un brote de mi sangre. Pero como las palabras son como moscas, que no se dejan atar por el rabo, he querido dejarte algo de más sustancia que la palabra de mi cariño, y por intermedio del duque, mi marido y señor, que tiene mucha mano con el Gobierno, te he conseguido una credencial de canónigo en Castrofuerte. Una canonjía, digan lo que quieran, no es gran cosa. Si yo viviese más años te verías obispo. Lo que yo no he podido hacer, tú, con tu maña y despejo, lo conseguirás. Me voy de entre vosotros con un grande reconcomio y desazón, y es por tu padre. Bolonio debiera llamarse, que no Apolonio. Sus asuntos ya no tienen arreglo. Al duque y a ti os recomiendo que

---

[813] M: A mí ya no me queda sino el cabello.

[814] Como Felicita, también la duquesa rompe su esquema inicial y se humaniza progresivamente, hasta plantear el tema del misterio de la personalidad.

274

cuando le veáis en la calle, y esto [815] tiene que venir necesariamente, le busquéis un asilo, y allí le enviéis aquellas cosillas imprescindibles [816] a su vanagloria, sin las cuales no podría vivir.» Antes de morir, se expresó de esta suerte: «Duque, has cumplido mal como casado; pero te perdono. Pido tu perdón, si en algo te falté, que habrá sido involutario. A ti, hijo mío muy querido, nada tengo que perdonarte, que soy de opinión que los hijos no tienen deber alguno para con sus padres, y sí sólo los padres para con sus hijos. Si algún día la vida te pesa demasiado, perdóname; que yo quise darte una vida amasada con dichas y venturas. A tí, Facundo (estaba presente el obispo), ¡cuántas veces te llamé mastuerzo, sin más razón que es verdad que lo eres...! Pero ya sabes que te he estimado, que jamás te perjudiqué a sabiendas; antes por el contrario, te favorecí en lo que pude, y hasta te admiré en una ocasión, que quizá hayas olvidado. Perdóname lo de mastuerzo. A ti, Pedrín, te digo algo como a mi hijo; si alguna vez sientes una carga en la vida por mi culpa, perdóname; otra era mi intención. Perdónenme todos a quienes haya ofendido o causado dolor. Y tú, Señor mío Jesucristo (besando el crucifijo), ya sé que me perdonas, como perdonas a todos en tu infinita bondad, que si no fuese así llovería fuego sobre la tierra, por lo menos, cada diez minutos. Hasta luego, vosotros; que la vida es breve. Hasta ahora, Señor mío Jesucristo.» Murió como una santa. Era una santa a su manera, pues hay muchas maneras de ser santo [817] Yo he observado que en el mundo hay muchísimos más santos de lo que ordinariamente se piensa. Es más: yo creo que el mundo anda tan mal porque hay demasiados santos; porque la gente, en general, es demasiado bondadosa y resignada. Pero dejémonos de glosas. Murió la duquesa. Yo pasé de canónigo a Castrofuerte, y allí llevo vegetando hace algunos años. Doña Basilisa me sigue escribiendo cartas fre-

---

[815] T: lo cual.
[816] T: necesarias.
[817] El respeto a la personalidad individual es una de las más firmes bases del liberalismo de Pérez de Ayala. Él mismo lo ha comentado muchas veces, a propósito de su maestro Galdós.

cuentes, prolijas y tiernas. Dice que últimamente anda quebrantada de salud. De la herencia nada me dice. No sé si continúo siendo su presunto heredero o si algún fraile, que sé que la visitan en San Madrigal, le ha socaliñado la herencia para su Orden. Mi padre y Belarmino, éste ya viudo, están en un asilo, como la duquesa predijo. Quise que viviese conmigo, y le llevé a mi casa, en Castrofuerte, por una temporada. Pero era de todo punto imposible. En primer lugar, hacía el amor a todas las criadas de la vecindad, y en cierta ocasión hizo publicar en un periódico local una declaración amorosa, en verso, a la señora del alcalde. Además, contraía tales deudas que mi módico estipendio canónico no nos bastaba para vivir. En conclusión: que, pesándome mucho, hube de mandarle[818] nuevamente al asilo. Le envío allí a mi padre aquellos regalitos a mi alcance que la duquesa me encomendó. El que ahora tiene en Pilares un gran bazar de calzado mecánico y porradas de dinero es aquel Martínez, antiguo oficial de Belarmino. Por cierto que en el mismo asilo de caridad que mi padre y Belarmino está recogido un usurero apellidado Bellido, causante de la ruina de Belarmino; se arruinó a su vez en la famosa quiebra de la banca Hurtado y Compañía *. Rarezas del destino.

Y don Guillén quedó con ojos vacantes, como dicen los ingleses, tan expresivamente; con ojos vacíos[819], ciego para las cosas ambientes, y acaso enfilando una perspectiva interior y remota de recuerdos inmóviles. Hablando él y yo escuchando, las horas nocturnas, de negra clámide, se habían ido alejando armoniosamente; las horas matutinas danzaban ya en los umbrales del día, y un revuelo de sus túnicas color violeta penetraba por la hendidura de nuestros balcones; la aurora, con dedos de rosa, golpeaba silenciosamente en el vidrio de nuestras pupilas. Ante el suave llamamiento de la luz del cielo en sus ojos, don Guillén exclamó:

—Ya es sábado de gloria; ya es pascua florida. Los

---

[818] T: enviarlo.

* *La pata de la raposa,* novela de R. Pérez de Ayala.

[819] T: como las estatuas antiguas.

almendros están vestidos con un velo rosado y los pomares con un velo de nieve. Dentro de poco resonarán
las alegres campanas en toda la cristiandad. Cristo va a
resucitar:

Sat funeri, sat lacrymis.
Sat est datum doloribus,

canta el laude pascual; no más duelo, no más lágrimas,
no más pesados dolores. Y dice la voz inaudible de los
coros angélicos: «Paz en la tierra a los hombres de buena voluntad.» Todo es paz y todo es contento en el valle
de lágrimas. Los hijos de Dios se abrazan y besan en la
mejilla, murmurando: «Salud, hermano; salud, hermana; el Señor sea con nosotros.» Y tú, hermana mía —prosiguió, tomando en sus manos el joyel con el retrato y
mirándolo con el rostro descompuesto por la [820] piedad y
la amargura—, ¿dónde estás, en qué oscura mazmorra
te encerré, a ciegas, que no doy con la entrada, aunque
sangran mis pies de tanto caminar y mis manos de tanto
tropezar a tientas? Te busqué, y no te he encontrado; te
esperé, y no has venido. Mi alma estará triste hasta la
muerte; muertos mis oídos a las campanas de resurrección; muertos mis ojos a los colores de primavera.

Yo, naturalmente, juzgué espontánea, sincera y, por lo
tanto, lícita en la ocasión, la pequeña expansión retórica
de don Guillén, y apenas concluyó y dejó caer con abati-
miento la cabeza, dije, sin vacilar un segundo:

—Ya le he dicho que conozco a esa mujer, y se la voy
a traer aquí en un instante.

Supongo que le dejé fulminado y sin acertar a emitir
palabra ni sonido articulado. Salí sin volverme a mirarle, sin haberle oído resollar. La ciudad se arrebujaba en
la luz cenizosa y aterida de los amaneceres. Me encaminé, rápido, al cafetín. Allí, en su rincón acostumbrado,
con el vaso de recuelo ante sí, Angustias esperaba al Tirabeque.

—Mujer, ven conmigo —le dije, emocionado y con-
minatorio. Angustias se levantó—. Sígueme.

---

[820] T: con gesto de.

—¿Le ha ocurrido algo al Tirabeque? ¿Una bronca? ¿Una pendencia? No quiero ver nada. No me importa. Es mi libertad —decía de camino, jadeando por seguir mi paso impaciente.

Al llegar a la puerta de la casa, vaciló.

—¿Qué quiere de mí, señor? ¿No me trata de engañar? Siempre le tuve por bueno... Soy una desdichada.

—Ven conmigo, mujer —insistí, cogiéndole la mano.

—Pero, ¿dónde me lleva?

Yo no sabía qué decir. Se me ocurrió una bobada.

—Hacia la resurrección. ¿No sabes que es pascua florida? [821]

Se detuvo, temblando.

—¿Está usté loco, señor? ¡Ay, Dios mío, ten piedad de mí!

Yo tiré de ella escaleras arriba.

—Ven conmigo, mujer.

—¡Virgen de Covadonga! Gritaré, aunque se arme un escándalo y me lleven a la delegación —y se detuvo con firmeza.

—Angustias, no sea usted niña —dije, comenzando, sin darme cuenta, a tratarla de usted—. ¿Cómo puede creer que trato de hacerle mal? Al contrario: la llevo hacia la dicha, al encuentro de alguien que usted espera volver a ver hace varios [822] años —la cerilla con que nos alumbrábamos me quemó los dedos. Pronuncié una exclamación adecuada al arrojar la cerilla al suelo. Quedamos a oscuras. Angustias se acercó a mí, medrosa. La sentía tiritar, con miedo del corazón.

—Déjeme usted escapar, huir —suplicaba—. ¿Cómo me atreveré a presentarme delante de él? Lo sabrá todo ya. Usté mismo se lo habrá contado. Me escupirá. Me arrojará lejos de sí, y con razón. Luego el Tirabeque nos vendrá siguiendo; me matará a mí y le hará a él un chirlo en la cara.

—Ea, Angustias. No nos cuidemos del Tirabeque. Don Pedrito espera a usted. ¿Quiere usted acudir? ¿Quiere

---

[821] No es «una bobada», sino la aclaración del simbolismo que encierra la localización temporal de este episodio.
[822] M: muchos.

usted salvarse? —murmuré con impaciencia, a tiempo que encendía otra cerilla.

¡Qué cara la de Angustias: infantil, contraída, atormentada por un dolor oscuro, apenas consciente!

—¡Quiero salvarme! ¡Quiero salvarme! —dijo con voz sollozante, agarrándose desesperada a mi brazo, como a [823] tabla de salvación.

Llegamos a la habitación de don Guillén. No quiso ella pasar delante, y hube de hacerlo yo. Mi intención era dejarla adentro y retirarme discretamente a mis cuarteles. Contra mi propósito, hube de presenciar el principio de la escena, porque se desarrolló súbitamente, y la continuación, porque, a pesar mío, permanecí asido e inmóvil por la expectación.

Angustias se arrojó a los pies de don Guillén. Se abrazaba con ellos, escorzando [824] el cuello dúctil y albo; se los regaba de lágrimas; se los enjutaba con la cabellera copiosa y cobriza [825]. Y se reprodujo la imagen emotiva que con línea ingenua y tintas translúcidas bosquejaron los santos melodas del Breviario.

—¡Perdón! ¡Perdón! —imploraba Angustias, en el candor de su alma intachable—. Soy muy mala, pero a nadie he querido sino a ti. El amor me ha perdido, la desesperanza de amor. Ya te contaré y me perdonarás.

Don Guillén, lívido, rígido, balbuciente, pidió [826]:

—¡Levanta, hermana!

Angustias obedeció como una criatura pasiva. Entonces, don Guillén se arrodilló ante ella.

—Tú estás limpia. Todos tus pecados se vuelven contra mí. Tú y Dios sois los que debéis perdonarme, y me perdonaréis, porque he amado y sufrido mucho. Di que me perdonas; di un sí con los labios, un sí con la cabeza, aunque no salga del corazón.

—Mil veces sí —dijo Angustias, con un grito sofocado, blandiendo en el aire la cabellera.

---

[823] T: como si fuese la.

[824] M: escorzando como cisne herido.

[825] Nótese el vocabulario, muy literario, con que se narra esta escena. Creo que al fondo está, en la imaginación del narrador, la de María Magdalena y Jesús.

[826] T: respondió.

Levantábase del suelo don Guillén, y Angustias se precipitó en sus brazos, tendiendo hacia él los labios sedientos, la cabeza derribada hacia la espalda, como inerte. Don Guillén le enderezó suavemente la cabeza y le besó la frente.

Yo comprendí que era el momento preciso de retirarme con disimulo, y giré furtivamente sobre mis talones, cuando oí que don Guillén, con acento entre alarmado y severo, me decía:

—¿Qué va usted a hacer? Aguarde un instante; tengo que pedirle un gran favor. Es menester que me ayude a improvisar un acomodo donde mi hermana descanse unas horas. Si usted tiene en su habitación un diván, o siquiera una butaca, yo puedo dormir allí, si usted no tiene inconveniente, y que Angustias quede en este cuarto.

Arreglamos el acomodo como don Guillén deseaba. Por su voluntad expresa y decidida, se tendió sobre mi diván. El diván estaba contiguo al tabique medianero entre mi habitación y la suya. Al otro lado del tabique se apoyaba el lecho en donde Angustias reposaba.

Acostados ya, don Guillén me dijo desde su diván:

—Lo más inmediato y urgente ya lo tengo decidido. Dentro de pocas horas, en el primer tren, saldrá Angustias camino de Castrofuerte, con una carta para don Abel Parras, un canónigo viejo, gordo, pacífico y bonachón, que es mi mejor amigo. Angustias vivirá con él, y así se estorbarán murmuraciones malignas. Más adelante, ya veremos lo que se hace... [827] *In thesauro reposita...;* el dracma extraviado ha sido repuesto en los tesoros del rey y la perla luce nuevamente, sacada desde la tiniebla a la claridad. ¡Si a la infeliz de doña Basilisa no se le ocurre modificar el testamento!... ¡Oh, qué hermosas lontananzas al servicio de los hombres, que es el servicio de Dios!... [828]

Con los artejos dio un ligero repique en la pared. Res-

---

[827] Nótese la indeterminación con que se alude a los planes futuros.

[828] El humanista liberal Pérez de Ayala opina como su personaje.

pondióle otro repique cauto. Se echó a reír, volviéndose a mirarme.

—¿No se ha enterado usted lo que nos hemos dicho?

Yo le respondí que no, opacamente, porque el sueño me rendía.

—Pues yo dije: «Duerme en paz, hermana; has resucitado con el Señor.» Ella respondió: «Dios te lo pague; guárdame siempre.»

«¡Qué penetración! Les ha sido otorgado el don de lenguas, como si en lugar de pascua de Resurrección fuese de Pentecostés», pensé borrosamente, entre la penumbra inicial del sueño.

Lo último que le oí a don Guillén fue:

—*Sat funeri, sat lacrymis, sat est datum doloribus... O Khirios to pneuma estin.*

Y ya desde muy hondo, a punto de derretirse mi conciencia vigilante, comenté, se me figura que en voz alta:

—¡El don de lenguas! ¡La Pentecostés!

Desperté a las dos de la tarde. Don Guillén había desaparecido del diván y de Madrid. Sobre mi mesa destacaba un blanco escrito, que decía: «Adiós, buen amigo[829]. Le he dado un abrazo de agradecimiento y despedida, sin que usted, profundamente dormido, se haya percatado. Ya sabrá usted de mí. Amigo suyo para siempre, *Pedro Guillén Caramanzana.*»

Y, en efecto, años después supe y presencié grandes cosas de él, las cuales pienso referir en otra ocasión, si se tercia y no tengo nada mejor que hacer[830].

---

[829] T: querido.

[830] Pérez de Ayala deja abierta la posibilidad de un nuevo relato en el que se ocuparía —suponemos— de don Pedrito como reformador social. Por lo que sabemos, no llegó a realizarlo.

Capítulo VIII [831]

"Sub specie aeterni" [832]

Es domingo de Pascua de Resurrección. Hora: poco antes del mediodía. Lugar: en los aledaños de la ciudad de Pilares. Es un día de primavera septentrional. Tierra y cielo, dos gracias femeninas [633]. La tierra, de verdor perenne y tupido, está acicalada y alindada prodigiosamente, y no ha usado de otro afeite ni compostura que las aguas y nieves invernizas. Sobre la bayeta verdegay, de pliegues y lóbulos graciosos, con que se viste la madre tierra, siempre doncella, se ha puesto, aquí y acullá, unos pomares enflorados, cándido ornamento. El cielo es tan gentil, puro y alegre, como colegiala impúber, vestida con atavío de mayo y de domingo; leves crinolinas nevadas, que translucen un fondo de seda azul.

Desde la aldea se columbra la ciudad, caparazón que cubre una colina, como escamado peto de armadura so-

---

[831] M: «Epílogo».

[832] «Capítulo exclusivamente narrativo, salvo un trocito muy expresivo hablado por los asilados en forma de diálogo teatral La acción es rápida y expedita» (Sara Suárez, pág. 93). En cuanto a su título, la misma autora demuestra cumplidamente que se trata de «un leitmotiv de toda la obra ayalina, pero muy especialmente de *Belarmino y Apolonio*» (pág. 95). Ya se ha aludido a él antes, en esta misma novela. Y en la última, Tigre Juan, separado de Herminia, «contemplaba ahora, sub specie aeterni, la realidad...»

[833] Esta frase no aparece en el manuscrito.

bre un torso yacente; armadura labrada en cobre y hierro, abollada ya; a trechos oro sucio, a trechos gris rojizo, a trechos verdinosa, de la corrosión de los años y los óxidos. De un lado sale la torre de la catedral, como lanza astillada, que aún se mantiene firme, bajo la axila. Suenan gorjeos y suenan campanas.

Desde [834] la ciudad, carretera arriba, marcha un hombre gordo, bermejo y sudoroso, que luce, en el sol mañanero, una perilla de plata mate, como de aluminio [835]. Síguenle otro hombre y un mozuelo, entrambos de blusón blanco, con sendas banastas sobre la testa.

—*Sacrebleu, sacrebleu* —jura y perjura el hombre gordo y bermejo, a tiempo que se enjuga la exudación de la frente—. Acércate, Nolo, que yo tengo necesidad de confiarme, y es tanto mejor de encontrar un corazón leal [836] que de monologar. ¡Ah, mi Dios, que yo estoy cansado...! [837] Estoy cansado de la patrona, de mi bien amada mujer. Las mujeres en mi país son ahorradoras. Yo amo a las mujeres ahorradoras, buenas manejeadoras [838]. Pero mi mujer es ya muy demasiado ahorradora; muy demasiado, muy demasiado. Yo me encabezo en mi negocio y trabajo como un asno después de la mañana hasta la noche por ganar buena plata [839]; pero yo amo los buenos dineros para darme buena vida y comer a mi agrado. Esto es ya lo que me resta. *Voilá* —dándose una palmada en el vientre—, este amigo es muy exigente. Pero la patrona ella no come, o come como un pequeño pájaro, y ella cree que todos los otros no habemos necesidad de comer como ello hace falta. Y bien, para comer en mi propia casa yo debo inventar ciertas mixtificaciones. ¿No es ello sorprendente y bien desagradable? Pues ahora, ni siquiera de este modo. ¡Que yo estoy cansado...! Te diré lo que me ha venido [840] el otro

---

[834] M: saliendo de.
[835] T: color de latón dorado.
[836] T: amigo.
[837] Parodia de un español lleno de galicismos; en realidad, de un francés traducido literalmente al castellano.
[838] T: de buen manejo.
[839] T: buen dinero.
[840] T: ocurrido.

día, que era día delgado, ¿cómo decís vosotros?, día de vigilia. Yo adoro el salmón; pero mi mujer no compra salmón porque es muy caro. Entonces yo mismo fui al mercado y compré un salmón magnífico por sesenta pesetas, y yo envié el hermoso pez a mi casa, como si él fuese un regalo de la parte de un amigo; al contrario, si ella sabe que yo lo habré comprado, mi mujer me hace [841] una terrible camorra. He aquí que yo me voy a mi casa del todo feliz, diciéndome: hoy como salmón a mi placer. Mi mujer me recibe con besos amorosos, y ella murmura: que tenemos de la buena suerte, ellos nos han hecho un bello regalo de un salmón demasiado grande, el cual, como no habríamos comido, yo lo he vendido por cuarenta pesetas. *Sacrebleu*: nada de salmón, y veinte pesetas menos. ¿Qué es lo que tú dices?

—Que yo le doy una somanta que se le quita pa toda la vida la gana de volver a meterse a pescadera.

—*Voilá*. En este país los hombres sois poco cultivados. No se debe golpear a las mujeres, ni aun a causa de la comida; mucho menos a causa de otras razones sin importancia; la infidelidad, por ejemplo [842].

—¡Caracho! —comentó el llamado Nolo—. Eso de la comida, pase; pero lo que es lo otro. La muerte parecería poco.

—¡Ah! ¿Matarte tú? Eso es diferente. Es una bestialidad; pero yo comprendo.

—¡Qué diaño matarme yo...! Matarla a ella...

—¡Dios mío, que tú eres salvaje...!

—No hay más, señor. O usté manda, o la mujer manda; y si se desmanda, palo. O usté pega, o ella pega. Recuerde usté lo del pobre Belarmino.

—¿Qué es lo que me dices? Pero, ¿es que la Xuantipa estaba [843] infiel al pobre Belarmino? Yo lo ignoraba.

—Ganas quizás no le faltaban. Lo que digo es que co-

---

[841] T: levanta.

[842] Frente a la solución tradicional española del conflicto de honor, un francés proclama que la infidelidad no se lava con sangre, preludiando así el tema que desarrollará Ayala en *Tigre Juan* y *El curandero de su honra*.

[843] T: era.

mo Belarmino no sabía curar a su mujer, cuando la tenía, con jarabe de fresno, que no hay melecina mejor pa las mujeronas, pues, la fija, que su mujer le tenía a él siempre atosigao, y pa curarlo, pues, ya sabe usté, le ponía en los lomos cada cataplasma de estaca...

—Ya, ya lo sabía. El pobre hombre, mi amigo muy querido... Yo le echo bien de menos, desde que está recogido ahí en ese asilo que vosotros decís maletería, nombre verdaderamente chusco.

—No es maletería; es malatería.

—¿No es ello la misma cosa?

—No, señor.

—Entonces, ¿qué es lo que quiere decir malatería?

—Malhaya si lo sé.

—Eso no hace nada. Pero revengamos sobre el amado Belarmino. No me puedo pasar sin él. Yo vengo para visitarle cada semana o cada quince días, durante diez años, a despecho de esta cuesta abominable que yo debo subir para llegar. Él no habla jamás, él no habla jamás. Es la más dulce de las almas, y yo sostengo que una gran inteligencia.

—Un calzonazos, un estúpido; como el otro, Apolonio...

—Cállate, Nolo. Tú no comprender. Belarmino es un grande hombre. Y Apolonio, él es también un otro grande hombre. Yo quiero mostrarles cuánto les amo y les admiro. Es por esto que les llevo estas gruesas tartas de Pascua y las gruesas fuentes de natillas, y muchas de docena de gruesos pasteles, como los otros años, ¡tantos!, en este mismo día.

—Que se las comerán las monjitas golosas y los demás asilados, como los otros años, en este mismo día.

—¡Ah, naturalmente! Pero lo pasteles pertenecen a Belarmino y Apolonio, y ellos se gozan más en invitar que en ser invitados. Ellos lo han dado todo siempre, y no han querido nada para ellos. Yo no trataba en otro tiempo [844] a Apolonio; solamente después que está en el asilo. Muy interesante, muy interesante. Es una cosa cu-

---

[844] T: antes.

riosa: Apolonio querría que yo no tratase a Belarmino. Él le odia; es decir, él cree que le odia. Muy divertido. Pero Belarmino no hace atención si yo trato a Apolonio. Él le desdeña; es decir, él cree que le desdeña. Muy picante situación. Yo tengo necesidad de mucho tacto. Pero ello todo es tan extraordinario, tan extraordinario... Yo amo más a Belarmino, esto no hay que decir; él es una anciana amistad. Pero yo amo también a Apolonio. He aquí que ya estamos en el asilo. No olvides; la patrona no puede conocer que habemos traído este regalo. Ella me haría un gran escándalo.

Por gravitación misteriosa, el señor Colignon va a Belarmino.

Es error vulgar suponer que la fuerza de la gravitación hace caer los cuerpos. Esto de caer supone la noción de arriba y abajo, y en el espacio infinito no hay arriba ni abajo; los cuerpos y las almas unas veces suben hacia abajo y otras caen hacia arriba. Lo último es lo que le acontecía al epicúreo Colignon, que entre jadeos y sofocos, remontaba periódicamente la cuesta del asilo, atraído por el ascético Belarmino; es decir, que caía sin voluntad subiendo hacia él [845].

El señor Colignon, bastante avejentado ya, penetra, con sus acompañantes, en el zaguán del asilo; una pieza alongada de paredes desnudas, con cuatro desvalidas silletas de paja. Frente por frente de la puerta de entrada hay en el muro una ménsula de madera de pino; sobre ella, una estatuilla, desdichada, de San José, en cartón piedra; al pie del santo, media docena de judías, media docena de garbanzos y un frasquito, con un líquido oliváceo y denso, y una etiqueta que dice: *azeite*. Estas ofrendas en especie al santo indican que aquello que, al parecer, sobra, es precisamente lo que falta en el asilo; para que se enteren las almas caritativas que por allí caen

[845] Desde «Por gravitación misteriosa» hasta aquí, no aparece en el manuscrito. Es una típica digresión culturalista, añadida «a posteriori».

A Pérez de Ayala le divierte, creo, por lo que tiene de paradoja.

rara vez a cumplir en una obra de misericordia, y que sus dádivas sean las que más se han menester en la pobre casa.

Tintinea, cada vez más lejos, una campanilla de voz resquebrajada y vieja. Por una puerta, pintada de negro, sale una vieja monjita [846], que se advierte que es esquelética, a pesar del halduo faldamento; momificada la faz. Sus ojos, voluminosos y cansados, se reaniman un punto al ver al señor Colignon, que corre a su encuentro con las manos extendidas.

—¡Ah!, Felicita, simpática Felicita.

—Hermana de los Dolores, señor Coliñón —corrige la monja.

—Es verdad, es verdad. Pero yo no puedo olvidar.

—Debemos olvidar; y si no podemos olvidar, debemos parecer como que hemos olvidado —dice la hermana, con unción monjil y acento de nostalgia, como dando a entender que, a pesar de todo, no ha olvidado. ¡Qué había de olvidar la triste [847] Felicita! Sobre todo, el señor Colignon refresca la memoria y conturba el pecho de la hermana de los Dolores. Estos efectos se producen sin intención ni culpa del francés, sólo a causa de su obesidad. Como los viejucos asilados, y asimismo todos los beatones que acuden allí de visita son, sin excepción, gente magra, cada vez que la hermana de los Dolores ve un hombre gordo, imagina [848] tener ante sí al enamorado y malogrado Novillo, y se siente nuevamente la Felicita de antaño. Está ahora con los ojos obstinadamente humillados, por no recibir en ellos la imagen del abdomen, rotundo y endemoniadamente evocador, del señor Colignon [849].

—Pero, ¡mi Dios! —exclama riendo el recién llegado—, que ya le será a usté bien difícil olvidar y disimular... Esta es una sucursal de la Rúa Ruera de otras veces. Belarmino está aquí; Apolonio está aquí; el usure-

---

[846] M: una monjita.
[847] T: infeliz.
[848] T: se le figura.
[849] Esta mezcla de ironía y compasión por las debilidades humanas es típica de los mejores momentos de Pérez de Ayala.

ro está aquí; usté está aquí. Yo soy solamente el que falto, y yo estoy aquí ahora. Todos los otros que no son venidos al *rendez-vous* es porque son muertos y en la eternidad de la nada.

—¡Ay! —suspira la hermana sin elevar los ojos, contra todas las reglas del bien [850] suspirar—. Los de aquí estamos también muertos y miramos el mundo desde la perspectiva de la eternidad.

— ¡Qué idea! Pero comemos todavía pasteles. Entretanto podemos comer pasteles, Dios sea bendecido. —Y el señor Colignon se ríe como siempre, con glogó de pavo y trepidación de estómago. Prosigue.— Yo veo ya que hacen falta aquí judías y garbanzos y aceite. Tanto mejor para comer pasteles.

—Dios se lo pagará, señor Coliñón. Antes dejaría de salir hoy [851] el sol que usted de aparecer con su agasajo pascual. Los ancianitos, desde hace ocho días, se relamen de gusto por anticipado, y no hablan de otra cosa que de las ricas confituras del señor Coliñón. ¡Qué poca cosa se necesita para hacer la felicidad de los demás!

—Bien poca cosa: tres kilos de harina, tres kilos de azúcar, tres docenas de huevos, tres palos de canela y dos vainillas. Pero conste que aquellos quienes invitan a los pobres pequeños viejos no soy yo, pero son sus compañeros Belarmino y Apolonio.

— ¡Qué poco se necesita para la felicidad, y cómo casi nunca llega ese poco...! —dice para sí la hermana de los Dolores, sin referirse, claro está, a la harina, el azúcar ni los huevos, puesto que no había parado atención en la réplica del francés sino que estaba abstraída en sus pensamientos[852]. Saliendo de sí, añade—: que dejen aquí estas cestas. Ya pasarán a recogerlas. Vaya usted, señor Coliñón, a ver a sus amigos, hasta la hora del refectorio. Ya conoce el camino. Están en el jardín, de seguro, esperándole con impaciencia.

---

[850] T: como es costumbre al.
[851] T: en este día.
[852] Como Novillo no oía a Apolonio. Otra vez, las dificultades de la comunicación: cada uno habla un lenguaje, cada uno se escucha sólo a sí mismo.

El señor Colignon recorre unos pasillos, donde huele a bazofia, y sale al denominado jardín; un jardín sin más flores que algunos asfodelos [853]. Es una explanada de pradera; la pradera, cortada por veredas arenosas; en las veredas, bancos de madera; palio de [854] los bancos, las copas de las acacias. Hay un aliento de tierra húmeda. Brilla un sol tenue y amarillo que deshace las formas y las trueca [855] en una insinuación huidera e inmaterial, no se sabe si de aurora o de atardecer, y es mediodía; un vapor áureo que empaña los límites y funde las cosas en unidad fluyente e indecisa, que no se sabe si es de recuerdo o de esperanza. Luz elísea [856]. Cada vez que el señor Colignon, tan carnal y concreto, se asoma a aquel jardín, se figura pisar las lindes primeras de los Campos Elíseos, habitados por las imágenes desencarnadas de los que fueron y ya no son, de aquellos que dejaron en la tierra el cuerpo sólido, sede de los placeres amables, y no conservan sino la apariencia de vida, y con ella las pasiones añejas, porque las pasiones son el alma, y el alma es indestructible. El aliento húmedo de la tierra se le mete al señor Colignon hasta los huesos, y experimenta un escalofrío hondo.

Pero esto es justamente lo que le gusta; penetrar por unos momentos en una especie de más allá, o mundo de ilusión y recuerdo, a solazarse con sus curiosos pobladores y en la certidumbre de que allí también se comen pasteles, y que él, aunque dentro de aquel simulacro de ultratumba, puede salir cuando se le antoje y volver a las delicias de la vida fisiológica y agitada.

Así que asoma el señor Colignon en el jardín, los viejos, desparramados de un lado y otro, acuden a él, con paso vacilante y premioso, como entre sueños [857], cuando los movimientos están entorpecidos por rémoras [858]

[853] T: sin flores.
[854] T: sobre.
[855] T: convierte.
[856] «Luz elísea» no aparece en el manuscrito: es una luz especial, como la *Luz de domingo*.
[857] T: como en un sueño.
[858] T: ligaduras.

pesadas e invisibles. Uno, señaladamente, se rezaga. Viene con paso majestuoso y talante indiferente, decidido a no mostrar vulgar [859] premura: es Apolonio. Sólo otro permanece en su sitio, allá lejos, sentado en un banco, habiendo saludado al señor Colignon con leve ademán [860] de la mano: es Belarmino. Belarmino y Apolonio son bastante más jóvenes que el resto de los asilados [861].

Una monja, guardadora de aquel rebaño de hombres decrépitos, va caminando por una de las sendas transversales, y acierta a cruzarse con el roncero Apolonio. La monja es la hermana Lucidia. Nada vieja; tampoco nada joven... Sobre el lado derecho de la cara, cogiéndole desde la sien hasta la comisura de los labios, y todo a través del carrillo, tiene —ya desde que nació— una mancha cárdena, de perfil tentacular, como huella flamante de un bofetón; un bofetón que, antes de salir a la vida, le dio el destino. La hermana Lucidia lleva siempre la cabeza inclinada sobre el lado derecho, como si le pesase aquella vergüenza, como si procurase ocultarla o como si presentase la otra mejilla, pálida e intacta, a la adversidad de la agresiva providencia. Aquella mancha, que parece embadurnada con hollejo de uva negra por la mano lúbrica de un sátiro en el delirio bucólico de la vendimia, sugiere una historia trágica de amor, íntima y sellada. La monja debió de haber sido linda, a pesar de la mancha bochornosa, y todavía más que linda, a causa de la mancha, para un espíritu apasionado y propenso a las emociones dramáticas, como es el de Apolonio. Apolonio se acerca a la monja, y con fuego contenido, porque si alguno espía no se percate, susurra [862]:

—¡Ángel consolador del alma mía! Te adoro; yo te adoro noche y día. Eres al par consuelo y desconsuelo, fulgor y palidez, igual que el cielo. El día y la noche, por manera rara, se representan en tu hermosa cara. De

---

[859] T: plebeyo.
[860] T: saludo.
[861] No aparece en el manuscrito esta última frase.
[862] Ejemplo de que las pasiones permanecen, como acaba de declarar el narrador.

este lado es serena y sin reproche, de palidez mortal; Diana, la noche. Del otro lado es roja y encendida, como Apolo, ígneo padre de la vida. ¡Oh terrible combate! Gozo o peno; ya miro al lado ardiente, ya al sereno; y mirando a tu rostro, noche y día, pasan las horas de la vida mía.

—Señor Apolonio, déjese de coplas [863]. Cuando me habla así es que quiere pedirme algo; lo sé por experiencia. Dígame lo que le ocurre como Dios manda.

—Pedirle algo, sí, lo de siempre: que nos escapemos juntos. Nuestras edades no son, si bien se mira, desproporcionadas. Paso de los sesenta, ¿y qué?; estoy ágil y fogoso como un recental [864]. En cuanto a ganarme la vida, ando ya a punto de concluir un drama, que nos hará millonarios; así como suena. Viviremos en Madrid; tiraremos carruaje. ¿Qué pelo de caballo le gusta a usted más? A mí el alazán o el flor de romero. Decídase; seremos felices. Un día, cuando tengamos confianza, me contará usted su drama, el drama espantoso que adivino, pero que no solicito conocer todavía, por no violar el vedado de su conciencia. Decídase, preciosa Lucidia.

—Lo pensaré, señor Apolonio. Pero, aparte de la escapatoria, que va para largo, usted tiene algo más inmediato que pedirme. Hable sin reparos.

—Tiene usted, divina criatura, el alma clarividente; alma de sibila [865]. Usted lee en mi pecho. ¿Qué necesidad tengo de hablar? Ahórreme el mal rato de tener que decírselo [866] yo.

—O habla usted, señor Apolonio, o quédese con Dios, que no soy amiga de adivinanzas.

—Sea. Sus deseos [867] para mí son un ukase imperial. —Apolonio continúa hablando, cohibido y a tropezones—. No es vanagloria, no es orgullo satánico; es la verdad. ¿Qué le voy a hacer yo? Soy un hombre infinitamente superior a todos los que viven de caridad en

[863] T: alabanzas.
[864] T: zagal.
[865] M: zahorí.
[866] M: decirlo.
[867] T: palabras.

esta santa casa; a todos; no dejo afuera a ninguno. Superior por la familia; superior en posición económica; superior en inteligencia. Yo he recibido una educación académica. Yo uso zapatillas de piel de cabra; ellos, de orillo. Yo he estrenado un drama con inenarrable[868] éxito. Yo tengo un estómago delicado.

—Esta última superioridad es la que todos le reconocen.

—A eso voy. Yo necesito beber agua de Vichy en las comidas. Yo comprendo que, cuando vamos en fila al refectorio, yo, el único, con mi botella de agua de Vichy en los brazos, todos los demás me envidian, y diré más, hasta me aborrecen[869]. Cuánto darían ellos por estar enfermos del estómago y por tener un hijo canónigo que les enviase dinero para comprar agua de Vichy y otros lujos y antojos... Yo podría vivir con mi hijo, si yo quisiera. Pero mi hijo prefiere que yo esté aquí, al cuidado de encantadoras vírgenes[870], como huésped distinguido, sin que me falte nada. Pues bien: me falta ahora algo. La última botella de agua de Vichy se me ha concluido ayer. La superiora me dice que no ha recibido dinero de mi hijo, para comprar más botellas. Me explico el olvido, porque mi hijo me decía en una de sus últimas cartas que iba a Madrid, a predicar en la Capilla real; fíjese usted bien, en la Capilla real, nada menos. No tendría cabeza para pensar en otra cosa; es explicable. Pero ¿cómo voy a ir hoy, hoy, precisamente, día de Pascua, al refectorio, sin mi botella de agua de Vichy? ¿Qué no dirían los otros, sobre todo alguno que, por desprecio, no nombro? ¿Cuál no sería la humillación, la befa, el escarnio? No, no y no; antes la muerte.

—¿Y qué puedo yo hacer, señor Apolonio?

—A eso iba, celestial[871] hermana Lucidia. —La voz de Apolonio tiembla—. Yo quería pedirle permiso para que me consienta coger una de las botellas vacías de

---

868 T: gran.
869 T: odian.
870 T: bien entendido.
871 T: idolatrada.

agua de Vichy, e ir a llenarla con agua del grifo de los laureles. Nadie me verá ni nadie notará nada.

—¿Por qué no? Se lo consiento —responde la hermana, sonriendo plácidamente.

Sepáranse. Apolonio siente maravilloso alivio; se le ha evaporado una gran pesadumbre de encima del corazón. La botella de agua mineral es para él —puesto que él presume[872] que lo es para los demás[873] una insignia jerárquica, un símbolo de superioridad. ¿Un símbolo, acaso, de superioridad económica? Desde luego; pero esto, para Apolonio, es lo secundario. Lo esencial es que la botella, con su contenido hidráulico y terapéutico, se manifiesta a los ojos de todos como prueba sensible de la superioridad intrínseca y corporal de Apolonio. Este orden de superioridad irrefragable consiste —él mismo acaba de decirlo alardosamente— en padecer una enfermedad del estómago; aunque es lo cierto que disfruta un buche[874] de avestruz y que digeriría piedras volcánicas. Apolonio —por algo es *a nativitate* autor dramático— supone que la dilección o preferencia de los dioses por algunas criaturas mortales se acredita[875] mediante un estigma o tara original, y que los verdaderos héroes en la tragedia de la vida humana sufren y ostentan cuándo una, cuándo otra enfermedad o adolescencia de la carne, como marca sagrada que distingue al protagonista entre la plebeyez[876] del coro. Apolonio había elegido para sí la dispepsia. Hubiera preferido una mancha sanguinolenta en la faz, como la hermana Lucidia; por eso ama y reverencia a la monja. Pero la dispepsia le basta para sus intenciones, que son ofrecer palpable contraste y parangón con Belarmino. Ya puede Belarmino encerrarse en silencio hermético y filosófico, dando a entender, con la sonrisa de sus labios delgados y sin color, que está, al cabo, por encima y a distancia de todas las cosas. ¿Quién le creerá? Belarmino digiere bien. ¿Cómo admi-

---

[872] T: supone.
[873] Apolonio también vive el perspectivismo.
[874] T: estómago.
[875] T: manifiesta.
[876] T: el anonimato.

tir que ha trabajado mucho con la cabeza, él, que no se ha puesto enfermo del estómago?

Y Apolonio, con talante trágico y miserable, como un hombre predilecto de las divinidades funestas, se dirige hacia el grupo que componen el señor Colignon con los viejos casi desencarnados en torno suyo. Visten los viejos todos lo mismo: trajes de sayal, color franciscano, de paño casero, tejido en los telares, a brazo [877], del Hospicio provincial por los nacidos anónimos para los muertos anónimos. A todos les cae el traje demasiadamente holgado, y hace pensar en una mortaja. Apóyanse en cayados de haya descortezada, lustrosa y marfileña, que parecen huesos mondados y antiguos. Hablan con voz temblorosa, sacudida, como las últimas y desfallecientes repercusiones de los ecos [878].

Olalla (un viejo que fue borracho): —Buenos son los dulces, señor franchute, pa los neños y las muyeres llambionas [879]. Convídenos a sidrina, señor; la buena sidrina con *panizo* *. ¡Cuánto fa que non la cato!...

Monasterio (un viejo que vivió [880] en Cuba): —¿Dónde estás, Olalla? Donde estoy, estaba. Pitillos [881], señor, aunque sean de los de mataquintos. El hombre es humo, y en faltándole el humo, ya no es nada.

Larrosa (un viejo que fue lechuguino): —Una corbata, señor, una corbatina, de las muchas que le sobrarán en el guardarropa; y si pudiese ser azul persia, que es el color de moda... Sólo los criados van sin corbata. Aquí tiénennos sin corbata, que es peor que no comer.

Cillero (un viejo glotón): —Calla tú, silbante [882].

---

[877] T: antiguos.

[878] En *A.M.D.G.*, Ayala presentó ya un diálogo teatral de varios personajes, en el capítulo titulado «Consejo de pastores». Muchos críticos han subrayado que éste deriva de los clásicos «Diálogos de los muertos». Baquero Goyanes lo compara con el «Sueño de las calaveras» de Quevedo.

[879] Asturianismo: golosas.

* Panizo=burbujeo.

[880] T: estuvo.

[881] T: cigarros.

[882] *Silbantes:* reproduzco la nota 152 de mi edición de *Troteras y danzaderas:* «Entre las palabras de 1885 a 1900 había al-

¿Adónde vas? Señor, las lentejas, y las judías y los garbanzos tienen coco. El queso está ratonado. Que lo sepa el excelentísimo señor Présidente de la Diputación. ¿Y carne? Pa agolerla [883]. Juntando con un fuso [884], porque está desfilachada y en hebras, la que nos dan a todos, saldría [885], a lo más, a lo más, un ovillo no mayor que este puño.

El señor Colignon (palpándose, satisfecho de reconocerse tan vivo y pingüe, en medio de las sombras quejumbrosas de los hombres pretéritos): —Bueno, bueno, mis queridos pequeños viejos; algún día ello lloverá sidra, cigarrillos, corbatas, un epatante [886] solomillo...

Bellido (el usurero): —Qué sidra, ni pitillos [887], ni corbatas, ni solomillo. A mí no me importa beber, ni fumar, ni andar en pelota, ni comer lentejas con guijarros. Yo no soy un borracho; yo no soy una chimenea; yo no soy un pisaverde; yo no soy un cerdo; yo soy un hombre honrado, trabajador y justo. Justicia, justicia. Yo quiero lo mío. No moriré tranquilo, señor Coliñón, hasta que no sepa que han dado garrote vil al bandolero de Hurtado, que me robó el fruto de mis privaciones. Y usté sabe, señor Coliñón, que Belarmino me debe dinero. Usté fue socio de Belarmino. Usté debe pagarme ese resto de crédito.

Varias voces: —El bandolero eres tú. Y ladrón. Cochino. Abrenuncio. Fétido. Hasta aquí se arregla para llevarnos las cosas, ya que no hay cuartos [888].

Bellido (irritado y convulso): —Callaivos, mangua-

---

gunas bastante gráficas. Se usaban, por ejemplo, en la calle las palabras pollo, sietemesino, silbante y pirante, dedicadas al jovencito que se distinguía por su elegancia. Recuérdese lo que dice *La Gran Vía:* 'De este silbante la abuela murió'» (Baroja: *Memorias,* I, Barcelona, Planeta, 1970, pág. 461). Clavería (*Estudio sobre los gitanismos del español,* Madrid, 1951, página 188) da otros testimonios de su uso por C. Frontaura.

[883] Asturianismo: olerla.
[884] Asturianismo: huso.
[885] T: juntaríase.
[886] T: magnífico.
[887] T: cigarrillos.
[888] T: ya que no el dinero.

nes [889]. Son transacciones lícitas, negocios de buena ley. ¿Quién vos tiene la culpa de ser perros y gandules?

Varias voces: —Engaños. A mí llevóme una camisa. A mí unos brodequines. A mí los pañuelos. Y pecunia también la esconde, señor franchute. Tiene gato. Tiene gato encerrado. Yo bien sé dónde se acobija. Una noche llevaráselo la garduña.

Bellido (lívido, iracundo y amedrentado): —Salteadores. Unicornios. No tengo gato, no; ni gato ni liebre. Engañaisvos. Vivo por el amor de Dios y de las buenas almas. Todos me robaron, y vosotros también, manguanes, que me pedís cosas emprestadas y luego me negáis los réditos...

En esto, como inflado navío de aparejo redondo, un navío de ensueño, aporta Apolonio en el grupo. La tempestad de los viejos se encalma. Los viejos se alejan.

Están a solas Apolonio y el confitero francés. Apolonio habla, con su acostumbrada prosopopeya. El confitero escucha, con su regocijo acostumbrado. Después de un rato de palique, el señor Colignon se encamina hacia el lugar en donde Belarmino ha permanecido sin moverse. El banco donde descansa Belarmino está emboscado en un macizo de laureles, al modo de muro en semicírculo. Por detrás del muro verde se oye un chorro de agua.

El señor Colignon se sienta al lado de Belarmino y le toma afectuosamente las manos. El francés, sin desasir las manos del amigo, habla, con su acostumbrada profusión. Belarmino escucha, con su mutismo acostumbrado y sonriente.

—¿Qué es lo que es aquello? —interroga el señor Colignon, solicitado por insólito revuelo y algarabía que se ha movido entre los viejos, al pie del casón. Belarmino ni siquiera vuelve la cabeza a mirar. Nada le inspira curiosidad. Pasa algún tiempo.

La hermana Lucidia se acerca al rincón habitual en donde se halla Belarmino, y le entrega un papelito verdiazul, plegado. Es un telegrama. Belarmino, con gesto

---

[889] Debe de ser equivalente a 'mangantes, ladrones'.

resignado e indiferente, lo abre y lo lee. Pero, apenas lo lee, se pone blanco. Una lágrima palpita en el borde de sus pestañas. Se pasa una mano por la frente.

—¿Sueño? ¿Estoy soñando? Yo, ¿soy yo? No me facturan las beligerancias, la inquisición, el pongo y quito de los comensales [890]. Resurréxit. Aleluya.

La hermana Lucidia jamás había oído hablar así, ni casi de ninguna otra manera, al taciturno Belarmino. Piensa que, súbitamente, se ha vuelto loco. El señor Colignon eleva los brazos al cielo, en actitud de triunfo y acción de gracias.

—A la fin, a la fin —exclama—, ella se deslía la dulce y deliciosa lengua de otras veces. Habla, habla, mi bien amado amigo.

Pero Belarmino, húmedos los ojos, la voz opaca, extiende un brazo, y dice:

—Ahora, no; ahora, no. Otro día hablaremos; hablaremos, mi muy querido señor Coliñón; hablaremos hasta que el corazón se nos derrita en saliva, y la saliva en palabras, y las palabras en el viento [891].

Levántase Belarmino y va a ocultar su emoción [892] detrás del macizo de laureles.

La hermana Lucidia y el señor Colignon se retiran. Antes de marcharse, el francés busca a Apolonio; pero no le halla, y se va sin despedirse de él. Apolonio también ha recibido un telegrama. Luego de leerlo, había dicho a los demás asilados:

—Señores: soy un sátrapa [893]; tengo ya más riquezas que el preste Juan de las Indias, Creso y Montezuma juntos. Os prometo erigir un palacio donde viváis y llevéis cada cual la vida que os apetezca.

Y ésta era la causa del revuelo y algarabía de antes. Los viejos zarandeaban a Apolonio, disputándoselo a tirones de chaqueta y formulando, desde luego [894], solicitudes para lo futuro. Apolonio recibe, embriagado de

---

[890] T: hombres.
[891] T: cielo.
[892] T: agitación.
[893] T: potentado.
[894] T: ya.

dicha y vanagloria, como falso ídolo [895] las preces de
aquellos infelices. En esto recuerda que el agua de Vichy
se ha concluido, y que tiene que improvisarla, de prisa
y corriendo, para la comida, que es a la una de la tarde.
Se zafa de sus compañeros; se escurre por un pasillo,
en busca de una botella vacía; sale al jardín y da un
gran rodeo, porque nadie sospeche la maniobra. Crú-
zase, por ventura, con la hermana Lucidia, y le dice, al
paso, sin detenerse:

—Grandes nuevas han llegado. Nos uniremos en hi-
meneo, ángel consolador. Nuestro tálamo estará labrado
en sándalo; digo, ¡qué impropiedad!, en otras maderas
preciosas y adornado con gemas orientales.

Ya está Apolonio en la fuente de los laureles, llenando con agua apócrifa la botella de agua de Vichy. Como
la postura en cuclillas le resulta incómoda, da una vuelta, y... allí, frente a él, mirándole de hito en hito, sonriendo con lástima —cuando menos a Apolonio se le
antoja una sonrisa de lástima—, descubre a Belarmino
en persona. ¿En persona? A Apolonio le flaquean las
piernas. Cae de rodillas. Belarmino está en pie, callado
e inmóvil.

—¿Eres Belarmino, o eres un fantasma ilusorio?
—balbucea Apolonio.

Belarmino no rechista ni se mueve.

—Seas Belarmino, seas su cuerpo astral —prosigue
Apolonio, en expansión irresistible de amor propio ve-
jado—, te advierto que es verdad que padezco del estómago; que el agua de Vichy que siempre he bebido era
agua de Vichy auténtica [896]; que ahora no venía a llenar
de agua la botella, sino a lavarla, porque la necesito para
meter agua de Colonia, ya que debo emprender en seguida un largo viaje. Y si pones en duda mi palabra,
que es palabra más que de rey, ¡ya quisiera Su Majestad...!, te reto en singular combate.

Y se pone en pie, empuñando la botella por el cuello.
Por la frente dramática de Apolonio cruza un negro pen-

---

[895] T: como un ídolo benévolo.
[896] T: verdadera.

298

samiento. Ahí está Belarmino, desmedrado e inerme, a su merced. Un botellazo en la cabeza, y asunto concluido. Que luego le procesarían, ¿y qué? Con dinero se cohecha a los jueces. Pero antes de rematar a Belarmino, saciando así un viejo afán de venganza, cuyos motivos, por más que ha rebuscado, Apolonio no ha conseguido encontrarlos en su corazón, ocúrresele humillarlo, rebajarlo cumplidamente, haciendo que por primera y última vez le envidie.

—Toma y lee —dice, ceñudo, Apolonio, alargando despectivamente a Belarmino, como si fuese su sentencia de muerte, el telegrama que acaba de recibir.

Después de haber leído el telegrama de Apolonio, Belarmino saca de la chaqueta otro telegrama, que entrega a Apolonio. Luego abre los brazos, mira al firmamento y suspira:

—Toma y lee. ¡Bendito sea Dios!

El telegrama de Apolonio decía: «De vuelta en Castrofuerte, me informan que soy heredero de fortuna fabulosa. Iré a buscarle en seguida. Viviremos juntos una vida venturosa.—*Pedro.*»

El telegrama de Belarmino decía: «Estoy salvada. Pedro me ha salvado. El mismo Pedro le sacará de ahí y le traerá conmigo en seguida. Seremos todos felices.—*Angustias.*»

Belarmino se mantiene con los brazos en cruz; pero ahora no mira al firmamento, sino a Apolonio.

Apolonio vacila un segundo, nada más que un segundo. Una fuerza ineluctable, una exigencia del destino, le lleva, también con los brazos abiertos, la botella en la mano y en alto, agresivo [897], hacia Belarmino. Belarmino se adelanta a su encuentro. Apolonio y Belarmino... se abrazan en un abrazo callado, prieto, efusivo y fraternal [898].

—Nunca te he odiado, lo juro —dice Apolonio, al cabo—. Nunca te he odiado, aunque tú me despreciabas.

---

[897] «y en alto, agresivo» no aparece en el manuscrito.

[898] También *El curandero de su honra* concluye con el abrazo simbólico de dos personajes contrarios, Tigre Juan y Vespasiano.

—Nunca te he despreciado —murmura suavemente Belarmino.

Es la primera vez que se hablan, y se tratan de tú con espontaneidad, porque en el misterio del pecho eran íntimos el uno del otro desde hace muchos años.

—Yo te admiraba y te envidiaba —confiesa [899] Apolonio con rubor.

—Yo también te he tenido envidia —declara Belarmino con franqueza.

—Eres como mi otra mitad [900].

—Sí, y tú mi otro testaferro. (Testaferro: hemisferio.)

—Ya estamos unidos. Qué dramas voy a escribir ahora. Tú serás mi inspirador, como Sócrates lo fue de Sófocles; al menos, Valeiro así me lo aseguraba.

Suena lejos la campana que llama al refectorio.

—Concluye de llenar la botella —aconseja [901] Belarmino.

—Es verdad. Pero te aseguro que es la primera vez que hago esto.

—Ya lo sé.

Van del brazo por el jardín de asfodelos, envueltos en la niebla dorada del sol, que produce una ilusión evanescente, como si aligerase la gravedad de las cosas materiales.

—Pero, ¿no estamos soñando? —interroga Apolonio, anhelante—. Apenas si toco [902] la tierra en donde piso.

—Parece un sueño. El tetraedro es un sueño. Sólo es verdad el amor, el bien, la amistad [903].

Dentro de la casa, los asilados, en fila, están aguardan-

---

[899] T: dice.

[900] Es el aspecto subrayado con acierto por Martínez Cachero (página 407). Comentando *Sor Simona,* de Galdós, Pérez de Ayala afirma que el amor reconcilia los contrarios (*Obras Completas,* III, pág. 41).

[901] T: dice.

[902] T: Apenas siento.

[903] En esta declaración final de Belarmino creo que debemos ver, hasta cierto punto, la conclusión que el narrador quiere que saquemos. Recuérdese que las novelas de la segunda época de Pérez de Ayala tienen final feliz.

do que lleguen Apolonio y Belarmino, a fin de ponerse al punto en marcha hacia el comedor y los pasteles.

—¿Por dónde andarán esos chiflados? —pregunta la hermana de los Dolores. Y sale en busca de ellos.

Al verlos venir del bracero [904], a lo largo de una vereda, la monja se santigua:

—¡Jesús, María y José! ¿Estoy soñando? ¿Qué milagro es éste? No es sueño, no. Es realidad —y añade, ya al par de ellos—: Gracias a Dios que se han reconciliado ustedes. El Señor les ha tocado en el corazón. Nada hay más sabroso que el perdón sobre el resentimiento. Hoy, que es día de gloria, también hago yo me atrevo a pedirles que me perdonen. Hace ya años, y aunque con la mejor intención, yo les he hecho sufrir. Y algo peor: yo he contribuido, con mi aturdimiento insensato, a hacer desgraciada a Angustias, quizá a don Pedrito y, desde luego, a ustedes. ¡Bien lo he pagado! Dios me perdonará. Perdónenme ustedes.

—¿Qué dice usted ahí, Felicita? No sea usté simple. Usté, sin saberlo, y por consecuencia de aquellos manejos de hace años, ha sido el *Deus ex machina* de este día [905], el día más feliz de nuestra vida, de don Pedrito, de Angustias, de Belarmino y mía.

—Así es —comentó Belarmino. Y en seguida, meditabundo—: ¿Cuánto durará?

—Lo que nos resta de vivir [906] —afirma Apolonio, accionando con rotundidad escénica [907].

Y le muestran a Felicita los telegramas. La hermana de los Dolores, invadida de congoja, casi desfallecida, se lleva las manos al corazón.

—A todos les ha llegado su hora de felicidad —bisbisea, como hablando consigo misma—. A todos, menos a mí. ¡Mucho premio [908] me debe Dios en el otro mundo!

Ya están incorporados Apolonio y Belarmino en las dos filas de asilados. Ya se mueven las filas torpemente,

---

[904] T: unidos.
[905] T: ha contribuido a proporcionarnos.
[906] T: vida.
[907] T: y teatralidad.
[908] T: Mucha dicha.

con bastoneo, carraspeos y arrastrar de pies. Belarmino va andando, como siempre: con la cabeza baja, sonriente y ensimismado en su mundo interior. Apolonio, como siempre, ya desde su juventud, anda híspido, enhiesto el cráneo, con lentitud y prestancia pontificales. En los brazos, ostentatoriamente, conduce la botella de agua de Vichy, apócrifa, presumiendo [909] que todos los demás contemplan con envidia aquel signo de distinción, testimonio de riqueza e indicio de dolor de estómago [910].

---

[909] T: imaginando.
[910] Pérez de Ayala pensaba concluir aquí la novela. Al terminar este capítulo, el manuscrito pone claramente:
«Fin.
Valdenebro de los Valles. Valladolid. Agosto. Setiembre 1920.»

El estudiantón [911]

Froilán Escobar, alias Estudiantón y Aligator, murió de hambre, lo cual cae dentro de la lógica inmanente de las cosas. Él mismo debió de vislumbrar el desastrado fin que le aguardaba, pues entre las notas y apuntes que dejó a su muerte leí esta sentencia: «El que consagra sus días a la busca y ejercicio de la Verdad, el Bien y la Belleza, es incompatible con la vida; por lo menos, con la vida tal como se nos ofrece en la sociedad presente. La vida moderna es la negación de la Verdad, el Bien y la Belleza; y, recíprocamente, la Verdad, el Bien y la Belleza son la negación de la vida moderna. De consiguiente, el que profesa en estas tres categorías, o renuncia a vivir, o se le tomará como revolucionario y anarquista.» Realmente, quien hubiera visto a Escobar, tan desgraciado de formas plásticas, tan desarrapado y cochambroso, jamás pudiera adivinar que el insigne Aligator había profesado en la categoría de la Belleza [912]. Cierto que el infeliz aludía a la Belleza suprasensible y espiritual, que no a la física y perecedera. En fin, que fatalmente se tuvo que morir de hambre. Pero lo extraño, lo paradójico, es que se murió en casa de un carnicero, lla-

---

[911] M: Apéndice.
[912] Pérez de Ayala sabe atenuar (no destruir) con una ironía las declaraciones más serias.

mado Serapio, que le había recogido por caridad. El matachín le daba gratis un camaranchón, con un camastro, en donde cobijarse, y unas caídas, desechos o piltrafas de carne, especie de cordilla, para que comiese. Por desdicha, Escobar era herbívoro y repugnaba la carne a tal extremo que, antes que comerla, se dejó morir de inanición. ¡Qué contraste Escobar y Serapio! El carnicero, tan rollizo y colorado que parecía una res desollada, era la incorporación más corpórea del cuerpo humano en lo que tiene de más material. Escobar, amarillo, azuloso, vibrátil, casi etéreo, era la proyección más espiritualizada del espíritu humano en su tránsito a través del barro corpóreo.

Al morir, Escobar dejó gran caudal de escritos, la mayor parte notas y esbozos. Tuve la suerte de verlos y examinarlos, antes que Serapio los arrojase al cajón de la basura. Algunos de los pensamientos, expresados en forma escueta, me sorprendieron y llenaron de perplejidad. Por ejemplo:

«Los dos hechos históricos más nocivos para el progreso de la ciencia pura y el imperio final de la cultura fueron la invención del papel y la invención de la imprenta.»

«Si en lugar de escribir en resmas de papel se escribiese en un menguado folio de pergamino, entonces merecería leerse, porque no se escribiría sino lo que mereciera escribirse.»

«Todas las bibliotecas públicas debieran cerrarse.»

«La mayor estupidez que he leído es esta frase de Carlyle: *La mejor universidad de estos tiempos es una biblioteca* [913]. Yo replico: la mejor universidad sería un cuartel. Quiero decir: una cultura socializada e impues-

---

[913] Recuérdese lo que dice Pérez de Ayala en un poema juvenil:

«Escudriñé las grandes verdades de los hombres
en ámbitos adustos de doctas bibliotecas.
Nihil, nihil. Cuatro nombres,
cuatro cifras, cuatro palabras huecas.»

(Obras Completas, II, pág. 22)

ta al modo de la disciplina militar. La disciplina militar es abominable porque es inculta. La cultura moderna es abominable porque es indisciplinada [914]. Nadie tiene derecho a poseer más cultura que la que le corresponde, según sus facultades y función social en que ha de emplearse. En el estado actual de la cultura hay generalísimos que son simples rancheros, y, por el contrario, hay miserables rancheros dotados de la chispa genial, hombres frustrados y menospreciados, que hubieran sido generalísimos por propio derecho, de existir la apropiada organización cultural cuartelaria.»

Se me figura que al escribir las líneas anteriores Escobar pensaba en Belarmino y Apolonio.

Según yo iba leyendo los borradores del Aligator, no pude menos de recordar al excelente don Amaranto de Fraile. ¡Qué unidos y qué opuestos los dos personajes! [915] Estaban en la relación de los dos polos de un eje. Uno era el autodidacto; otro, el dogmático. Los dos estaban aquejados de *libido sciendi,* concupiscencia de saber, lujuria científica [916].

Si menciono aquí los papeles póstumos de Escobar, no es porque me hayan recordado a don Amaranto, sino porque en ellos se habla de Belarmino y Apolonio, y señaladamente que me proporcionaron un documento curioso y útil, del cual puede aprovecharse asimismo el lector.

Copiar todo lo que a Escobar se le ocurrió acerca de los zapateros sería enfadoso. Trasladaré solamente algunas opiniones peregrinas. «Belarmino hubo de inventar su lenguaje porque carecía de instrucción, de lecturas. De haber leído desde la infancia variedad de autores clásicos, ¿cómo habría llegado a hablar y escribir Belarmino? Max Müller repite incontables veces, y lo prueba

---

[914] En las digresiones ensayísticas, Pérez de Ayala usa ampliamente los paralelismos antitéticos.

[915] Un caso más de contraste, como el de Escobar y Serapio (en la página anterior) y, en definitiva, el de Belarmino y Apolonio.

[916] Esta última frase no aparece en el manuscrito.

otras tantas, que pensamiento y lenguaje son idénticos [917]. Por el estilo del autor se viene en conocimiento de su inteligencia: estilo metafórico, estilo engolado, estilo arcaico, estilo recortado, estilo desnudo, estilo llano, estilo exquisito, estilo colorista, estilo abstracto, etc., etc.; todos ellos, cada cada uno de por sí, denotan inteligencia limitada y escasez de pensamiento. La totalidad y fusión de todos ellos, predominando cada manera según la razón del pensamiento: Cervantes, el primer pensador español.»

Y más adelante [918]:

«La cualidad primordial del dramaturgo (léase Apolonio) es la aptitud para la simulación eficaz. Esta simulación no es sólo externa y de superficie. El dramaturgo, desde el fondo de su propia alma, comienza a simular para consigo mismo; pero el *ego* más recóndito y personal permanece siempre ausente e inhibido de la emoción. Por eso el dramaturgo es incapaz de amar verdaderamente. Hay una paradoja del dramaturgo: es la misma que Diderot llamó paradoja del comediante [919]. La emoción no se comunica, sino que se provoca. Para provocar una emoción hay que mantenerse frío. Hacen llorar los actores que saben fingir el llanto. Los que lloran de veras, hacen reír. Lo mismo con el dramaturgo. La dramaturgia creó el tipo del hombre que provoca amor en todas las mujeres, porque él finge amar, pero a ninguna ama: don Juan [920]. El dramaturgo va por la vida inventando dramas, descubriendo dramas. Diríase que este don de invención (inventar significa descubrir) proviene de que el dramaturgo vive los dramas. Al contrario. El

---

[917] Carlos Clavería estudió con gran penetración la influencia de Max Müller sobre las teorías lingüísticas de Belarmino.

[918] Desde «Belarmino hubo de inventar su lenguaje...» hasta aquí, no aparece en el manuscrito.

[919] León Livingstone ha mostrado la importancia que posee este tema para comprender toda la labor narrativa de Pérez de Ayala.

[920] Las teorías de Pérez de Ayala sobre don Juan, bastante cercanas a las de su amigo Gregorio Marañón, las desarrolla en su libro de crítica teatral *Las máscaras* y en sus novelas *Tigre Juan* y *El curandero de su honra*.

que vive un drama no ve *el* drama; ve *su* drama individual. Y si por caso al dramaturgo le acontece ser víctima en un drama vivo, él permanece ecuánime, sereno. Finge ser actor siempre; y siempre es espectador, espectador de sí mismo. Tal es la paradoja del dramaturgo. Todo el que se conduce en la vida con ademanes de énfasis patético es un simulador, un dramaturgo en potencia. Estos hombres son necesarios en el mundo, porque sin esa fracasada voluntad de pasión, naturalmente contagiosa, la humanidad se acabaría, de apatía y de sapiencia. Mas, ¡ay!, si predominasen estos hombres, cuyo tuétano íntimo es una ausencia, un hueco [921], una burbuja, como la que se ve en los niveles, burbuja que difícilmente [922] se logra centrar...; si esta especie de hombres predomínase, la humanidad, cada vez más hinchada y vacía, reventaría, como la rana que quiso igualar al buey. Providencialmente, frente al dramaturgo está el filósofo (léase Belarmino). El filósofo se halla constituido a la inversa del dramaturgo. Por de fuera, serenidad, impasibilidad; en lo más secreto, ardor inextinguible [923]. El filósofo es un energúmeno conservado entre hielo. Porque el hielo es el gran conservador, así para las pasiones como para las cosas comestibles, que en cuanto se las saca al aire y a la luz se ponen rancias, manidas. El filósofo vive todos los dramas; jamás es espectador. El dolor ajeno lo siente como dolor propio; el dolor propio lo multiplica por todos los dolores ajenos; y así en el dolor propio como en el ajeno experimenta el contacto de esta o aquella brasa de la gran hoguera que es el dolor universal, el drama de la vida. El dramaturgo, aquejado de su último y vergonzoso vacío interior, se precipita hacia la superficie, se manifiesta con amplitud enfática, como taumaturgo, y hace conjuros a la pasión y al frenesí. Busca en la pasión imaginada el correctivo de la apatía íntima. Además, como por dentro no puede llorar, por fuera no acierta a son-

---

[921] T: vacío.
[922] T: jamás.
[923] Por ejemplo, en *Troteras y danzaderas,* don Sabas. Su falta de teatralidad garantiza —según Pérez de Ayala— su sinceridad. (Véase mi edición, pág. 101.)

reír. El filósofo, por su parte, busca en la apatía, en la serenidad, en la sapiencia, correctivo a la abrumadora pasión recóndita. Esa es la *sofrosine*. El filósofo llora por dentro y sonríe por fuera. Cuando al filósofo le llega la hora de su drama, su drama es tan intenso que siente como que se destruye, no ya su propio corazón, sino todo el universo, y nada existe ya. Es la máxima apatía e indiferencia; la *ataraxia*. Pero el filósofo necesita del dramaturgo para no ser estéril ni perecer. Y el dramaturgo necesita del filósofo para no ser vano ni desaparecer. Sófocles necesita de Sócrates, y Sócrates necesita de Sófocles. Los diálogos socráticos tienen forma dramática y los diálogos sofóclitos tienen fondo filosófico.»

Algo parecido a esto de Sócrates y Sófocles se lo dijo **Apolonio** a Belarmino en el asilo, y en coyuntura bastante dramática, lo cual me hace suponer que Escobar y Apolonio habían llegado a ser amigos, y que el zapatero estaba inspirado por las teorías del Estudiantón. Se observará que estas teorías son enteramente opuestas a las de don Amaranto. Para don Amaranto, el dramaturgo es el que penetra en el drama individual; y el filósofo, el que se aleja de él. Para Escobar, el que penetra en el drama es el filósofo, y el dramaturgo es el que permanece a distancia. ¡Desconcertante disparidad y contraposición de los humanos pareceres! La doctrina de don Amaranto es refutable, y no menos [924] defendible; y otro tanto la de Escobar. Y en resolución, todas las opiniones humanas. El error es de aquellos que piden que una opinión humana posea verdad absoluta. Basta que sea verdad en parte, que encierre un polvillo o una pepita de verdad [925]. Cuando un buscador de oro dice que ha encontrado oro, no da a entender que se haya apoderado de todo el oro que guardan las entrañas de la tierra, sino eso, que ha encontrado oro, un poco de oro. Tan verdad puede ser lo de don Amaranto como lo de Escobar; y entre la verdad de Escobar y la de don Amaranto se extienden sin-

[924] T: tanto como.
[925] Declaración importantísima, dentro del conjunto de la novela, pues justifica el perspectivismo y es una consecuencia de su talante liberal.

número infinito de otras verdades intermedias, que es lo que los matemáticos llaman el *ultracontinuo.* Hay tantas verdades irreductibles como puntos de vista [926]. Yo he querido presentar, acerca de Belarmino y Apolonio, los puntos de vista de don Amaranto y de Escobar, porque entre ellos cabe inscribir todos los demás, ya que por ser los más antitéticos, son los más comprensivos. Y singularmente he apelado a la ciencia y doctrina de estos caballeros por disimular que frente a Belarmino y Apolonio, ni tenía ni tengo punto de vista determinado. Belarmino y Apolonio han existido, y yo los he amado. No digo que hayan existido en carne mortal sobre el haz de la tierra; han existido por mí y para mí. Eso es todo. Existir, multiplicarse y amar [927].

Más arriba he aludido a un documento curioso y útil que Escobar dejó entre sus papeles póstumos: es un léxico completo de todas las voces y términos de que se servía Belarmino, acompañados de la acepción en que él los usaba. Yo he entresacado, para mayor comodidad [928], aquellos que el lector ha oído ya a Belarmino, los cuales van como apéndice del presente volumen [929].

El vocabulario recogido por Escobar lleva las siguientes líneas preliminares:

«Max Müller dice que colocando las veintitrés o veinticuatro letras de los abecedarios en todas las combinaciones posibles, se obtendrían todas las palabras que han sido empleadas en todos los idiomas del mundo y todas las que se hayan de emplear. Tomando veintitrés letras

---

[926] Baquero Goyanes subraya la importancia de esta frase, poniéndola en relación con el perspectivismo filosófico de Ortega (pág. 240).

[927] Toda la crítica ha señalado la cercanía de esto a las frases finales del *Quijote.* Dice la pluma de Cide Hamete Benengeli: «Para mí sola nació don Quijote, y yo para él; él supo obrar y escribir; solos los dos somos para en uno...» (ed. Martín de Riquer, Barcelona, Planeta, 1967, pág. 1138). Nótese el añadido final, vitalista y optimista, de Pérez de Ayala, semejante a las palabras últimas de Belarmino.

[928] M: para comodidad del lector.

[929] M: «aquellos que figuran como pronunciados por Belarmino en el presente volumen». Aquí concluye este capítulo, en el manuscrito.

como base, el número de palabras sería: 25, 852, 016, 738, 884, 976, 640, 000; y con veinticuatro como base: 620, 448, 401, 733, 239, 439, 360, 000. Belarmino no llegó a usar de tanta riqueza léxica; ni siquiera se aproxima a Dante, Shakespeare y Cervantes, que utilizaron miles de palabras. Belarmino se quedó alrededor del medio millar. Recuerdo haber leído en alguna parte que Racine, en sus escritos, no pasó de 400 voces, con ser su lenguaje tan dúctil, fino y matizado.»

Valdenebro de los Valles, Valladolid [930].
	Agosto-septiembre 1920.

F I N

---

[930] «En cuanto a la madre de don Cirilo, el padre de Ramón, se llamaba Paula de Ayala, y del Castillo, y había contraído matrimonio en segundas nupcias con un abogado de Valdenebro de los Valles, Guillermo Pérez Pizarro. El padre de Ramón, siendo asimismo su vástago muy niño, le llevó a conocer a esta abuela originaria de Ávila, del valle de Ayala.

«La impresión de Tierra de Campos y el valle de Valdenebro fue la primera que tuvo Ramón Pérez de Ayala, niño, de Castilla; y de ahí le nació el gusto que siempre conservó por las tierras castellanas» (Pérez Ferrero, pág. 17).

Algunas voces del léxico belarminiano [931]

ACARICIAR.—Sentir respetuoso recelo, como se hace al [932] propiciar y halagar ciertos animales.

ANALFABÉTICO.—Indiferente, imparcial, sin prejuicios intelectuales.

BELIGERANCIA.—Oposición, contraste. Adversidad, desgracia.

BELIGERANTE.—Contrario, opuesto.

BESAR.—Envidiar. Proviene del beso de Judas [933].

CAPULLO.—Sonrisa [934].

COMENSAL.—El hombre en tanto vive, porque para vivir necesita comer. Alude a las bajas necesidades materiales que cohiben la plena vida del espíritu.

CLASE.—Conducta. Los hombres se clasifican según su conducta.

CHISGARABÍS.—Quid. Cuando dais en el quid de las cosas veis que es algo sencillo, simple, leve, escapadizo; un chisgarabís.

DESNUDAR.—Descubrir la verdad profunda, la causa [935].

DESNUDO.—Causa última, explicación. Belarmino decía: el diablo desnudo es Dios [936].

ECUMÉNICO.—Conciliación, síntesis.

ENCARCELAR.—Comprender; hacerse dueño de un concepto [937].

ELIMINAR.—Ejecutar, hacer, obrar con luz o claridad de juicio; de iluminar.

ESCOLASTICISMO.—Opinión prestada y fluctuante.

---

[931] M: Léxico belarminiano.
[932] M: para.
[933] M: «*Camello*. Ministro del Reino». Tachado: «Sacerdote».
[934] Esto no aparece en el manuscrito.
[935] «Chisgarabís» y «Desnudar» no aparecen en el manuscrito.
[936] M: «*Dromedario*. Sacerdote».
[937] «Encarcelar» no aparece en el manuscrito.

ESCOLÁSTICO.—El que sigue opiniones ajenas, como la cola sigue al cuerpo del animal.

ESCORBÚTICO.—Pesimista. Viene de cuervo.

ESPASMÓDICO.—Placer, contento.

FACTURAR.—Dar importancia arbitraria, apreciar caprichosamente lo que no tiene precio ni importancia.

GLOBO.—Vanidad [938].

GRECIA.—Sabiduría.

HORARIO.—Esfera.

INGUMENTARIO.—Lo externo y superficial.

INQUISICIÓN.—Dolor [939].

INSTRUMENTAL.—Lo útil y eficaz.

INTENCIÓN.—Razón. Nuestras razones son nuestras intenciones secretas [940].

INTUICIÓN.—Dominio y familiaridad con un asunto. Vale tanto como tratar de tú. Lo opuesto es lo saludable, o conocer de lejos, por un saludo.

JOROBA.—Responsabilidad, porque abulta, pesa y estorba.

LENTE.—Ente. Todo es según el color del cristal con que se mira.

LLAMATIVO.—Ardiente, llameante.

MACILENTO.—Violento y contundente, como quien acomete con una maza.

MADRONA.—Virgen madre, que concibe por obra del Espíritu Santo.

MAREMÁGNUM.—Ideal, compendio de todas las cosas.

METEMPSÍCOSIS.—Intríngulis, esencia de las cosas.

PARADOJA.—Ortodoxia.

PARAFRASEAR.—Comprender.

PATATÍN, PATATÁN.—Mal. Todo lo que está mal se reviste de circunloquio.

PESO.—Sentimiento grave.

PONGO Y QUITO.—Desdén [941].

POSTEMA.—Sistema, teoría; tumor muerto que se forma dentro de un cuerpo vivo.

PROHIJAR.—Amar por voluntad de amor, que no por exigencia de la sangre [942].

PROYECTIL.—Disparate, porque sale disparado conforme designio o proyecto, y siempre causa daño.

PUERPERAL.—Fecundo con dolor.

RECREADO.—Increado, y produce gran goce o recreo; aplícase a la luz o solera.

---

[938] «Facturar» y «Globo» no aparecen en el manuscrito.

[939] «Inquisición» no aparece en el manuscrito.

[940] La frase «Nuestras razones son nuestras intenciones secretas» no aparece en el manuscrito.

[941] «Pongo y quito» no aparece en el manuscrito.

[942] «Prohijar» no aparece en el manuscrito.

REGAR.—Visión de unidad, abarcar con la mirada. Mirándolas, las cosas se refrescan y desarrollan.

RIDÍCULO.—Excéntrico, fuera de su fin propio.

ROCIAR.—Expresión atenuada de regar [943].

SALUDABLE.—Conocimiento ligero, opuesto a la intuición. Viene de saludo e indica que el conocimiento, aunque superficial, es siempre conveniente.

SAPO.—Sabio. La sabiduría se adquiere mediante el éxtasis. El sapo es símbolo del éxtasis.

SISTEMA.—Testadurez, obstinación. Refiérese a los que andan a vueltas con el mismo tema; sí es tema.

SOLERA.—Luz por excelencia, fuente de luz. Viene de sol.

TAS, TAS, TAS.—La muerte; los últimos latidos: los golpes del martillo sobre el ataúd [944].

TEÍSTA.—Incendiario, que empuña la tea.

TETRAEDRO.—El todo.

TOLE TOLE.—La vida; la inquietud constante; el aleteo de las pasiones.

TRIS, TRAS.—Bien. Lo que está bien es breve y ejecutivo como un tajo.

ZAPADA.—Tontería; sólo los tontos se dejan caer [945].

---

[943] «Rociar» no aparece en el manuscrito.

[944] Reinink ha dedicado todo un capítulo (el III) a estudiar las «Interjecciones, onomatopeyas y voces expresivas en la obra de Pérez de Ayala».

[945] «Zapada» no aparece en el manuscrito.

Colección Letras Hispánicas

DE PRÓXIMA APARICIÓN